Cahiers de recherche sociologique

Religions et sociétés...
après le désenchantement du monde

édités par le département de sociologie
UQAM

33, 1999

Les *Cahiers de recherche sociologique* sont édités par le département de sociologie de l'Université du Québec à Montréal.

Directeur:
Jacques Beauchemin, département de sociologie, Université du Québec à Montréal

Membres du comité de rédaction:
Gilles Bourque, département de sociologie, Université du Québec à Montréal
Albert Desbiens, département d'histoire, Université du Québec à Montréal
Alain-G. Gagnon, département de science politique, Université McGill
Micheline Labelle, département de sociologie, Université du Québec à Montréal
Danielle Laberge, département de sociologie, Université du Québec à Montréal
Jean-Guy Lacroix, département de sociologie, Université du Québec à Montréal
Marcel Rafie, département de sociologie, Université du Québec à Montréal

Assistantes à la production:
Jocelyne Dorion, Christine Milot et Micheline Turcotte

Couverture (composition informatique d'image):
Pierre Guimond

Le présent numéro «Religions et sociétés... après le désenchantement du monde» a été préparé sous la direction de Micheline Milot.

Rédaction
Département de sociologie
Université du Québec à Montréal
C.P. 8888, Succursale Centre-ville
Montréal (Québec)
H3C 3P8
tél.: (514) 987-3000 (poste 4380)
téléc.: (514) 987-4638
adresse électronique: benard-milot.christine@uqam.ca

Abonnement
Service des publications
Université du Québec à Montréal
C.P. 8888, Succursale Centre-ville
Montréal (Québec)
H3C 3P8
tél.: (514) 987-3000 (poste 4229)

Les *CRS* sont indexés dans les bases de données suivantes:
Canadiana, Francis (Bulletin signalitique; 521, Sociologie), IRPS (International Review of Publication in Sociology), PAIS (International in Print), Repère et Sociological Abstract.

Envoi de Poste-publications-Enregistrement no 08219

Sommaire

Présentation

Religions et sociétés...
après le désenchantement du monde

Micheline MILOT

Contrairement à ce qu'avait prédit Malraux, le problème religieux n'est certes pas le problème principal de cette fin de siècle. Pour paraphraser l'affirmation qu'on lui attribue, mais qu'il n'a jamais prononcée, le XXIe siècle sera, sans être nécessairement religieux. Toutefois, la situation actuelle, en ce qui concerne la religion dans les sociétés modernes, ne semble pas donner davantage raison aux prédictions sécularistes qui liaient les processus de rationalisation à la mort définitive des dieux.

Bien que le surnaturel ne fonde plus l'ordre politique et moral de la plupart des sociétés, les références religieuses se trouvent présentes au sein des groupes et des nations, et ce sous diverses formes. Ainsi, les conflits sporadiques ou endémiques qui secouent la planète impliquent, en grande majorité, des groupes identifiés sous des bannières confessionnelles: le Kosovo (musulmans et orthodoxes), le Proche-Orient (juifs et musulmans), l'Afghanistan (musulmans modérés et fondamentalistes chiites), l'Irlande (protestants et catholiques), le Timor oriental (catholiques et musulmans), la Tchétchénie (musulmans et orthodoxes), le Cachemire (hindous et musulmans), le Tibet (bouddhistes et athées), l'Algérie (musulmans intégristes et musulmans modérés ou laïques), et la liste pourrait s'allonger.

Dans le contexte plus pacifique des sociétés occidentales, les grandes traditions confessionnelles habitent encore l'espace de la mémoire collective, malgré l'effondrement de leur pouvoir social: la déclaration d'affiliation confessionnelle (affiliation «sans implications», le plus souvent) est encore le fait d'une large majorité, la croyance en Dieu ou en une puissance supérieure est affirmée par plus de 80 % de la population, les rites liés à la naissance et à la mort sont encore très répandus, toutes traditions confondues. Certes, l'expansion des processus de sécularisation a contribué au rétrécissement de la portée sociale des confessions traditionnelles. Cependant, on assistait en même temps à l'émergence d'une multitude de groupes et de mouvements religieux ou spirituels. Les croyances d'origines les plus diverses se disputent un marché symbolique dans lequel l'aspiration au bien-être, physique et psychique, la recherche d'harmonie, la volonté de réalisation personnelle et les diverses quêtes de sens tentent de trouver satisfaction, selon une version immanente du salut. Seulement au Québec, on dénombre plus de 600 groupes religieux ou spirituels, dans lesquels se rassemblent des personnes issues de tous les milieux sociaux et professionnels. Ces adhésions s'effectuent de façon relativement discrète. L'un ou l'autre de ces groupes fait occasionnellement l'objet d'un battage médiatique lorsque s'y commettent des actes illégaux ou violents. Ces faits sont particulièrement dramatisés par les médias et inquiètent davantage l'opinion publique quand ils sont débusqués dans de tels petits groupes plutôt que dans la société en général.

Quelle que soit la forme selon laquelle ce foisonnement se faufile dans les rouages de la société, il nous rappelle que la fin du rôle social des religions ne signifie pas la fin des croyances religieuses. Si celles-ci ne déterminent plus l'organisation de la cité, que signifie leur effervescence?

Devant cette prolifération de croyances, d'adhésions et de recherches de sens qui se produit simultanément au déclin du pouvoir social des grandes traditions religieuses, différents ordres de questionnement préoccupent les chercheurs qu'intéressent les rapports entre religion et modernité. Sans prétendre à un inventaire exhaustif de la recherche actuelle, ce numéro des *Cahiers* propose un aperçu des analyses et des réflexions qui se rattachent à diverses problématiques sociologiques concernant les faits religieux: le rapport entre les croyances religieuses et l'organisation de la vie individuelle et sociale, les accointances entre les fonctionnements religieux et les fonctionnements politiques, les transactions complexes entre les grandes confessions religieuses et les sociétés modernes, le rôle des références transcendantales dans le façonnement du lien social, pour n'en nommer que quelques-unes. Ainsi, les différents articles s'appliquent à dégager les composantes religieuses présentes au cœur des logiques sociales de nos sociétés prétendument «sorties de la religion». Comme tous ces travaux s'inscrivent à la suite du renouvellement des théories de la sécularisation, et ce dans le contexte de désenchantement de la modernité elle-même, je rappelle quelques traits marquants de cette évolution théorique.

Sécularisation et productions religieuses de la modernité

La place de la religion dans les sociétés modernes est une question qui a préoccupé la sociologie dès sa naissance. En analysant les transformations profondes que subissent les sociétés modernes, Durkheim, Weber et Marx ont, chacun à sa façon, pris en compte le phénomène religieux, celui-ci ayant constitué la trame même de la vie sociale et culturelle pendant des siècles. Les processus de rationalisation qui marquaient le déploiement de la modernité entraînaient la perte de plausibilité des symboliques religieuses. La dissolution de celles-ci remettait en question le fondement moral des sociétés, la production du lien social et des idéaux collectifs dont elles avaient été les garantes séculaires. C'est ce contexte que Weber a traduit par son expression célèbre de «désenchantement du monde».

La disqualification culturelle des croyances et des pratiques de la religion traditionnelle dans la plupart des sociétés modernes, d'une part, et le rétrécissement social du champ religieux, d'autre part, ont alimenté pendant plusieurs décennies les thèses de la *sécularisation* qui rendaient compte des conséquences de cette marginalisation culturelle de la religion[1]. Certes, la religion survivait, mais elle se confinait dans les replis de la vie privée. Les théories de la sécularisation ont souvent conduit à une lecture simplificatrice qui mesurait la place de la religion dans les sociétés modernes en prenant pour principal indicateur le déclin des «institutions» religieuses traditionnelles.

---

[1] Il faut souligner, toutefois, que ce processus qui a cours dans toutes les sociétés occidentales et qui touche toutes les traditions religieuses qui y sont présentes diffère passablement de celui qu'on observe dans les autres parties du monde. Un prosélytisme très actif a permis aux traditions chrétiennes et musulmanes de se redéployer en dehors des frontières où s'effritait leur hégémonie sociale et politique. Cette nouvelle offensive prend le plus souvent place dans des conjonctures économiques ou sociopolitiques difficiles, dans lesquelles se trouvent des populations désenchantées du point de vue idéologique ou matériel. Ainsi, malgré l'effondrement vertigineux du christianisme dans les populations occidentales, celui-ci demeure en tête de liste des religions mondiales par son implantation dans les pays qui enregistrent un taux élevé de natalité: le Brésil, le Mexique et les Philippines sont considérés comme les trois premiers pays catholiques d'un point de vue numérique. Du côté protestant, le Nigeria est devenu le deuxième pays après les États-Unis. L'islam, pour sa part, n'est plus synonyme d'«arabité», puisque l'Indonésie, le Pakistan, le Bangladesh et l'Inde sont désormais les quatre premiers pays du monde musulman.

Le postulat moderniste issu des Lumières qui sous-tendait généralement cette lecture, soit celui de l'incompatibilité entre l'«irrationalité» de la religion et la «rationalité» scientifique et technique censée gouverner les sociétés modernes, a toutefois dû être reconsidéré pour permettre de rendre compte de la signification des expériences religieuses multiples présentes dans ces sociétés[2]. En effet, à partir des années soixante-dix, on a constaté que la religiosité populaire était toujours aussi effervescente, que la montée des intégrismes concernait toutes les grandes traditions religieuses et, surtout, qu'au cœur même de la modernité une nouvelle culture spirituelle prenait forme dans de nouveaux mouvements religieux. Ce dernier phénomène a eu une incidence d'autant plus décisive sur l'ébranlement des convictions sécularistes qu'il se déployait non à la marge, mais au centre des sociétés les plus avancées. Autrement dit, ces phénomènes ne concernaient pas (et ne concernent toujours pas) uniquement les populations marginalisées socialement ou économiquement. Au contraire, ce sont généralement des classes moyennes, voire aisées, intégrées culturellement, professionnellement et économiquement à la modernité, ou du moins ouvertes aux possibilités de celle-ci par leur éducation, qui accueillent le plus largement ces nouveaux courants religieux ou spirituels. Ceux-ci ont, en quasi-totalité, pris naissance aux États-Unis, tout particulièrement dans les campus universitaires et les mouvements de la contre-culture américaine.

La sécularisation demeure le paradigme dominant pour rendre compte des phénomènes de différenciation des institutions et de l'effondrement de la normativité globalisante des religions traditionnelles, mais les théories à ce chapitre ont dû être nuancées. Il a fallu que la sociologie se donne les outils d'analyse pour aborder de front la question des *productions religieuses de la modernité*[3]: ce qu'on avait cru disparu s'était transformé et adapté aux conditions de l'homme moderne. La modernité n'a manifestement pas tout digéré des dimensions de l'expérience humaine qui se traduisent en grande partie, bien que non exclusivement, dans le champ religieux; ainsi, la dimension imaginaire des liens sociaux, comme celle des fondements normatifs du social, de même que les dimensions émotives des recherches de sens se

---

[2] Plusieurs théoriciens ont fourni des analyses permettant de reconsidérer les rapports entre sécularisation et modernité ou postmodernité, dont J. K. Hadden et A. Shupe, D. Martin et D. Hervieu-Léger.

[3] L'expression est empruntée à D. Hervieu-Léger qui a proposé une excellente mise en perspective des rapports entre la religion et les sociétés modernes, notamment dans *La religion pour mémoire*, Paris, Cerf, 1993, et dans «Productions religieuses de la modernité: les phénomènes du croire dans les sociétés modernes», dans B. Caulier (dir.), *Religion, sécularisation, modernité*. Sainte-Foy, Presses de l'Université Laval, 1996, p. 37-58.

sont révélées inassimilables. D'autant plus que la modernité est de plus en plus désenchantée, que les grands récits politiques se sont effrités et que le mythe du progrès s'est trouvé désavoué par la rationalité scientifique elle-même. Dans ce contexte, ce qu'on a désigné, pendant un certain temps, comme un «retour du religieux» est plutôt un processus continu d'adaptation des modes de sacralisation de l'expérience humaine. Si l'au-delà, en tant que réalité surnaturelle, n'a plus de sens politique, il existe néanmoins, comme le démontrait Weber, des phénomènes sociaux et politiques dans lesquels interviennent des effets de croyance.

Le croire[4] implique des enjeux sociaux et politiques qu'il s'agit de cerner et d'analyser. C'est ce que s'efforcent de saisir les articles rassemblés dans ce numéro. Les auteurs ont été invités à une réflexion sur le *croire* comme «pratique sociale» et non pas sur la *croyance* comme «représentation». Bien sûr, ce choix de perspective ne signifie pas que le contenu des croyances soit sans importance: croire à la rétribution des justes après la mort ou croire que l'être humain est une étincelle entre deux néants est beaucoup plus qu'une affaire d'opinion. Mais c'est en tant que les contenus du croire induisent des prédispositions susceptibles d'infléchir les attitudes individuelles et les logiques sociales qu'ils seront considérés. Encore faut-il préciser les mutations que le croire, en tant que disposition fondamentale de l'esprit humain, a connues dans le contexte de la modernité.

Les mutations du croire religieux

Le croire n'est pas d'abord affaire de religion. Il consiste à s'en remettre à un «autre», dans la mesure où l'ensemble des convictions individuelles et collectives qui fonde notre expérience du monde ne relève pas du domaine de la vérification. Il est avant tout un mode de connaissance, lequel agit à différents niveaux de structuration de l'expérience. La confiance première du nouveau-né à l'égard des adultes dont il dépend entièrement est probablement la plus fondamentale des modalités du croire. S'y additionnent les «allant de soi» inculqués au cours de la socialisation primaire, tel que les a décrits Pierre Bourdieu[5]. Les convictions théorisées et rationalisées, comme les postulats scientifiques ou théologiques, sont également des modalités du croire qui échappent à la démonstration empirique. Thomas S. Kuhn

---

[4] L'emploi du verbe «croire» comme substantif est devenu très répandu dans les travaux sociologiques sur la religion, notamment dans la foulée des réflexions de M. de Certeau, dont «L'institution du croire», notes de travail, n.d., et *La faiblesse de croire*, Paris, Seuil, 1985.

[5] P. Bourdieu, *Le sens pratique*, Paris, Minuit, 1980.

n'a pas hésité à mettre en évidence, comme condition heuristique de l'élaboration du savoir scientifique, l'existence d'un terreau de «convictions hétéroclites[6]». C'est dire que le croire ne constitue pas un atavisme dans le monde moderne, pas plus qu'il ne s'oppose à la raison.

Le croire se perpétue au cœur de la modernité selon diverses modalités et la religion représente l'une d'elles. Si les processus de rationalisation ont délégitimé les systèmes traditionnels du croire religieux, il reste que celui-ci n'a pas été évacué, mais transformé. Le déploiement de la rationalité scientifique et technique a eu un effet indiscutable sur le croire religieux, non pas tant en réduisant son espace, mais plutôt en modifiant profondément ses *structures* et en déplaçant ses assises de *légitimation*.

La croyance en l'existence de puissances surnaturelles a sans doute trouvé l'un de ses fondements dans l'expérience d'impuissance de l'homme face à des événements (dont la mort n'est pas le moindre) qui marquent son destin, mais dont il n'est pas maître. La découverte des lois de la nature a progressivement permis à l'homme une certaine autonomie par rapport au monde et aux puissances censées le dominer. Plus qu'une · nouvelle prise de conscience, le triomphe de l'esprit scientifique va contribuer à mettre en place un nouveau système de valeurs dont l'instance d'élaboration a changé. C'est l'homme (et non plus des êtres surnaturels) qui devient l'agent de toute valorisation, de toute signification et de toute normativité. Cet immense déplacement se traduit par deux concepts-clés: l'autonomie et la liberté. L'homme aura désormais le privilège, mais également la charge de sa définition et de sa constitution. Il devient le «centre commun» (selon l'expression de Diderot) à partir duquel se nouent les fils de l'univers.

Cette perspective anthropocentrique a frappé de plein fouet l'idéation religieuse, fondamentalement théocentrique. Le débat des Lumières ne portait plus sur l'existence du divin, mais sur l'homme et son statut. Non pas que le divin et l'hétéronomie n'aient plus d'intérêt, mais ils sont reconsidérés selon un point de vue strictement anthropocentrique[7]. Ce déplacement a été très bien décrit par Feuerbach dans *L'essence du christianisme*: c'est l'homme qui devient le référent de toute réalité religieuse. La tradition métaphysique traitait de l'homme à partir de Dieu, la tradition anthropologique traite de Dieu à partir de l'homme.

---

[6] T. S. Kuhn, *La structure des révolutions scientifiques,* Paris, Flammarion, 1972.

[7] Y. Ledure explique de façon plus élaborée ce renversement de perspective dans son article « De l'athéisme à l'indifférence religieuse: nouveau statut du religieux », *Encyclopédie des religions*, t. 2, Paris, Bayard, 1997, p. 2353-2362.

Les linéaments d'une nouvelle carte religieuse se sont ainsi progressivement dessinés. La religion ne pouvait désormais avoir de pertinence et de signification que dans la logique de l'immanence. Au siècle dernier, Renan affirmait que la «religion [était] irrévocablement devenue une affaire de conscience individuelle», le social obéissant à un mouvement inéluctable de sécularisation. Or cette «topique de l'individuel» n'impose pas que la religion se cantonne dans le domaine de la vie privée, hors de l'espace public. Les analyses qui sont présentées dans ce numéro l'illustrent avantageusement.

Qu'en est-il plus spécifiquement du croire «religieux»? On peut à juste titre s'interroger sur ce qu'il faut entendre par le concept de religion quand on prend en considération de telles mutations. En fait, ce concept recouvre des réalités si diverses qu'il semble parfois difficile d'user d'une seule catégorie d'analyse pour les cerner toutes. De multiples définitions ont d'ailleurs été formulées, allant de la prise en compte de la seule réalité institutionnelle des traditions historiques à l'inclusion de tous les phénomènes qui ont trait au rituel ou au questionnement existentiel. Je n'entrerai pas ici dans la discussion complexe concernant les définitions de la religion. Mais le lecteur pourra constater que le concept «opérationnel» de religion mis en œuvre dans les différents articles réunis dans ce *Cahier* renvoie tantôt à des institutions ou à des communautés identifiées socialement comme telles (Turcotte, Talin, Daher), tantôt à des référentiels symboliques qui assurent une articulation entre le profane et le sacré, entre le quotidien et l'«extra-ordinaire» ou entre le social et l'«extra-social» (Lemieux, Geoffroy, Freitag).

Le croire religieux, révélateur des contradictions du monde moderne

Aborder le croire religieux selon la perspective que je viens de décrire, c'est donc à la fois étudier l'influence qu'il peut exercer sur les logiques sociales et saisir ce qui se reflète de celles-ci dans les divers régimes du croire. On peut même affirmer que les productions religieuses contemporaines sont d'excellents révélateurs du monde moderne, tout particulièrement dans ses contradictions. Les attentes, les recherches de repères moraux, les quêtes de bonheur, les questionnements existentiels ou l'affirmation identitaire sous-jacents aux adhésions à des groupes religieux ou spirituels sont généralement en lien avec une lecture critique du contexte social, relationnel ou professionnel dans lequel évoluent les individus. En ce sens, il s'agit d'entreprises rationnelles[8].

---

[8] Un postulat, inspiré par l'analyse de Weber concernant la rationalité et la modernité, sous-tend cette assertion: la rationalité n'est pas une caractéristique de

On sait que la modernité «se désenchante», qu'elle applique à elle-même sa propre capacité autoréflexive. Dans ce contexte, la religion tend à devenir l'un des vecteurs d'une critique de la modernité ou, plus précisément, d'un certain nombre de ses défaillances: les excès de l'individualisme et l'effet de celui-ci sur le lien social, le déficit de sens, la déculturation engendrée par la mondialisation et la dissolution du fondement moral de nos sociétés[9]. En ce sens, il n'est pas exagéré d'affirmer que la dimension *protestataire* à l'égard de la modernité est commune à tous ces mouvements. Comme l'explique bien Danièle Hervieu-Léger[10], cette protestation ne remet pas en question l'affirmation moderne de l'autonomie humaine et de la liberté, étant plutôt dirigée contre sa mise en œuvre historique, c'est-à-dire ce par quoi cette autonomie est devenue purement formelle: une méconnaissance des enracinements identitaires et des relations des individus avec la nature, la négation de l'importance de l'affectivité dans les relations humaines, la fonctionnalité et le cloisonnement des rapports sociaux.

Ainsi, à travers leur extrême diversité, les mouvements religieux inscrivent un double rapport à la modernité. D'une part, ils véhiculent des valeurs héritées de celle-ci (la liberté, l'autonomie, le refus de l'autorité, la recherche du bonheur et de la qualité permanente de la vie, la légitimité du savoir scientifique[11]); d'autre part, ils protestent contre la mise en œuvre défaillante de ces mêmes valeurs. On trouve donc au sein des mouvements religieux, sous diverses formes, une critique de l'incapacité des sociétés contemporaines à satisfaire un certain nombre de besoins fondamentaux des individus. S'y expriment également un procès du règne de la marchandise, une dénonciation de l'aliénation consommatrice, de la perte des valeurs morales et de la dissolution du lien social, une critique de l'hégémonie de la fonctionnalité technique qui produit une atomisation de l'individu en le réduisant à ses fonctions consommatrices ou productrices. On pourrait ici reprendre la phrase de

---

l'objet, mais de la recherche des moyens qui semblent les plus adaptés aux fins poursuivies. En ce sens, selon Weber, l'organisation de la vie monacale au Moyen Âge était très rationnelle. Ainsi, même les recherches de sens en apparence les plus farfelues sont des entreprises rationnelles. Weber disait à juste titre qu'est irrationnel ce qui est perçu tel du point de vue d'une autre rationalité, généralement dominante culturellement. Ce qui vient d'être dit n'excuse en rien les dérives parfois monstrueuses des fanatismes sectaires, mais rappelle que les jugements de valeur ne tiennent pas lieu d'analyse.

[9] L'analyse distingue ici, comme il se doit, la signification sociale du phénomène de ses effets sur tel ou tel individu (effets qui peuvent être parfois néfastes) et de l'efficacité (toute relative) de ses pratiques.

[10] D. Hervieu-Léger, art. cité.

[11] Ces valeurs associées à la modernité sont véhiculées même par les mouvements ou les groupes de type fondamentaliste ou intégriste qui les rejettent pourtant explicitement, dans la mesure où leur interprétation du donné de la tradition se fait précisément en dehors des cadres fixés par celle-ci.

Lévi-Strauss: «La religion est une formidable protestation contre le non-sens.»

La critique de la modernité a bien révélé l'insuffisance de l'«auto-suffisance» de l'homme[12] et l'incapacité des systèmes politiques de fournir un répertoire de sens global pour la vie individuelle et collective[13]. Il semble que l'univers religieux, du fait qu'il peut nommer et symboliser une certaine *altérité* du social, trace en quelque sorte les contours de la rationalité instrumentale dominant les fonctionnements sociaux.

*
* *

C'est donc à l'intérieur d'une compréhension élargie des rapports entre religions et sociétés que les contributions réunies dans ce *Cahier* prennent place. Les auteurs s'attachent à analyser, tantôt d'un point de vue théorique, tantôt à même des matériaux empiriques, ce que les symboliques religieuses traduisent de la vie individuelle ou sociale et comment elles infléchissent celle-ci.

D'entrée de jeu, le texte de Raymond Lemieux propose une disjonction entre les catégorisations de séculier et de religieux, afin de repenser le rapport entre l'activité humaine qui se veut émancipée des cadres religieux normatifs et la fonction de structuration du sens que ceux-ci exerçaient. La recherche de repères éthiques et explicatifs demeure une entreprise nécessaire dans l'autodéfinition et l'autoconstitution de l'individu. Par ailleurs, la surabondance d'événements qui remplissent le présent et occultent le passé, en nous aspirant toujours vers un avenir dont on ne parvient pas à saisir un quelconque projet, engendre le besoin de conférer un sens à la vie quotidienne, de marquer certains moments d'un sceau de non-relativité, d'inscrire le moment présent dans son sens et son unicité historiques. Ainsi, R. Lemieux soutient que l'appréhension d'un sens, même quand elle se veut séculière, continue de présenter des traits structurellement religieux, mais qui ne se traduisent plus dans la *confession* d'un sens en particulier.

---

[12] Voir Z. Bauman, *Postmodernity and its Discontents*, New York, New York University Press, 1997.
[13] Voir M. Gauchet, *La religion dans la démocratie. Parcours de la laïcité*, Paris, Gallimard, 1998. Plusieurs auteurs ont posé un diagnostic similaire, dont T. Luckmann dans *The Invisible Religion. The Problem of Religion in Modern Society*, New York, Macmillan, 1967.

Les diverses recherches de sens et de sacralisation de l'expérience qui sous-tendent les processus de recomposition du croire s'articulent à une visée d'accès au bien-être: une sorte de pragmatisme spirituel qui serait une version immanente du salut. Par l'expression «pragmatisme spirituel», il ne s'agit pas de dénigrer ou de banaliser l'expérience religieuse que proposent les divers mouvements religieux ou les sectes, mais de souligner la dimension pratique de réalisation de soi, d'apport ou d'utilité d'un point de vue professionnel, affectif, psychologique ou thérapeutique, qui légitime et accrédite cette expérience aux yeux de ceux qui la vivent. Autrement dit, la valeur de vérité de telle croyance ou de telle pratique ne découle pas de la reconnaissance d'une autorité extérieure au moi, mais plutôt de ce qu'elle rapporte à l'individu comme bienfaits et bonheur.

C'est dans ce contexte que le nouvel âge semble répondre adéquatement au rejet des dogmes traditionnels et à une recherche de sens centrée sur l'individu et la réalisation de son potentiel. Ce pragmatisme spirituel s'harmonise aisément avec les valeurs dominantes de la modernité, tout en offrant des voies pour compenser leurs défaillances. Martin Geoffroy propose une typologie des multiples courants et mouvements qui s'inscrivent dans le sillage de l'idéologie du nouvel âge. Si les sources d'inspiration sont diverses et les modes d'expression, éclatés, l'auteur soutient que cette «nébuleuse nouvel-âgiste» constitue un véritable réseau comportant des dimensions sociale, culturelle, ésotérique et thérapeutique.

Certes, bien que la visée de structuration du sens se poursuive le plus souvent en dehors du cadre des grandes confessions historiques, celles-ci font néanmoins partie de l'horizon culturel de nos sociétés. Cependant, force est de reconnaître qu'elles accusent un décalage herméneutique par rapport à la sensibilité anthropologique moderne en maintenant une conception métaphysique fondée sur une représentation traditionnelle de l'homme et de la transcendance. Mais c'est en même temps au cœur d'une telle contradiction que les grandes confessions tentent d'élaborer des stratégies de survie culturelle et institutionnelle. En effet, les traditions religieuses, et en premier lieu le christianisme, ont toujours su démontrer une étonnante plasticité face aux conditions culturelles. Le christianisme a traversé les siècles et a imprégné les cultures, bien souvent au prix de sa propre acculturation et d'une sécularisation interne. L'histoire du catholicisme nous fournit à cet égard des exemples éloquents. Paul-André Turcotte nous propose une analyse éclairante des médiations dans le christianisme. Il examine les tensions que connaît une institution millénaire, intransigeante dans l'affirmation de son identité propre, mais aux prises avec le nécessaire compromis d'ajustement à la société. Ce sont précisément les transactions complexes entre le monde profane et la gestion symbolique du sacré qui ont permis qu'un imaginaire utopique puisse à ce point influencer les sociétés et les cultures où il s'est répandu. L'auteur nous permet ainsi de dépasser les antagonismes familiers entre Église et monde moderne en montrant la complexité de leurs rapports, notamment en caractérisant l'Église comme institution typique de la contestation et de la constitution de la modernité.

Le christianisme a d'ailleurs largement contribué, souvent à son corps défendant, à la dissociation du temporel et du spirituel qui fonde la modernité politique. Dès lors, d'un point de vue politique, les croyances peuvent bien se multiplier librement dans la sphère publique, puisque, de toute façon, ce pluralisme de fait aboutit inévitablement à la neutralisation des prétentions absolues de chacun à l'égard du social[14]. Cela n'exclut pas que la religion s'immisce dans le champ politique. On ne peut ignorer, en effet, que les religions sont de puissants appareils politiques, qu'elles soient instrumentalisées (par des groupes dont les idéaux politiques et les moyens pour les atteindre se légitiment par un credo religieux) ou appelées à suppléer aux idéologies politiques jugées défaillantes (comme en témoigne la montée de la droite religieuse soutenant certaines ailes politiques dans divers pays). De manière moins directe, les conceptions religieuses peuvent infléchir des choix politiques sans que les confessions coiffent les partis en lice. C'est sous ce dernier angle que Kristoff Talin examine les relations entre le positionnement politique (gauche, droite) et le degré d'intégration à une religion. À la lumière de diverses enquêtes réalisées en Europe, l'auteur évalue la pertinence des modèles d'analyse qui tentent de rendre compte de ces liens. Il démontre que le paradigme liant l'appartenance religieuse et le comportement politique est encore valide, bien qu'il doive être nuancé dans un contexte de pluralisme caractérisant les confessions elles-mêmes.

L'articulation complexe entre la religion et la sphère publique se révèle également dans des processus d'affirmation identitaire qui remettent en question les conceptions universalistes de la citoyenneté qui ont cours dans plusieurs sociétés occidentales. Dans ces contextes sociaux marqués par l'autonomie des individus, par le pluralisme et l'antagonisme des valeurs, certains groupes minoritaires activent les symboliques religieuses pour combattre les effets jugés néfastes de la modernité. Ils affichent alors une identité différenciée de celle de la majorité. Ce phénomène a pris une ampleur particulière à la suite des vagues d'immigration de personnes appartenant à la religion musulmane. Les sociétés d'accueil, largement sécularisées, voyaient en leur

---

[14] Spinoza avait développé cette perspective dans son *Traité théologico-politique* paru en 1610. L'argument sera aussi repris par Hume dans *L'histoire naturelle de la religion et autres essais sur la religion*, datant de 1741.

sein des groupes d'individus s'identifier d'abord en fonction d'un critère religieux, désireux de socialiser leurs enfants selon une normativité religieuse et favorisant les liens intra-communautaires avant tout autre type de relation sociale. Les demandes d'accommodement adressées aux institutions publiques pour que les croyants puissent respecter leurs divers préceptes religieux se sont multipliées. Ali Daher présente un extrait d'une large étude qu'il a menée auprès de la communauté musulmane au Québec. Il analyse l'influence que tentent d'exercer les leaders de la communauté sur leurs coreligionnaires en matière d'intégration à la société québécoise. En voulant comprendre la construction de l'islamité au Québec, l'auteur examine ce qu'elle implique au chapitre des relations intergroupes, de la participation sociale et du sentiment d'appartenance à la société d'accueil. Il évalue par ailleurs les effets que peut avoir sur les tendances au «communautarisme» la reconnaissance par l'État de droits particuliers aux groupes religieux.

Ce réinvestissement identitaire de la religion semble bien s'effectuer en réaction contre les excès de l'individualisme, contre les effets anomiques qu'il entraîne et contre l'effritement du lien social. Tocqueville et Durkheim avaient tous deux, chacun à sa manière, démontré que la religion est en quelque sorte consubstantielle au lien social. Frein aux excès de l'individualisme et incitation à la solidarité sociale, la religion ferait obstacle à l'anomie et contribuerait à empêcher les effets désastreux de l'égoïsme. La religion, en fondant l'ordre social au-delà des subjectivités, a donc directement à voir avec le lien social. Michel Freitag adopte cette perspective théorique et propose une réflexion sur le fondement moral de nos sociétés. Il décrit les formes qu'a prises la référence transcendantale, nécessaire à l'expérience collective, depuis les sociétés primitives jusqu'aux sociétés postmodernes. Il montre comment les divers types de sociétés se sont représentées elles-mêmes à travers différentes mises en forme sociohistoriques de cette dimension transcendante. Mettant en relief la dissolution de la raison transcendantale dans les nouvelles modalités organisationnelles et systémiques de régulation, l'auteur examine par ailleurs les effets de disjonctions entre l'engagement extérieur et l'orientation intérieure du sujet provoqués par cette dissolution. Il conclut à la nécessaire reconstruction du politique à l'échelle mondiale, de manière que la dimension transcendantale de la vie humaine soit réassumée par la voie d'un dialogue positif entre les civilisations, invitant en cela les sciences sociales à un travail qui renoue avec la tradition des «humanités».

*
* *

La présence sociale du religieux ne peut certes plus se traduire en un projet politique dans les démocraties fondées sur la séparation du religieux et du politique. Mais il faut dépasser les antagonismes simplistes entre raison et religion afin de mieux cerner les structures sociosymboliques en vertu desquelles le religieux et le social s'insèrent dans des logiques d'échanges, d'instrumentalisations réciproques et de transformations mutuelles. Les articles de ce *Cahier* y auront, je crois, contribué.

Micheline MILOT
Département de sociologie
Université du Québec à Montréal

Sécularités religieuses. Syndromes de la vie ordinaire

Raymond LEMIEUX

De quelles douleurs ces regards sont-ils captifs?

Michel de Certeau[1]

Bien qu'ils donnent lieu à de nombreuses études, les constats de sécularisation[2] laissent des vides dans la compréhension des dynamiques sociales contemporaines, marquées de religiosités paradoxales. Certes, les définitions techniques du terme sont séduisantes: elles permettent de saisir certaines réalités importantes et de les expliquer avec une relative simplicité. La définition du concept proposée par Peter Berger et Thomas Luckmann, par exemple, est opérationnelle. La sécularisation constitue, pour eux, «l'autonomisation progressive de secteurs sociaux qui échappent à la domination des significations et des institutions religieuses[3]». Une telle position se situe dans le sillage des études de Max Weber: elle repose sur les idées-force de *rationalité* et de *désenchantement* (*Entzauberung*) et vise à rendre compte de cette expérience moderne de la conscience qui pousse les citoyens à penser que le monde se construit de plus en plus par leur propre action, et non qu'il est le produit d'une force extérieure. Un tel concept est un outil éminemment précieux dans les études «régionales»: il permet de comprendre comment le Québec a vécu, par exemple, un processus de sécularisation effectif de ses institutions scolaires et de ses institutions de

---

[1] M. de Certeau, «L'espace du désir ou le "fondement" des Exercices Spirituels», *Christus*, vol. 20, no 77, 1973, p. 118-128.

[2] La bibliographie sociologique sur le sujet est extrêmement vaste. Pour une idée des problématiques les plus récentes, par aires géographiques, voir *Sociology of Religion*, vol. 60, no 3, automne 1999, p. 209-339 (numéro spécial intitulé *The Secularization Debate*, Special Issue. Guest Editor, sous la direction de William H. Swatos, Jr., de l'Association for the Sociology of Religion. Pour une bibliographie un peu plus ancienne mais complète à son époque, voir K. Dobbelaere, «Secularization: A multi-dimensional concept», *Current Sociology*, vol. 29, no 2, été 1981.

[3] P. Berger et T. Luckmann, «Aspects sociologiques du pluralisme», *Archives de sociologie des religions*, no 23, janvier-juin 1967, p. 117-127.

santé dans la deuxième moitié du xxe siècle. Que ce processus ne soit pas terminé, comme le montrent les débats actuels à propos de l'enseignement confessionnel dans les écoles publiques, n'affaiblit en rien les analyses qu'on peut en faire par ailleurs.

Mais jusqu'à quel point peut-on parler d'une sécularisation globale des sociétés? De larges secteurs de l'action sociale peuvent bien échapper aux contrôles traditionnels des institutions religieuses, qui s'en trouvent en même temps affaiblies sinon marginalisées, la question reste entière: une société peut-elle échapper à toute dimension religieuse? La *religion* n'est-elle pas plus qu'un épiphénomène de la vie sociale dont l'appropriation serait le propre de quelques institutions traditionnelles? N'est-elle pas plutôt une dimension *structurelle* de la vie en société? Accepter une telle hypothèse de travail, cependant, implique de repenser la plupart de nos jugements concernant la dynamique de la modernité. Pour ce faire, il s'agira non plus seulement de *poser* que, désormais, les sociétés se construisent à travers le travail des humains, mais aussi de se demander *comment* elles le font et en quoi la religion est une dimension inhérente à cette production. Alors, plutôt que de voir dans la modernité un combat à finir pour se libérer des mythes et croyances véhiculés par les institutions religieuses (non sans un certain dualisme qui ressemble beaucoup à ce qu'ont été, en d'autres temps, les explications *religieuses* du bien et du mal), il faut apprendre à saisir les déplacements de la structure religieuse de la pensée et de l'agir modernes. Il faut apprendre à saisir comment la modernité, et surtout dans ses formes les plus avancées, est susceptible de créer d'autres mythes et d'autres systèmes de croyances que ceux que reconnaissaient les Anciens. Il faut chercher comment elle induit des comportements tout aussi religieux que les premiers, mais plus difficiles à saisir dans la mesure où le concept de *religion* est encore réservé par le langage commun à ce qu'on a pris l'habitude de définir comme tel.

Radicalisons la question. Si la religion est «l'établissement, à travers l'activité humaine, d'un ordre sacré englobant toute la réalité, i.e. d'un cosmos sacré qui sera capable d'assumer sa permanence face au chaos[4]», il faut bien admettre logiquement que la raison moderne n'échappe pas plus à l'enchantement que les sagesses qui l'ont précédée. Dès lors qu'il prétend se prévaloir d'une cohérence globale, l'imaginaire que produit cette raison n'a-t-il pas besoin de s'appuyer sur un *cosmos sacré* par lequel il intègre le monde dans sa totalité? Toute *globalité*, à commencer par celle qui sert de principe justificatif aux rationalités économiques contemporaines, n'est-elle pas *enchanteresse*? Elle suppose, en tout cas, qu'en dehors d'elle, c'est le chaos.

---

[4] P. Berger, *La religion dans la conscience moderne*, Paris, Centurion, 1971, p. 94.

1 Mutations contemporaines du cosmos sacré

On ne peut qu'accepter la définition fonctionnelle de la sécularisation qui permet d'identifier des *secteurs sociaux* échappant aux contrôles religieux d'autrefois. Nous tirons pourtant de la lecture de Durkheim la conviction qu'une société ne peut pas se débarrasser si facilement de la religion que le laissent croire les interprétations banales de la sécularisation. Si la religion, selon le mot d'Henri Desroche, représente la société en état de «sursociété[5]», si «la société ne crée une religion que parce que l'expérience religieuse lui permet de se créer elle-même[6]», il faut tenter de la saisir, indépendamment du sort qu'une conjoncture sociale particulière fait de ses traditions à un moment donné de son histoire. Il devient alors difficile d'affirmer sans nuance que les sécularisations modernes sont des *sorties* de la religion. Au contraire, il paraît plus logique de poser que l'appréhension «laïque» du monde et du lien social, dans la modernité, «s'est essentiellement constituée à l'intérieur du champ religieux, qu'elle s'est nourrie de sa substance, qu'elle a trouvé à se déployer en tant qu'expression d'une de ses virtualités fondamentales[7]». De Marx aussi nous avons appris, et il faut s'en souvenir, que la critique de la religion reste toujours à faire (même après que Feuerbach l'eut effectuée pour l'Allemagne du début du xixe siècle), parce que «la critique de la religion est la condition préliminaire de toute critique[8]». Quant à Freud, n'a-t-il pas insisté sur l'*avenir* de cette «névrose obsessionnelle universelle de l'humanité[9]»? On a pris l'habitude, au xxe siècle, de faire des lectures beaucoup trop rapides de Marx et de Freud, des lectures dogmatiques qui font fi de la subtilité de leur pensée. Le dernier, en particulier, traite de la religion avec beaucoup de circonspection. Il est vrai qu'elle représente pour lui une construction humaine de peu de réalité, mais elle «exprime avec justesse la réalité du désir des sujets[10]». Elle pose la question de l'*idéal*, tel que l'investit l'imagination: «Que suis-je sans ce tissu de désir où je

---

[5] H. Desroche, *Sociologies religieuses*, Paris, PUF, coll. «Le sociologue», 1968, p. 62.

[6] *Ibid.*, p. 61.

[7] M. Gauchet, *Le désenchantement du monde. Une histoire politique de la religion*, Paris, Gallimard NRF, 1985, p. 68.

[8] K. Marx, *Introduction à la critique de la philosophie du droit de Hegel*, Paris, Aubier, 1971 (édition bilingue).

[9] S. Freud, *L'avenir d'une illusion*, Paris, PUF, coll. «Bibliothèque de psychanalyse», 1971.

[10] J. Kristeva, *Au commencement était l'amour. Psychanalyse et foi*, Paris, Hachette, coll. «Textes du XXe siècle», 1985, p. 22.

suis pris[11]?» Et c'est de renvoyer ainsi au désir qu'elle tire sa valeur, ses limites et ses dangers.

La religion fait *illusion* quand, dans la motivation de la croyance qui soutient la représentation de cet idéal, la réalisation du désir est prédominante et ne tient pas compte des rapports de la croyance avec la réalité telle qu'elle est perçue par les humains, dans les limites de leur perception[12]. «Ce qui caractérise l'illusion, c'est d'être dérivée des désirs humains[13]» et de leurrer ce désir en prétendant le satisfaire. Autrement dit, l'*illusion* est une croyance qui refuse la critique. Elle prend prétexte de la nécessité de la représentation, dans l'appréhension du réel, pour donner à ses images la qualité de réel. Elle fait alors de l'image une idole, la représentation de l'Autre qui se donne pour l'Autre.

Complexe, la question de la religion est irréductible à une pensée dualiste qui divise le monde entre croyants et incroyants, entre supposés *crédules* et soi-disant *rationnels*. On est toujours l'incroyant de celui qui croit autrement.

J'ai proposé, dans d'autres textes[14], le concept, critiquable, de *religion séculière*, pour tenter d'élaborer une hypothèse de travail cernant ces questions. L'intérêt de ce concept vient du fait qu'il permet de mettre en lumière certains traits que la *doctrine*[15] de la sécularisation laisse dans l'ombre. Par exemple, quel dynamisme anime le pluralisme contemporain des valeurs, compte tenu du fait que le rôle des oligopoles religieux s'amenuise? La définition la plus simple de la *religion séculière* nous vient du sociohistorien des religiosités améri-caines Martin E. Marty qui la pose comme la «*religiosification* de l'humanisme séculier» (religiocification *of secular humanism*[16]).» Une telle définition reste très proche de ce que Thomas Luckmann a appelé, de son côté, la *religion invisible*, qui suppose la concaténation, dans la

---

[11] *Ibid.*, p. 79.

[12] S. Freud, ouvr. cité, p. 44.

[13] *Ibid.*

[14] Voir, entre autres, «Note sur la recomposition du champ religieux», *Studies in Religion/Sciences religieuses*, vol. 25, no 1, 1996, p. 61-86.

[15] L'utilisation doctrinaire du concept de sécularisation vient rarement des sociologues. Il s'agit plutôt là d'un effet de prise en charge du concept par les intérêts en lutte dans la société, qui en font alors un concept *polémique* plutôt qu'*analytique*.

[16] M. E. Marty, *A Nation of Behavers*, Chicago, University of Chicago Press, 1976, p. 14.

«sphère privée», d'une logique «sacrale» à la fois consistante et fermée[17], souvent partagée avec d'autres sur un mode purement virtuel.

Je ne discuterai pas de ces définitions qui possèdent toutes leurs richesses et leurs limites. Saisissons plutôt la réalité de la *religion séculière* par comparaison avec d'autres types de religiosité, comme le propose Marty. À l'origine, argumente-t-il, l'identité religieuse des Américains était strictement liée à leurs origines ethniques. Beaucoup d'entre eux ont en effet traversé l'Atlantique à cause des persécutions que leur valaient, dans leur pays d'origine, leurs convictions religieuses. Ils cherchaient ainsi véritablement un *nouveau monde* où il leur serait possible de vivre pleinement leur idéal. En cela, l'aventure des pèlerins du *Mayflower* est assez semblable à celle des Marie de l'Incarnation et autres Jeanne Mance de la Nouvelle-France. Aux États-Unis, cette identité ethno-religieuse s'est dissipée, cependant, avec l'expansion des territoires occupés et de leurs populations. Elle s'est alors transformée en une identité *confessionnelle*, manifestée par un fort sentiment d'appartenance des individus à une Église ou dénomination particulière, en concurrence avec les autres dans un même espace géopolitique. L'identité confessionnelle a ainsi configuré non seulement des lieux de culte avec leurs liturgies et croyances propres, mais des réseaux de solidarité humaine et des *communautés* à haute densité affective. On trouve là un trait majeur de l'histoire religieuse américaine du xixe siècle, encore bien visible dans les petites villes du nord-est des États-Unis.

Plus tard, au xxe siècle, ce trait identitaire s'est encore transformé. À partir du substrat de croyances communes à l'ensemble des confessions protestantes, puis par l'intégration des catholiques dont les rangs avaient entre-temps grossi en conséquence d'apports migratoires constants, puis par celle des juifs à la faveur des efforts de guerre (mais pas encore celle des musulmans ni des cultes amérindiens), se forme une *religion civile* qui est devenue, selon le mot de William Herbert, «*the American religion, undergurding American national life and overarching American society*[18]». Cette religion civile a fourni à l'Amérique combattante et civilisatrice» du xxe siècle le substrat de croyances et de rites soutenant l'unité de la nation, ou de la *communauté* générale des Américains, indépendamment des confessions qui ont continué de se différencier, dans le contexte de liberté religieuse assuré par la Constitution, et en lien avec les idéaux manifestes de l'État.

---

[17] T. Luckmann, *The Invisible Religion. The Problem of Religion in Modern Society*, New York, Macmillan, 1967.

[18] W. Herbert, *Protestant-Catholic-Jew: An Essay in American Religious Sociology*, New York, Garden City, 1955, p. 90.

Le stade ultérieur de cette évolution est celui de la *religiosification* des valeurs séculières. Dans ce quatrième stade, le sujet cherchera à baliser ses quêtes de sens à partir de ce que son expérience lui désigne comme valable dans l'ensemble des produits qui lui sont présentés et il aura justement besoin, pour cela, de valeurs guides ou *étalons*. Cela pourra être l'*amour*, la *fraternité*, le *bonheur*, ou encore le *salut* matériel, l'*ordre* immanent du monde, ou quoi que ce soit qui lui permette, dans une conception plus ou moins claire de son destin, d'assurer le déroulement de sa vie. Le marché des biens de salut dans lequel il circule est affranchi des logiques confessionnelles: il présente les propositions de sens les plus diverses. Sa logique se conforme à toute autre logique de mise en marché: elle consiste, pour le consommateur rationnel, à chercher le meilleur rapport qualité/prix pour satisfaire à ses besoins de sens. Les valeurs que le sujet privilégie *fondent* la logique de ses comportements.

La religion séculière ainsi considérée serait impossible sans les strates de religiosité logiquement antérieures sur lesquelles elle repose. Cependant, elle ne s'y réduit pas, non plus qu'elle ne représente une sortie de la croyance. La question structurelle que pose sa réalité, quels que soient les noms qu'on lui donne, est d'un autre ordre. Sort-on jamais de la croyance? Ne quitte-t-on pas un ordre de croyance, même quand on connaît la désillusion à son égard, que pour passer à un autre ordre de croyance? Le monde, dans son fonctionnement *ordinaire*, peut-il se passer d'une représentation idéale de ses lois? Les sujets humains, quand ils circulent dans ce monde, peuvent-ils faire l'économie d'en reconnaître le caractère auguste? À un autre niveau, celui de la production d'une théorie critique de la science, Karl Popper assure qu'on ne sort jamais de la métaphysique. C'est là, dit-il, le «problème de la *pensée dogmatique dans son rapport avec la pensée critique*». La première — que j'appelle ici la *croyance* — est une «étape nécessaire à l'épanouissement de la pensée critique[19]». Celle-ci doit en effet s'appuyer sur quelque chose pour fonctionner. Elle dépend du substrat d'une pensée qui, n'ayant pas encore procédé à sa critique, s'impose de l'expérience, ou encore s'autorise de la noblesse reconnue à ses transmetteurs. C'est pourquoi, ajoute encore Popper, «le problème n'est pas celui de séparer la science et la métaphysique, mais la science et la pseudo-science[20]», c'est-à-dire la science non critique par rapport à ses postulats de celle qui se donne des moyens critiques à leur égard, sachant pourtant que cette critique n'est jamais terminée, toujours à refaire.

---

[19] K. Popper, *La quête inachevée. Autobiographie intellectuelle*, Paris, Calmann-Lévy, 1981, p. 54-55.
[20] *Ibid.*

L'illusion est une représentation, une construction imaginaire du monde, une *croyance* inconsciente en ses limites et en ses postulats métaphysiques. On en trouve beaucoup d'exemples dans le monde contemporain, particulièrement là où sévit le positivisme scientiste hérité du xixe siècle, y compris dans les hauts lieux du savoir. C'est pourquoi l'*épistémologie* prend, à la fin du xxe siècle, une certaine vigueur. L'*épistémè* (du grec *pisteuô*, «je crois») représente, en effet, la forme historique d'un savoir-pouvoir: ce qui découle d'un *croire*. L'épistémologie, le discours qui cherche à en rendre compte, vise alors à élucider les fondements que se donne ce savoir-pouvoir dans le croyable, tel qu'il est configuré dans une société donnée. Elle n'a rien elle non plus, cependant, d'une *libération* définitive. Elle peut simplement contribuer à renvoyer le sujet à sa responsabilité, dans son acte de connaissance, en lui refusant de dénier ses limites et d'occulter les intérêts, nobles ou ignobles, qu'il est appelé à servir. Elle vise, autrement dit, à sortir du leurre d'une «science sans conscience» pour passer à la complexité d'une «science avec conscience[21]».

Repéré ici comme inhérent à la production scientifique, ce problème du rapport au croyable est aussi celui des sociétés globales. Une formation sociale peut-elle faire l'économie d'une représentation d'elle-même qui ne soit pas fondée dans des mythes, des croyances et des rites d'intégration? *A fortiori* quand ils se prétendent à la dimension du monde — selon l'idée de *globalisation* —, ces mythes, croyances et rites, quoique non dénommés «religieux», ne possèdent-ils pas toutes les caractéristiques d'une «religion»?

Bien sûr, le problème théorique élémentaire qui se pose ici est celui de la définition de la religion. Je ne reprendrai pas tout ce qui a été dit à ce propos au xxe siècle[22]. Il faut souligner cependant que, du nombre de définitions rencontrées, bien peu sont libérées des *a priori* confessionnels dans lesquels elles ont germé. Malgré cela, il me semble pourtant qu'une certaine opérationnalisation du concept de religion est possible. Il suffit de s'entendre, comme en toute discipline scientifique, sur une définition qui permette d'explorer, sinon d'expliquer, ce qui semble autrement rester hors de portée de l'intelligence. On trouve ces qualités dans la proposition de Peter Berger citée plus haut. Quelle est, dès lors, la nature de l'ordre englobant, du «cosmos sacré» susceptible aujourd'hui, dans les sociétés dites sécularisées, d'assumer la permanence de la réalité face au chaos?

---

[21] E. Morin, *Science avec conscience*, Paris, Fayard, 1982.

[22] Je renvoie simplement au livre de M. Despland, *La religion en Occident: évolution des idées et du vécu*, Fides, Montréal, 1979. L'auteur donne notamment, en annexe, «quarante idées de religion».

Or la production d'un tel cosmos sacré, d'une représentation globale du monde totalisant l'appréhension du réel qui, autrement, échappe aux humains n'est pas exclusive aux *confessions* traditionnelles. Elle appartient à toute société. Les groupes archaïques, pour qui il n'existait que peu de différence entre le sacré et le profane, faisaient de la quasi-totalité de leur environnement un *cosmos sacré*. Une production semblable de cohérence imposa également sa pertinence dans les sociétés qui ont appris à *donner lieu* au sacré en définissant son espace et en libérant, du même coup, celui du profane[23]. Reste à vérifier son utilité dans les sociétés dites *séculières*, qui se prétendent sorties des régulations religieuses et qui renvoient à la marge de la vie sociale la préoccupation à l'endroit du sacré. Ne se donnent-elles pas elles-mêmes, alors, comme un *cosmos sacré*? Si le séculier prend toute la place par rapport au sacré, ne procède-t-il pas à sa propre sacralisation, puisqu'il n'y a plus d'Autre dont il puisse s'affranchir?

Comment démarquer le sacré dans les sociétés contemporaines qui, par ailleurs, s'autoproclament séculières?

Il faut postuler, si l'hypothèse tient, une *sécularisation de la religion* qui serait propre à la modernité avancée. Entendons-nous, il ne s'agit pas d'une disparition de la religion, mais d'un déplacement de ses enjeux et de sa *recomposition*. Une recomposition qui en rend la perception difficile, parfois même ambiguë, puisque cette religion ne correspond pas à ce qu'on entend généralement par le terme «religion». Les sociétés occidentales, tout juste affranchies de l'encadrement culturel que leur assurait le christianisme, réservent toujours le terme «religion» aux phénomènes d'«appellation contrôlée» que constituent les grandes traditions «confessantes» ou à des phénomènes dérivant de ces dernières qui leur semblent proches. Or le cosmos sacré propre aux sociétés séculières contemporaines n'est pas confessé comme tel. Il est appréhendé, au contraire, comme allant de soi, non pas d'abord à partir des doctrines et des dogmes qui lui donnent sa cohérence intellectuelle, mais à partir des *pratiques* sociales qui s'imposent aux citoyens et auxquelles il fournit une légitimation en quelque sorte *naturelle*. Bref, il est appréhendé comme conforme à la *nature des choses* et au *destin de l'humanité*. Il n'a donc pas besoin d'être *confessé*, comme les traditions dites religieuses (de même que les révélations particulières ou illuminations dont se prévalent certains groupes) doivent l'être, puisqu'il ne prétend en rien représenter une expérience singulière de l'Autre.

---

[23] A. Brelich, «Prolégomènes à une histoire des religions», *Histoire des religions*, Encyclopédie de la Pléiade, 1970, p. 3-35.

Il faudrait ici, bien sûr, s'attarder au concept de *recomposition*. Il ne désigne évidemment pas, redisons-le, une *restauration* des formes anciennes de la religion. La recomposition, dans les sociétés contemporaines, n'a rien à voir avec le supposé *retour de Dieu* qu'ont cru diagnostiquer certains observateurs médusés par les ébullitions sectaires des dernières décennies. Certes, ces phénomènes ont leur importance propre. Ils découlent en bonne part de l'insatisfaction vécue face aux effets de sens commun agités de toutes parts, alors que les grandes traditions ont perdu leur efficacité critique à l'égard de ces mêmes conformismes. Les nouveaux mouvements religieux (NMR) représentent des voies paradoxales de quête de sens dans un monde où le sens est supposé aller de soi. De la même manière, d'ailleurs, que les noyaux durs qui permettent aux Églises de continuer d'annoncer leur message, d'en témoigner et de le rendre actif en certains milieux. Les uns et les autres, mobilisations nouvelles ou noyaux créatifs inscrits dans les traditions, regroupent de trop petits nombres de fidèles pour constituer un encadrement culturel des sociétés qui soit digne de ce nom[24]. Plus significative que leur importance démographique est ici la médiatisation du phénomène qui met en évidence le caractère paradoxal de ces expériences, là où la quête de pureté fait dériver vers le sectarisme.

La recomposition religieuse contemporaine ne prend racine ni dans les mobilisations nouvelles ni dans les décombres des institutions traditionnelles. Ces dernières, au contraire, sont également mises en demeure de redéfinir leurs enjeux ou, si l'on préfère employer leur propre vocabulaire, leur *projet*, pour réapprendre à inscrire dans l'histoire sociale la singularité de leur expérience, alors que cette expérience est devenue hors norme pour les communautés humaines. Comment, se demande par exemple Émile Poulat, «une pensée née et nourrie de l'Évangile pourra-t-elle s'arrimer à une pensée qui se soutient et se développe sans elle[25]?» Le christianisme, en particulier, dans le monde occidental contemporain, ne va pas de soi. C'est pourquoi justement il a besoin d'être *confessé*.

La recomposition du religieux introduit plutôt une nouvelle donne dans les rapports entre traditions et expériences religieuses: les premières n'ont en effet plus les moyens de contrôler les secondes. Elles ne peuvent qu'en reconnaître le caractère paradoxal, sans saisir, la

---

[24] À tout compter, ils ne touchent pas plus que 5 % de la population qu'on pourrait diviser en deux: de 2 % à 3 % de fidèles engagés au nom d'un idéal chrétien et de leur appartenance à une Église et environ 2 % appartenant à la multitude des groupes désignés par le vocable NMR.

[25] É. Poulat, *Où va le christianisme?*, Paris, Plon/Mame, 1996, p. 306.

plupart du temps, leur dynamisme propre autrement que comme une *déviance*. Elles ne sont pas en position de définir le normal et l'anormal pour l'ensemble du champ religieux, étant elles-mêmes parfois devenues l'expression d'une *anormalité* dans la mesure où elles ne professent plus le conformisme commun. La recomposition renvoie ainsi aux marges toutes les formations «confessantes» du religieux. Mais elle libère, du même coup, le tronc central des régulations de l'imaginaire commun. Cette espace est celui qu'occupent les visions séculières du monde. Mais il s'agit d'une sécularité toute religieuse, comme nous le verrons, puisqu'elle génère la cosmologie sacrée originale qui préside à l'institution de son sens.

Cette recomposition du religieux reflète un certain déplacement de ses enjeux. Certes, reconnu par convention plutôt que par autorité, le religieux continue de donner sa forme au substrat moral des sociétés. Il ne se réclame cependant, pour ce faire, d'aucune tradition particulière. L'enjeu premier de ses contrôles n'est plus de garantir une *orthodoxie*, mais bien une *orthopraxie*. Le *croire convenablement*, si important pour les sociétés traditionnelles, devient secondaire, pourvu qu'on accepte un certain mode de fonctionnement social. On ne s'exclut pas de la communauté parce qu'on croit mal, mais parce qu'on *fonctionne* mal. Là où les religions traditionnelles exerçaient leur pouvoir social par le contrôle de la *confession* de leur vérité — c'est en cela qu'il faut les dire *confessionnelles* —, la culture commune laisse subsister, voire encourage, la multiplicité des croyances. Elle en provoque même l'effervescence en favorisant leur concurrence. Aussi accepte-t-elle, d'emblée, la pertinence fonctionnelle de tout croire permettant aux individus d'intégrer subjectivement une certaine cohérence imaginaire du monde, tant que cette cohérence reste *civilisée* (c'est-à-dire tant qu'elle ne compromet pas le fonctionnement global de la société et tant que ses fidèles n'agressent pas les autres). Elle propose un salut pragmatique et reste relativement indifférente aux représentations qu'on s'en fait. Le problème du monde sécularisé, ainsi compris, n'est pas de *croire*, mais de *croire ensemble*[26].

2   La gestion séculière du salut

Anthropologiquement, *croire* est un des actes les plus élémentaires que fait un être humain. Cette constatation découle d'une observation essentielle pour qui veut comprendre le monde, et non pas d'une position théologique ou religieuse. En raison de sa qualité d'être parlant

---

[26] P. Michel, «Pour une sociologie des itinéraires de sens: une lecture politique du rapport entre croire et institution», *Archives de sciences sociales des religions*, no 82, avril-juin 1993, p. 223-238.

— et non seulement d'être mû par ses instincts à l'instar des autres espèces du règne animal —, l'humain ne peut jamais être assuré de la réponse qu'il recevra quand il s'adresse à un autre humain. Il expérimente l'*incertitude* en tant que condition structurelle de son existence. Ce défaut de savoir perturbe sa communication et plonge son désir dans le vide.

Chez les animaux, les pré-humains et certaines machines qu'on dit «intelligentes» parce qu'elles peuvent reconnaître des messages, la communication suit un schéma simple comprenant trois composantes: un émetteur, un ensemble d'informations ou message et un récepteur. Ce schéma suppose que le récepteur capte intégralement les messages envoyés par l'émetteur. Certes, des *bruits* peuvent altérer la qualité de cette réception, mais ils ne sauraient être que des défauts de fonctionnement conjoncturels, à contrôler ou à éliminer. Leur extériorité par rapport à la logique du système implique de s'en débarrasser. La *communication* repose sur une adéquation théorique, même si non parfaitement réalisée, entre l'émetteur et le récepteur. Or il n'en va pas ainsi pour la parole humaine. Quand un sujet s'adresse à un autre sujet, rien ne garantit que cet autre désire l'entendre ni que sa *réponse* sera adéquate par rapport aux intentions de l'émetteur original. Ce défaut d'adéquation ne vient pas des aléas d'un environnement perturbateur, mais d'un fait bien plus fondamental: *chacun est libre d'entendre ce qu'il veut de l'autre.* Quand un sujet parle à un autre sujet, il donne à ce dernier un véritable *pouvoir*: celui de répondre ou de refuser de répondre, de dire *oui* ou *non*.

La parole humaine met le désir en abyme. Le langage des abeilles, ou de toute autre espèce animale, ne connaît rien d'une telle expérience, car chaque individu possède dans ses gènes l'aptitude à répondre au signal reçu: chacun *sait* quelle réponse donner. La communication humaine, elle, s'instaure dans un *défaut de savoir*: aucun réel ne la détermine. L'*autre* est donc pour elle un inconnu. Et le *sens*, la qualité de la coexistence qui se construit comme effet de l'acte communicationnel, reste toujours aléatoire. Il se produit dans le risque pris face à l'*autre*, en même temps que le sujet prenant ce risque se produit lui-même dans son acte de création. La parole, *autopoïétique*, instaure une instance propre à l'humain: celle du *sujet*, irréductible à l'individualité de l'acteur social non plus qu'à la conscience de lui-même comme *moi* socialement configuré. Le sens de son acte restant aléatoire, risqué, le *sujet* est littéralement tributaire d'un absent, l'Autre, *ab-sens*. Sa quête laisse en lui une perte, à la fois excès et manque par rapport à ses appréhensions et à son imagination.

Pour que la parole produise du sens, il faut que le sujet fasse crédit à l'*autre*, son interlocuteur. Il lui faut présumer de sa bonne volonté. Et réciproquement, de la même façon, celui qui écoute doit aussi présumer du vouloir-dire de celui qui parle. Bref, la coexistence instaurée par la parole repose sur un double pari. Les abeilles possèdent une habileté à répondre; les humains sont renvoyés à l'obligation de croire en la bonne volonté de l'*autre*. Aucun savoir ne prédétermine leur création, qui pourtant seule leur permet de continuer de vivre. C'est pourquoi ils investissent constamment les autres comme autant de figures d'une altérité insaisissable, dont la reconnaissance devient l'objet même de leur quête. L'*autre* est la figure donnée à l'Autre, figure qui permet d'en conjurer l'absence.

«L'Autre, avance Jacques Lacan, est la dimension exigée de ce que la parole s'affirme en vérité[27].» Prise dans cet affrontement qui lui demande l'impossible, la parole pervertit la communication. Au lieu de transmettre un message lisse, un *objet* pouvant être consommé sans risque, elle fait de tout objet, savoir savant ou lieu commun, le signe toujours à refaçonner de son désir de reconnaissance. À la place d'un mécanisme de transmission, la parole fait de la communication une demande d'amour, dans une stratégie de séduction sans fin entre des sujets mis en demeure d'inventer sans relâche les espaces de leur convivialité. Dès lors, l'*objet* ne tire plus sa valeur de sa capacité à satisfaire des besoins comme chez les abeilles. *Prétexte* d'un texte qui se déroule ailleurs, il *signifie* pour un sujet le désir d'un autre sujet qui s'adresse à lui pour advenir[28]. L'«objet», comme dit Jean Baudrillard, «c'est un *mythe*. [...] L'objet n'est *rien*. Il n'est que les différents types de relation et de signification qui viennent converger, se contredire, se nouer sur lui[29]...» Sa valeur est *éthique* et *esthétique* plutôt que *pragmatique*. Il ne renvoie pas à l'ordre des choses, mais il implique l'ordre du désir, là où les humains existent dans l'intersubjectivité.

Continuer ainsi le raisonnement nous amènerait facilement dans le sillage de McLuhan: *The medium is the message*. La communication humaine, en effet, ne communique pas des *choses*, mais bien le *désir de communiquer*. Dans un petit livre sur les rapports entre les *sons* et le *sens*, antérieurement à McLuhan et à Lacan, Roman Jakobson pose bien le problème lui aussi, en cherchant simplement comment se produisent les structures linguistiques chez l'humain: «*On parle pour être entendu*;

---

27 J. Lacan, *Écrits*, Paris, Seuil, coll. «Points», 1971, t. II, p. 205.

28 R. Lemieux, «Cherchez l'objet ou la question de l'éthique dans le champ religieux», *Religiologiques*, no 9, printemps 1994, p. 157-173.

29 J. Baudrillard, «La genèse idéologique des besoins», dans *Pour une critique de l'économie politique du signe*, Paris, Gallimard, 1972, p. 69-94.

et, pour pouvoir interpréter, classifier et délimiter les sons variés du langage, nous devons tenir compte du sens dont ils sont chargés, car *c'est pour être compris qu'on cherche à être entendu*[30].» Les sons prennent sens parce qu'à travers eux, dans le prétexte de leur *objectivité*, un sujet veut être entendu. Sans cela, «la matière phonique du langage tombe en poussière[31]».

L'acte de croire n'est pas fondé. Pont jeté sur l'*ab-sens*, arc-en-ciel, signe d'alliance contre le vide dans lequel s'abîmerait autrement le sujet, il est pourtant *fondateur*. Il inaugure la sociabilité. Il fait que cette dernière ne peut être comprise ni dans le froid fonctionnement d'un mécanisme, ni dans un *savoir* génétiquement inscrit dans les molécules, ni dans une *force* sublimée qui présiderait au destin de l'humanité. La sociabilité ne peut se résumer à l'ordre des choses. Quand *je* m'adresse à un *autre*, que puis-je faire sinon *croire* qu'il veut bien m'entendre, c'est-à-dire lui accorder *crédit* d'un désir en miroir de mon propre désir, d'un désir de *vivre ensemble?* Et lui-même, s'il m'écoute, que fait-il sinon me *créditer* du désir de vivre avec lui, de construire *ensemble* un monde vivable?

La sociabilité humaine se donne dans la *représentation* que chacun se fait du désir de l'autre. Elle est de l'*ordre du désir*. De là vient sa fragilité. Inexorablement soumise aux jeux de l'amour et du hasard, elle impose un choix entre cet ordre du désir où rien n'est jamais joué, où tout est sans cesse à reconstruire, et l'ordre supposé des choses dans lequel l'imaginaire du sens se donne en *nécessité*, mettant l'humain en demeure de s'adapter plutôt que de produire son existence.

3   La sécularisation des croyances

Voilà, me semble-t-il, l'enjeu *séculier* des croyances, des rites et des mythes, un enjeu bien antérieur à leurs mises en forme, traditionnelles ou modernes, par des institutions gardiennes ou promotrices. Il s'agit des stratégies que les sociétés se donnent pour gérer en leur sein le problème du *salut*, c'est-à-dire de la lutte contre le non-sens. Salut *imaginaire*, bien sûr. Structurellement incertain, on ne peut que le *représenter*, le mettre en scène, en monter la dramatique comme dans un théâtre. La *religiosité* (plutôt que *les religions*, puisque leur réalité n'a plus d'appellation contrôlée) renvoie à l'investissement dans l'imaginaire qui fonde en cohérence cette représentation pour en actualiser la cosmologie sacrée.

---

[30] R. Jakobson, *Six leçons sur le son et le sens*, Paris, Minuit, 1976, p. 40-41.
[31] *Ibid.*, p. 37.

Toutes les religions historiques ont proposé la représentation d'un salut à partir d'expériences ou de révélations singulières. On sait depuis longtemps comment cela se passe concrètement dans le bouddhisme, le christianisme, le judaïsme ou l'islam, par exemple. Il reste à apprendre comment le salut est représenté dans les sociétés dites sécularisées, ces sociétés où, comme en Amérique, les oligopoles traditionnels semblent être en train de s'effondrer. Voilà le cœur de la question des sécularités religieuses ou, selon l'expression de Peter Berger, du *cosmos sacré* contemporain. Comment peut-il se révéler à la fois produit et producteur des sociétés qui marginalisent les traditions de salut?

Nul ne contestera que les régulations dominantes des sociétés contemporaines, qualifiées de néolibérales et d'avancées, prônant à la fois *liberté* (condition de la subjectivité et du désir) et *progrès* (signe et conséquence du développement des technologies), s'exacerbent dans les jeux de marché. Les recherches que j'ai, avec d'autres, menées sur les croyances des Québécois, au début des années quatre-vingt-dix, m'ont convaincu de la prédominance de ce mode de régulation en ce qui concerne les biens de salut[32]. Attention: l'expression *marché des biens de salut*, que nous avons alors employée, est plus qu'une simple métaphore. Elle ne veut pas dire que les valeurs religieuses du monde contemporain se produisent *comme* dans un marché (ce à quoi certains commentateurs ont tenu à réduire notre problématique). Elle indique au contraire qu'elles se produisent *par* leur mise en marché. À l'instar de ce qui se passe pour n'importe quel autre bien de consommation, la valeur des biens de salut se définit dans les jeux de l'offre et de la demande, par l'exercice d'une véritable *rationalité économique* de la part des acteurs sociaux qui sont aussi des sujets en quête de sens.

En réalité, le marché a reconnu depuis longtemps le besoin fondamental de croire à la base des subjectivités humaines. Contrairement aux traditions qui, dans les sociétés de mémoire[33], géraient les représentations du cosmos sacré à partir d'une expérience seigneuriale, conçue comme primordiale, celle, par exemple, d'une Révélation, le marché des biens de salut arase toute noblesse ou seigneurie particulière. Puisqu'il y a besoin et demande de sacralité, il fixe plutôt des valeurs marchandes à chaque produit en fonction de sa capacité à *satisfaire* les besoins présumés. Peu importe, alors, la noblesse de son origine, voire même la force ou la logique de ses dogmes et constructions argumentatives.

---

[32] R. Lemieux et M. Milot (dir.), «Les croyances des Québécois. Esquisses pour une approche empirique», *Cahiers de recherches en sciences de la religion*, vol. 11, 1992, 386 p.

[33] D. Hervieu-Léger, *La religion pour mémoire*, Paris, Cerf, 1993.

C'est en cela d'ailleurs que le marché *fait croire* en sa propre déréglementation. Il tend à effacer toute balise signalant la nécessité d'un sens particulier. Il assure pourtant certaines régulations, dont celle, primordiale, qui tend à exclure les produits jugés indésirables, susceptibles de menacer son propre fonctionnement (par exemple, les *sectes*). Il maintient *à la marge* les religions traditionnelles elles-mêmes, dans la mesure où elles n'instrumentalisent pas la recherche d'une plus-value immédiate dans la quête du bonheur. Les régulations de marché ont comme premier critère l'*utilité*. Elles n'excluent pas la possibilité de confesser des croyances particulières, mais exigent de celles-ci la démonstration de leur utilité.

Évidemment, cette mise en marché perturbe considérablement les représentations mêmes que l'on se fait du *religieux*. Quand nous avons commencé à chercher des personnes à interviewer pour notre enquête sur les croyances, par exemple, nous nous sommes rapidement rendu compte que plusieurs candidats potentiels avaient tendance à se désister facilement, dès le premier contact téléphonique, en prétendant tout simplement qu'ils n'en avaient pas, de croyances. Stratégie bien compréhensible pour se débarrasser d'une demande importune. Pour y parer, nous avons dû contourner le malentendu qui consiste à assimiler «croyances» et «croyances religieuses», à un premier niveau, puis, à un second niveau, «croyances religieuses» et «croyances chrétiennes», voire «catholiques[34]». Il a donc fallu expliquer d'emblée aux interlocuteurs que notre recherche, universitaire, ne portait pas seulement sur les *croyances religieuses*, mais sur tout énoncé, c'est-à-dire *tout fait de langage*, religieux ou non, concernant des *réalités objectives* ou posées comme telles, *non vérifiables* par les moyens normaux de la raison, mais *mobilisateur* pour les sujets, selon la définition de travail que notre équipe avait préalablement adoptée[35]. Nous ne faisions d'ailleurs en cela que mettre en pratique une remarque de Vilfredo Pareto: «Nous accueillons tous les faits, quels qu'ils soient, pourvu que, directement ou indirectement, ils puissent nous conduire à la découverte d'une uniformité [...]. Les croyances, quelles qu'elles soient, sont aussi des faits, et leur importance est en rapport non avec leur mérite intrinsèque, mais bien avec le nombre plus ou moins grand de gens qui les professent[36].» Très rares furent ceux qui refusèrent leur collaboration.

---

[34] La population interrogée est celle de la ville de Québec et des villes environnantes. Cette population est, dans l'ensemble, de langue française et de tradition catholique.

[35] Voir R. Lemieux, «Les croyances des Québécois», *Interface*, vol. 12, no 2, mars-avril 1991, p. 19-25.

[36] V. Pareto, *Traité de sociologie générale (Œuvres complètes, XII)*, Genève, Droz, 1968, paragr. 81, p. 36.

Et parmi eux, beaucoup, malgré qu'ils aient initialement prétendu «ne pas avoir de croyances», nous ont apporté un matériel d'une remarquable richesse, y compris sur le plan «religieux».

Ceci dit, on constate que la mise en marché du croyable a violemment ébranlé les cohérences acquises, et cela parfois sans que les institutions traditionnelles aient pu véritablement réagir. Non seulement ces dernières en ont-elles subi l'onde de choc, dans la perte de leur monopole traditionnel sur les régulations du sens, monopole qui se traduisait en capacité d'encadrement des cultures jusque dans le détail de la vie quotidienne, mais elles s'en sont trouvées blessées, ravagées dans leur mémoire et leur idéal mêmes. Aujourd'hui, au Québec, il n'est pas rare que la seule affirmation d'une foi particulière soit spontanément entendue comme l'exercice d'une violence[37] par des personnes qui n'ont pourtant rien connu des «lavages de cerveau» auxquels ont été prétendument soumises les générations précédentes. Même quand elles cherchent à retrouver leurs intuitions fondamentales et les charismes qui les ont rendues créatrices dans l'histoire, les confessions religieuses traditionnelles sont ainsi réduites à une quasi-impuissance. Elles n'arrivent que très difficilement à présenter des choix croyables en remplacement de ce qui se donne, en dehors d'elles, comme le sens commun, un sens allant de soi, celui de la valeur purement utilitaire des biens.

On traite généralement les résultats de la mise en marché des croyances comme un *éclatement*, une sorte de *big-bang* inaugural d'une ère nouvelle (l'image, on le voit d'emblée, est *cosmique* et non sans portée mythique). Cet éclatement, pourtant, n'est pas dénué de structure.

Nos recherches, ici aussi, nous ont permis d'esquisser certains modèles. Quoique bien élémentaires encore, elles nous ont amenés à articuler les jeux de langage manifestés comme autant de transactions entre des croyances nommément reconnues comme *religieuses*, confessant leurs rapports avec une tradition autrefois dominante (par exemple: *Dieu*, *Jésus*, la *Vierge*, les *Anges*, la *rédemption*, etc.), croyances aux énoncés les plus nombreux, et d'autres, dont la source se trouve à l'extérieur de ces traditions. Nous avons ainsi pu mettre le pôle *confessionnel* des croyances en relation avec trois autres pôles: le *cosmique*, traduisant un ordre immanent du monde (la *Force*, le *Destin*, l'*Énergie*, etc., jusqu'au consortium des entités extraterrestres dont la science-fiction fait ses belles feuilles), le *moïque*, qui sublime la

---

[37] S. Lefebvre, «Le pluralisme culturel sous observation. Richesses et errances», dans C. Ménard et F. Villeneuve (dir.), *Pluralisme culturel et foi chrétienne*, Montréal, Fides, coll. «Héritage et projet», 1993, p. 323-338.

puissance de l'individu comme parcelle de la divinité cosmique, et, enfin, le *social*, appelé tel faute de mieux, qui consiste à réifier dans l'imaginaire des valeurs reconnues comme nécessaires à la continuité de la vie humaine[38]. Complexes, ces jeux transactionnels impliquent des rapports multivalents entre leurs différents pôles et lignes de force. L'imaginaire *cosmique*, par exemple, deuxième en importance par la richesse de ses énoncés, est celui qui manifeste le plus grand dynamisme, puisque son influence se fait sentir sur tous les autres, et notamment sur le pôle *confessionnel*. Il colonise très fortement, notamment, la croyance en Dieu.

On sait bien qu'au Québec, comme en France et aux États-Unis, plus de 80% de la population répond volontiers, dans les sondages, *croire en Dieu*. Une interprétation superficielle d'un tel fait peut facilement mener à la confusion. Elle laisse penser que voilà une croyance, toute traditionnelle, bien conservée malgré la sécularisation ambiante. Dieu, d'ailleurs, n'est-il pas présent jusque sur les pièces de monnaie! Pourtant, en creusant quelque peu ce que signifie un tel énoncé, on se rend compte que les représentations du divin — ce qui est mis sous le signifiant *dieu* — sont désormais multiples et épousent, en gros, la structure quadripolaire des croyances décrite au paragraphe précédent. Qui plus est, dans les investigations que nous avons pu mener, il s'avère que la conception judéo-chrétienne de Dieu, celle qui en considère la réalité comme celle d'un être *personnel* et *désirant*, créateur du ciel et de la terre, est devenue minoritaire, même dans une population pourtant nominalement catholique à très grande majorité. Prend place à ses côtés, dans le panthéon contemporain, un Dieu cosmique, Grand-Maître de l'univers, *Force* à l'origine du monde, pleinement accordé aux représentations scientistes de l'univers, sinon un Dieu président du consortium extraterrestre qui gère, dans sa sagesse ineffable, le destin du monde.

Le marché met en place une *appropriation culturelle du sens qui s'avère être d'un type particulier*. Cette appropriation ne dépend plus de la reconnaissance d'un mythe d'origine qui s'imposerait d'une Révélation, tel celui de la création dans les traditions abrahamiques. Elle propose, à la place, la multitude des sens possibles, avec, chacun, leurs mythes et leur cohérence propres. Cette multiplicité fonde sa légitimité propre, justifiant le fonctionnement social réglé sur la seule loi du marché, cette loi devenant elle-même incontournable dans l'imaginaire

---

[38] Pour un exposé plus détaillé, voir mon article, «Les croyances: nébuleuse ou univers organisé?», dans R. Lemieux et M. Milot (dir.), ouvr. cité, p. 23-90. Pour un exposé d'ensemble de la problématique, on pourra aussi consulter R. Lemieux et autres «De la modernité des croyances: continuités et ruptures dans l'imaginaire religieux», *Archives de sciences sociales des religions*, no 81, janvier-mars 1993, p. 91-116.

qui en rend compte. Ainsi entre-t-on dans un véritable cycle d'*enchantement*.

Légitimer le fonctionnement social par la sanctification des pouvoirs qui l'assurent est bien, en effet, une fonction essentielle de toute «hiérocratie», comme le montre Max Weber. Cette fonction s'exerce d'ailleurs en même temps qu'une autre, tout aussi importante, qui consiste à *domestiquer* les dominés[39], c'est-à-dire tous ceux qui, à quelque titre, sont *assujettis* aux lois de ce fonctionnement. Déjà, avant Max Weber, Alexis de Tocqueville avait d'ailleurs reconnu ces fonctions, au cœur de la société américaine du xixe siècle, alors qu'elles étaient exercées au nom d'un confessionnalisme non encore érigé en religion civile. Pour cet explorateur original des logiques en train de se mettre en place dans le Nouveau Monde, il s'agissait de montrer comment l'individualisme (qui n'était déjà plus l'*égoïsme* d'Ancien Régime, mais le résultat de l'égalité devant la loi) devait se transformer en participation à la vie collective pour garantir la démocratie: «Lorsque les individus sont forcés de s'occuper des affaires publiques, ils sont tirés nécessairement du milieu de leurs intérêts individuels et arrachés, de temps à autre, à la vue d'eux-mêmes[40].» Or le confessionnalisme religieux exerçait déjà, pour Tocqueville, cette fonction séculière consistant à *domestiquer l'égoïsme* des entrepreneurs pour les inciter, au nom de son idéologie et de ses mythes, à se préoccuper des autres.

Cette fonction s'exerce aujourd'hui du lieu d'une sécularité globalisante, non plus dépendante de traditions religieuses étrangères aux règles du marché, mais au nom d'un principe *inhérent*. Elle consiste à légitimer la conformité des comportements en diffusant ses propres mythes, notamment, au premier chef, celui que vient de dénoncer Daniel Singer[41]: TINA – *There is no Alternative*. S'il n'y a pas d'«alternative», *tout* est objet de mise en marché, y compris les principes et les lois qui concernent le marché lui-même. Le marché devient ainsi sa propre religion, le vecteur de son propre mythe, trouvant son fondement dans son propre fonctionnement. Déhistoricisée et désocialisée (hors histoire et hors débat social), sa théorie-doctrine s'érige, dès lors, en mythe fondateur: elle se donne «les moyens de *se rendre vraie*, empiriquement vérifiable[42]». Elle ne laisse subsister de

---

[39] M. Weber, *Sociologie des religions*, textes réunis et traduits par J.-P. Grossein, Paris, Gallimard, 1996, p. 271.

[40] A. de Tocqueville, *De la démocratie en Amérique*, Paris, Union générale d'éditions, coll. «10/18», 1963, p. 272.

[41] D. Singer,*Whose Millenium? Theirs or Ours?*, New York, Monthly Review Press, 1999.

[42] P. Bourdieu, «L'essence du néolibéralisme», *Le Monde diplomatique*, mars 1998,

légitimes (c'est-à-dire cohérents dans l'imaginaire commun) que les comportements assujettis à sa loi.

Les *biens de salut*, après les biens symboliques (l'art, la culture) et les biens de consommation matériels, sont devenus objets de marché, signifiants de la *sécularité religieuse* mise en place là où des encadrements confessionnels exerçaient autrefois leurs contraintes. Le théologien Harvey Cox, dont l'ouvrage *The Secular City* a été un livre phare pour penser la sécularisation dans les années soixante[43] dépasse désormais la simple constatation de la mise en marché des biens de salut pour proposer l'idée de la *sublimation* du Marché comme dieu: *the Market as God*. «La pensée courante, dit-il, assigne au Marché une sagesse qui, dans le passé, a été connue des dieux seulement. Le Marché connaît nos plus profonds secrets et nos plus ténébreux désirs [...]. Le marché offre des bénéfices religieux qui, autrefois, requéraient prières et renoncements, sans les embarras des engagements dénomina-tionnels[44]» Dès lors, les lois *générales* du marché se transforment, mythiquement, en lois *universelles*, avec toutes les conséquences qu'on peut imaginer...

On aurait tort de ne voir dans de telles propositions qu'un accès d'humeur d'un théologien. Le marché apparaît de plus en plus, dans la production de son autolégitimation, comme une instance religieuse qui demande à ses commettants de *croire*. À l'instar des autres formations religieuses, il assujettit, non pas par la coercition physique, mais par nécessité morale, au nom de la *conformité* et de la *fidélité* à ses principes, c'est-à-dire en recourant au mythe de sa fondation dans le réel. Les lois du marché sont dites *naturelles*, conformes à l'*ordre des choses* et en cela même *universelles*. Dès lors, leur rationalité, quoique instrumentale, supporte mal la critique qui met en cause ses finalités.

---

p. 3 (c'est moi qui souligne).

[43] H. Cox, *The Secular City. A Celebration of its Liberties and an Invitation to its Discipline*, New York, Macmillan, 1966.

[44] H. Cox, «The Market as God», *Atlantic Monthly*, mars 1999, p. 18 (traduction libre).

Cette religiosité naturelle reste cependant pragmatique[45]. On sait comment, sous l'égide d'une telle déité, la compétition entre les sujets s'exacerbe. Elle pousse chaque acteur à sans cesse *se dépasser*, à viser le but ultime et fuyant de la perfection qui lui apportera le bonheur. Chacun est appelé à devenir champion, à doubler l'autre, qui n'est plus un compère mais un concurrent. Le langage commun, s'appuyant sur des «sciences» elles-mêmes fonctionnalisées, appelle *réalisation de soi* cette course effrénée au succès et à la reconnaissance, forme contemporaine par excellence de la demande d'amour. L'idéologie du marché joue ici exactement le rôle que jouaient les idéologies confessionnelles quand elles proposaient de compenser l'angoisse du vide par un bonheur à atteindre plus tard. Alors même qu'on en célèbre les mystères, cependant, la fracture qu'elle entretient déchire les sociétés. Échappant aux contrôles politiques et au débat public, manipulées par des prédateurs hors d'atteinte, les régulations de marché écorchent les populations technologiquement les plus avancées elles-mêmes. Les exclus — ces «groupes de personnes [qui] se trouvent partiellement ou totalement en dehors du champ d'application effective des droits de l'homme», selon la définition du Conseil de l'Europe[46] — sont de plus en plus nombreux, quoique symboliquement invisibles. Les plus riches, de leur côté, s'enrichissent indéfiniment et deviennent symboliquement de plus en plus lourds, car «s'il existe à la limite une pauvreté absolue (le dénuement complet, l'absence totale de ressources), il n'y a bien évidemment pas de richesse absolue; il est toujours possible de posséder plus encore que ce que l'on a déjà[47]». En contrechamp de ce développement qui continue de s'appeler impunément *progrès* en se proclamant *destin* de l'humanité, un nouvel irrationnel s'impose[48]. S'il

---

[45] G. Bourque et J. Beauchemin, «La société à valeur ajoutée ou la religion pragmatique», *Sociologie et sociétés*, vol. 26, no 2, automne 1994, p. 33-56. «Cet ordre transcendant que représente la mondialisation, écrivent-ils, s'impose à la conscience de chaque acteur même si l'on ne peut ni le contrôler, ni comprendre ses règles fondamentales de constitution. Devant cette réalité entièrement déterminante ne subsiste que la liberté d'un choix: celui de créer les conditions nécessaires à son intégration au sein de l'ordre mondial ou de se condamner à joindre les perdants et les laissés-pour-compte. Mais il ne saurait s'agir que d'une pensée religieuse très particulière, d'une religion pragmatique, en quelque sorte, fondée sur l'affirmation d'une transcendance essentiellement empirique.»

[46] Commission européenne, *Politique sociale européenne, une voie à suivre pour l'Union*, Livre blanc, Office des publications officielles des Communautés européennes, Luxembourg, juillet 1994.

[47] A. Bihr et R. Pfefferkorn, «Les riches, terra incognita des statistiques», *Le Monde diplomatique*, mai 1999, p. 15.

[48] Voir à ce propos, parmi d'autres travaux d'I. Ramonet, *Géopolitique du chaos*, Paris, Galilée, coll. «Espace critique», 1997.

ne voit pas l'aurore du mieux-être collectif qu'on lui annonce, le sujet humain peut toujours rêver: l'équilibre se réalisera, le destin s'accomplira par la Force des choses.

Le *réenchantement* du monde se présente ainsi comme un *mana* mis à la disposition des nouveaux Primitifs. Il ne consiste plus à afficher des mythes d'origine ni à sanctifier des mémoires et des traditions, mais à consacrer une combinaison de marketing, de science-fiction, d'avancées technologiques réelles ou présumées, de mythologie populaire et de mysticisme.

Avec Éric Fuchs, on peut appeler *sécularisation du salut* cette sotériologie profane[49]. La question du salut qui a tant préoccupé les Européens à l'aube de la modernité, jusqu'à provoquer la plus grave des divisions dans la chrétienté, est devenue une question largement séculière. Elle est désormais une affaire humaine concernant la vie sociale et politique. Le salut, dans une société moderne avancée, c'est être épargné par la souffrance et la maladie, éviter la violence, la pauvreté, la déchéance, l'exclusion; c'est éviter si possible que les humains ne programment leur propre perte par leurs prédations continuelles sur la nature ou leur folie de puissance. L'intelligence technique est l'agent désigné de cette libération. Le «délivrez-nous du mal» de l'ancienne prière est devenu «sortons de l'ignorance, de la superstition, de l'oppression naturelle ou culturelle[50]». Les centres d'animation chrétienne qui tenaient autrefois des *retraites fermées* pour affirmer la spiritualité des fidèles offrent désormais des séances de développement personnel. Leurs responsables savent très bien qu'ils ne survivraient pas autrement.

4   Jeter des ponts sur l'angoisse: les ritualités séculières contemporaines

À l'aube de la civilisation romaine, dit-on, quand on jetait un pont sur une rivière, on appelait le grand prêtre pour accomplir le geste rituel final qui consistait à *relier*, par un nœud de chanvre, les travées des deux

---

[49] É. Fuchs, «Problématique du salut à l'âge de la post-modernité», *Revue d'éthique et de théologie morale «Le Supplément»*, no 207, décembre 1998, p. 139-148.
[50] *Ibid.*

approches jointes dans le vide. Capable de ce geste symbolique *et efficace*, le grand prêtre en est devenu *pontifex*: faiseur de ponts. Beaucoup d'institutions religieuses ont par la suite gardé et exploité le titre, quitte à lui ajouter *maximus*, pour faire bonne place aux processus de légitimation dans lesquels elles étaient engagées. Rester obnubilé par cette suprématie s'avère inutile. *Jeter des ponts* sur le vide, sur l'angoisse structurelle dont se constitue la vie humaine du fait de la parole — cette angoisse qui sourd de l'expérience de l'Autre absent —, est un geste bien plus simple, bien plus élémentaire et *fondateur* que ne le laisse croire l'exégèse commune des rites religieux. Ce geste se traduit, de façon constante et commune, par les rites qui jalonnent nos vies quotidiennes et nos rapports avec les autres humains. Ces rites consistent, pour le sujet, à «jeter des ponts sur la rivière d'angoisse qui coule en lui[51]».

Revenons à Freud. Si l'on accepte son hypothèse d'une névrose collective (la religion) protégeant le sujet contre la névrose individuelle qui le guette, cette névrose se manifeste justement dans une multitude de gestes qui consistent, dans leur répétition obsessionnelle, à se défendre contre l'incertitude d'une réponse aléatoire. En cela, elle n'a rien d'une pathologie. Elle représente une structure plausible et courante de la subjectivité, structure qui fait de l'être parlant un réparateur inlassable des brèches de son existence, un remplisseur infatigable des trous de sa communication incertaine, un virtuose, parfois, dans l'évitement des abîmes du non-sens.

Il serait trop long ici d'explorer l'étiologie des sécularités religieuses au-delà de ce que j'en ai dit à la section précédente. Je voudrais, plus élémentairement, pointer un des mécanismes privilégiés par lequel s'effectue cette opération de survie, ou de sursis du sens: celui qui consiste à *ritualiser* les rythmes et les événements de la vie, et cela selon un mode non «confessant» mais conforme à l'imaginaire pragmatique qui préside aux rapports sociaux quotidiens.

Entendons-nous d'abord sur quelques définitions opératoires. Un rite n'est rien d'autre qu'un dispositif symbolique, fait de mots, de gestes, d'objets et de la circulation des hommes et des femmes eux-mêmes, qui vise l'intégration des sujets dans une collectivité. En tant que *dispositif symbolique*, un rite *aménage des contingences*: n'importe quel objet, n'importe quel mot ou geste peut être ritualisé, c'est-à-dire servir la fin énoncée: intégrer des sujets dans la collectivité. Cependant, si l'intégration procède par ritualisation, c'est qu'elle ne peut s'opérer autrement. Le travail par lequel le sujet cherche à rencontrer l'*autre*, à

---

[51] D. Jeffrey, *Ritualité et postmodernité. Pour une éthique de la différence*, thèse de doctorat en sciences religieuses, Université du Québec à Montréal, 1993, p. 127.

intégrer un *vivre ensemble*, laisse toujours un espace de vide, une béance. Il n'y a pas d'adéquation entre le *désir d'être* et ce qu'une société donnée *permet d'être*, pas plus qu'il n'y a de communication qui se réalise pleinement dans la parole. L'*intégration* d'un groupe — et je rappellerai ici quelques éléments de linguistique —, est ce par quoi une unité devient *sémantiquement sensible*. «Le *sens* d'une unité linguistique, écrit Émile Benveniste, se définit comme sa capacité d'intégrer une unité de niveau supérieur[52].» Le sens que donne à sa vie un sujet humain, dirais-je pour paraphraser le linguiste, se définit comme sa capacité d'*intégrer* une collectivité et d'y être reconnu dans sa singularité. Voilà bien ce que lui proposent les rites.

Le sujet se trouve cependant mis devant la nécessité de se représenter cette collectivité en *cohérence*. Les modalités de son intégration passent par la mise en scène d'un espace de sens commun, *comme-unité* d'une expérience dans laquelle, effectivement, l'impossible de cette expérience, la réalisation du désir d'être, se transmue en affirmation et représentation d'un ordre possible. Ce passage de l'impossible au possible suppose l'appartenance à une communauté, sinon il n'est que langage sibyllin, *langue de bois*, ou, pis, spectacle consommé par les hordes de touristes en mal d'étrangeté. Le rite structure l'adhésion qu'il suppose. Là réside son efficacité: «Le rite déploie donc une logique de l'action, mais sa singularité réside en même temps dans la subversion de cette logique. [...] [Cela] ne va pas sans une rupture dont l'effet n'est pas d'invalider les schèmes de l'action, mais de *constituer* le monde dans lequel l'action sera pertinente. Un monde par nécessité sur- ou para-nature[53].» Un monde dont la nécessité, non fondée, est *fondatrice*. Les pratiques rituelles *nourrissent* les croyances qui les entretiennent. Autrement dit, elles les *suscitent* en même temps qu'elles les *exploitent*. Par ce *coup de force* qui abolit symboliquement la béance communicationnelle, le rite jette des ponts sur l'angoisse des sujets. Par son esthétique, par une création signifiante qui lui est propre, il actualise la possibilité de rencontrer l'*autre*, qui devient ainsi figure de l'Autre, *voie* qui conduit vers lui et *voix* qui peut être entendue de lui.

---

[52] Alors que la *forme* d'une unité linguistique «se définit comme sa capacité de se dissocier en constituants des niveaux inférieurs» (É. Benveniste, «Les niveaux de l'analyse linguistique», dans *Problèmes de linguistique générale*, I, Paris, Gallimard, 1966, p. 119-132).

[53] J.-P. Albert, *Le sang et le ciel. Les saintes mystiques dans le monde chrétien*, Paris, Aubier, Collection historique, 1997, p. 48.

Lien entre la contingence et la nécessité, entre le possible et l'impossible, le rite est nécessaire à la vie collective. *Religieux* ou *séculier*, quel qu'il soit, il appartient d'abord à la communauté qui le met en pratique. Il nous renvoie, du même coup, à l'imaginaire qui soude cette communauté: sa vision du monde, la cohérence qu'elle reconnaît communément à son existence et, en dernière instance, le *cosmos sacré* dont elle se constitue. Mais la portée du rite ne peut jamais être réduite à cette seule dimension collective. Elle concerne aussi, comme c'est le cas de toute production symbolique, la subjectivité, c'est-à-dire le désir propre à un sujet d'habiter le monde avec les autres. Dans sa pratique des rites, consciemment ou non, un sujet *intègre* le monde, y signifie sa place, y inscrit sa singularité.

Le rite maintient ainsi actif, pour les humains, le rapport à la construction de leur identité, dans ce risque vital pris par chacun, qui consiste à «définir un emplacement singulier par l'extériorité de son voisinage[54]». Cette identité ne devient possible que dans la mesure où elle intègre du sens, dans l'appropriation d'une scène cohérente donnée au monde. Loin de moi, donc, toute idée qui viendrait minimiser l'importance des rites dans la vie sociale. Ceux-ci en scandent les jeux, les plus ordinaires comme les plus extraordinaires.

On se préoccupe cependant généralement peu d'élucider la *rationalité* des rapports de cause à effet qui est active dans cette pratique. Un tel effort risquerait de remettre en scène ce qu'une rationalité rituelle occulte précisément: la béance. On en reconnaît simplement, implicitement sinon explicitement, l'efficacité symbolique. Or celle-ci n'agit pas seulement là où Claude Lévi-Strauss en a magistralement démontré la dynamique[55.] dans l'univers magico-religieux des peuples anciens, on la retrouve aussi au cœur des sécularités religieuses contemporaines qui trouvent ainsi, en deçà de leurs énoncés de croyances, un des lieux majeurs de leur effectivité. Dans la vie quotidienne des individus comme dans des événements collectifs, jusqu'à l'exaltation de la transe, les rites traduisent une intégration *affective* du sens commun (*affective* puisqu'elle se manifeste par des *affects*). Malgré leurs débordements logiques, et souvent grâce à eux, ils cimentent le vivre ensemble.

Les rites, plus encore que les croyances, font éclater à leur tour le dualisme du religieux et du séculier. Personne ne niera que, dans des

---

[54] M. Foucault, *L'archéologie du savoir*, Paris, Gallimard, 1969, p. 27.

[55] C. Lévi-Strauss, «L'efficacité symbolique», dans *Anthropologie structurale*, Paris, Plon, 1974, p. 205-226. Voir aussi F.-A. Isambert, *Rite et efficacité symbolique. Essai d'anthropologie sociologique*, Paris, Cerf, 1979.

sociétés fortement encadrées par l'institution *religieuse* du sens, les rites de passage (tels le baptême, le mariage et les funérailles dans les sociétés catholiques) possèdent une très lourde signification *séculière*: ils président à l'intégration d'un certain *état de vie sociale* par les individus. Ces *rites de passage* instituent, en le signifiant, l'acte de passer d'un état à un autre, tel que l'entérine la collectivité. Le langage religieux, même dans ses formes les plus traditionnelles, remplit ici une fonction proprement *séculière*: il intègre le sujet au monde.

Dans le monde *en voie de sécularisation* que constitue encore la modernité dite avancée, les rites de passage sont d'une très grande ambiguïté pour les agents qui en gèrent les dispositifs. La rencontre des responsables ecclésiaux, par exemple, et des demandeurs de rituels repose dans bien des cas sur un *malentendu*, tel qu'en témoignent les pasteurs eux-mêmes: «Le drame est celui de deux lieux d'habitation, étrangers l'un à l'autre et sans échanges véritables qui puissent enrichir les deux parties[56].» Deux univers s'y affrontent: «Le pays des parents [où] on croit que le discours de l'Église ne correspond plus à la réalité de la vie concrète des adultes d'aujourd'hui, en même temps que l'on croit aux potentialités inscrites dans les rites et que garantit l'institution ecclésiale, pour les enfants. [...] Le pays de l'Église [...] où l'on affirme que les parents et les familles ne sont plus fidèles au discours ecclésial en tant que celui-ci représente l'essentiel des exigences évangéliques[57].»

Le monde séculier, ici, est loin de nier l'efficacité symbolique du langage religieux. Au contraire, il en demande. Il reconnaît cette efficacité en tant qu'*instituée*: il attend du rite qu'il fournisse des places garanties et immuables. C'est comme si, pour les parents, «on naissait chrétien», me disait à ce propos un autre pasteur ayant une longue expérience de préparation au baptême. Le demandeur conçoit son accès au rituel comme un «droit» dont il exige l'attestation par les institutions chrétiennes. Il s'agit pour lui d'accéder symboliquement à *sa* place dans l'histoire, la culture, l'ordre du monde tel que ces institutions en témoignent depuis «toujours».

L'évidente *sécularisation des rites religieux* ne consiste pas en leur remplacement par d'autres. Elle en masque plutôt le sens par un autre sens, jusqu'à rendre lisses, sans reliefs sémantiques qui puissent accrocher le désir des sujets, les paroles *confessantes* par ailleurs

---

[56] L. Bouchard, *Fonctions symboliques de la ritualité: l'initiation sacramentelle des enfants*, thèse de doctorat en théologie, Université de Montréal, 1994, p. 185-186. Publiée sous le titre *L'initiation sacramentelle des enfants, impasse ou signe d'espérance?*, Montréal, Fides, 1997.

[57] *Ibid.*

prononcées. Elle procède au *remplacement* d'un sens donné par un autre, et non pas à un *effacement* du sens. Faire accéder un tout jeune enfant à *sa* place dans l'histoire, la culture et l'ordre du monde, quelle que soit la conception de cet ordre, n'est pas un geste dépourvu de sens. La sécularisation de ce sens, cependant, écrase les conceptions traditionnelles qu'on en avait, alors même que les gestes signifiants restent les mêmes. Si le mariage «religieux», pour continuer cette évocation des rites de passage, est devenu aujourd'hui pour beaucoup «l'inscription d'un état de fait dans une tradition», selon le mot de Liliane Voyé[58,] cette inscription n'est pas non plus un geste qui n'a pas de sens. Bien au contraire, les protagonistes s'efforcent de lui en donner le maximum, appelant à la rescousse une foule de signifiants «traditionnels», tels les chants en latin, les vieilles voitures, les costumes, pour souligner la rencontre éphémère des générations dans une *communauté* exilée, par ailleurs, de la vie quotidienne.

L'opposition sémantique du *religieux* et du *séculier* s'avère ici incapable d'expliquer logiquement ce qui se passe. La distinction entre une religiosité *confessante* et une religiosité *non confessante* se révèle plus éclairante. Les rites nous introduisent dans un univers où la première est très largement investie par la seconde. Les rites chrétiens explicitement confessants, par exemple la pénitence et l'eucharistie, ne sont plus pratiqués que par la minorité de la population qui en professe, encore aujourd'hui, la foi. Les rites chrétiens dits de passage sont toujours pratiqués par de larges populations, indépendamment des autres attitudes religieuses. Mais ils sont investis de significations non confessées, appartenant à une autre sémantique religieuse que celle du christianisme. Peu importe qu'il y ait contradiction ou concordance entre les régimes de sens ainsi manifestés. Le problème est que la signification qu'impliquaient les gestes rituels échappe à ceux-là mêmes qui en manipulent les signifiants. Elle appartient à un sens *commun*, inhérent à la communauté humaine dont l'identité s'actualise alors symboliquement. Elle n'a même pas besoin d'être explicite pour être effective. C'est une *religiosité naturelle* par laquelle se construit la sécularité elle-même. Et l'on peut penser que cette dernière s'actualise aussi dans bien d'autres rites, ordinaires ou extraordinaires, dont non seulement les signifiés mais aussi les signifiants proviennent de la culture commune constituant le substrat de nos communautés. La religiosité naturelle du monde séculier se manifeste ainsi comme une *praxis* et non plus comme un discours. Cette praxis n'est pas une

---

[58] L. Voyé, «Les jeunes et le mariage religieux: une émancipation du sacré», *Social Compass*, vol. 38, no 4, décembre 1991, p. 405-416.

«chose» dont un énoncé pourrait être l'»expression[59]«. Elle articule, pour faire sens, d'autres termes que ceux du dire. Mais elle n'en introduit pas moins le sujet dans l'ordre nécessaire du monde. Elle scande alors, dans le foisonnement même de ses formes et l'apparente anarchie de son sens, autant de façons d'appréhender le cosmos sacré.

Je ne peux développer l'analyse de toutes les formes rituelles présentes dans le monde contemporain. Les typologies ou modèles théoriques dont nous disposons pour les aborder ne sont d'ailleurs qu'embryonnaires. Je peux cependant esquisser quelques questions concernant certains d'entre eux. Les rituels de masse, par exemple, ceux qui s'organisent autour de *performances* mises en spectacle, tels les joutes sportives et, d'une façon générale, les divertissements médiatisés, ne jouent-ils pas aussi ce rôle d'intégration des sujets — *assujettis* aux lois du marché — à l'ordre *commun* du monde? Ne présentent-ils pas aux sujets autant de lieux d'appropriation d'identité, appropriation ni plus ni moins paradoxale que celle qui est manifestée dans les rites de passage évoqués plus haut? Ne proposent-ils pas aux sujets qui les consomment une intégration du sens implicite de la globalité du monde, jetant des ponts sur la rivière d'angoisse qui coule en eux?

Les critiques noteront avec raison que cette massification de la culture rituelle surspécialise les acteurs sociaux et établit une très forte discrimination entre eux. Un très petit nombre d'entre eux deviennent des *performants* et sont *consacrés* (le mot est sans doute, encore ici, plus qu'une métaphore) vedettes, stars, idoles, héros... Ces derniers exercent alors une fonction véritablement *sacerdotale*, au sens étymologique du terme, c'est-à-dire qu'ils *donnent* accès au *sacré*, qu'ils apportent au monde ordinaire la représentation du sens possible: le succès obtenu à la force de son travail et de son talent. La victoire sur le non-sens, proclament-ils, peut être conquise à l'arraché si l'on possède le courage, la force, la persévérance, bref toutes les vertus qui conduisent à l'excellence. Certes, le spectateur reste passif devant cette scène où se joue, par procuration, le sens de sa vie. Cette passivité est pourtant active puisqu'il lui est demandé de se nourrir du spectacle donné, d'en applaudir les coups, d'acquiescer aux valeurs célébrées et de renier l'indésirable dénoncé. Se profile dès lors pour lui, sur l'écran du monde, le tragique, son existence, dans une *actualité* telle qu'il ne peut plus s'en détacher.

À la limite, cette consommation du sens pousse le sujet à se noyer dans l'enfer des choses, pour échapper précisément au risque de la

---

[59] M. de Certeau, «La rupture instauratrice, ou le christianisme dans la culture contemporaine», *Esprit*, juin 1971, p. 1177-1215. Repris dans *La faiblesse de croire*, texte établi et présenté par L. Giard, Paris, Seuil, 1987, p. 183-226.

parole. Elle propose un «avalement» de toutes choses[60]. Pourtant, elle remet sans cesse les consommateurs devant la question du sens. Il y a là paradoxe, certes, mais qui tient au caractère élémentaire de l'image. Cet objet transitoire, l'image, permet au sujet de reconnaître l'*autre*, mais, en même temps, le force à se reconnaître lui-même dans ce *regard de l'autre* qui lui sert de miroir. Dès lors, il est mis en demeure de mesurer, sans cesse, les limites de sa propre existence[61]. Il vit, sans même avoir besoin d'en être conscient, l'angoisse de ces limites d'autant plus inexorables que l'*autre* en fonction de qui il se mesure reste purement imaginaire, évanescent, fuyant toute convivialité effective. Le problème de la surconsommation télévisuelle, de ce point de vue, ne réside pas dans les qualités et les défauts des produits mis en scène (par exemple, la violence omniprésente), mais bien dans la *fascination* qu'exerce cette mise en scène et dans l'assuétude qu'elle entraîne.

Nous trouvons là un des espaces les plus problématiques des rituels contemporains, dont les pratiques sont littéralement des pratiques d'*écran*, masquant et révélant en même temps la quête de sens à laquelle ils convient les sujets, à la fois pratiques de prise de conscience de l'*autre* et pratiques de fuite à son égard. Tant que l'*autre* reste ainsi au-delà de l'écran qui en manifeste l'existence, le sujet ne prend effectivement aucun risque à son égard. Il reste fasciné, médusé, mais impuissant, eunuque de son propre désir puisque réfugié dans le confort propre à *ce côté-ci* de l'écran. Le spectacle divertit, au double sens du terme. Il procure *divertissement*, amusement, repos par rapport au travail d'habitation du monde; il propose *diversion*, dissipation du regard, enjoignant au sujet d'éviter toute parole susceptible d'interpeller son désir. Le *show-business*, de ce point de vue, ne fait pas seulement mettre la religion en spectacle, il se donne lui-même comme spectacle *religieux*. Il prend la relève de la religion, qui autrefois se voulait productrice et gestionnaire exclusive du sens, pour manipuler le sens à sa façon[62] le rendre propre à la consommation, en distribuer la *communion* à la communauté humaine prise dans l'imaginaire de sa globalité.

---

[60] J.-C. Guillebaud, *La trahison des Lumières. Enquête sur le désarroi contemporain*, Paris, Seuil, 1995, p. 220-221

[61] Ce qui est bien la fonction du «regard éloigné». Voir C. Lévi-Strauss, *Le regard éloigné*, Paris, Plon, 1983.

[62] N. Gabler, *Life: The Movie. How Entertainment Conquered Reality*, New York, Knopf, 1999. Il n'y a d'ailleurs pas que la religion qui soit prise dans cette dynamique. On y trouve l'ensemble de l'information, y compris la science, la culture et l'éducation. Voir, à ce propos, R. Jacoby, *Dogmatic Wisdom: How the Culture Wars Divert Education and Distract America*, New York, Doubleday, 1994.

L'effet saisissant de ces procédures consiste à *intégrer* le sujet. L'histoire à laquelle celui-ci est ainsi convié n'est cependant pas *son* histoire, mais une aventure qui se trame hors de lui, indépendamment de son action et à laquelle il ne lui reste plus qu'à se rallier. Il peut en venir, dès lors, à oublier sa singularité et à négliger l'angoisse du vide qui pourtant le travaille, pour le temps d'un spectacle.

*
* *

La mise en spectacle du monde est ainsi une fonction, rituelle, de la globalisation. Elle renvoie chacun, paradoxalement mais non sans à propos, à la dramatique de sa vie courante: *La p'tite vie*, celle dans laquelle il est appelé sans relâche à des performances impossibles, aux sens dérisoires. *Pôpa*, *môman* et les autres, l'ordre donné du monde occupent justement, dans et malgré cette dérision érigée en système, l'espace symbolique du sens. Ils invitent le consommateur à communier à son spectacle, c'est-à-dire au rien. Dans leur cas, ils le font sans aucune complaisance: ils ne cherchent même pas à faire croire que le spectacle pourrait avoir du sens. Ils en mettent en acte la praxis, tablant sur le fait que chacun sait ce dont il y est question: l'insensé.

Une telle mise en scène de l'insensé est aussi, à sa façon, une quête de vérité. Loin de rester indifférente au sens, elle le questionne de front, tournant en ridicule les dérisoires bricolages qui en sont donnés à consommer. Le spectacle, celui-là comme les autres, renvoie chacun à son expérience, même quand il détourne son regard. Il l'invite à se voir dans le regard de l'Autre. Si l'expérience du rien, comme l'écrit Bernhard Welte[63] est devenue *l'expérience religieuse fondamentale de l'humanité*, on peut penser que sa ritualisation massive, adressée hebdomadairement à quelques millions de téléspectateurs, n'est pas indifférente à la constitution religieuse de leur monde. Elle aussi est stratégie pour jeter un pont sur le vide. A-t-elle besoin de *confesser* un sens pour en déployer l'effectivité? Bien au contraire, le confesserait-elle qu'elle avouerait son arbitraire à tous, du même coup, et perdrait une bonne part de son efficacité.

Mais «faire l'expérience du rien est tout à fait autre chose que de ne pas faire d'expérience. Celui qui fait l'expérience du rien fait une véritable expérience, il rencontre quelque chose qui le touche, l'ébranle et le transforme[64]». C'est bien la raison pour laquelle il faut sans cesse

---

[63] B. Welte, *La lumière du rien. La possibilité d'une nouvelle expérience religieuse*, traduit de l'allemand par J.-C. Petit, Montréal, Fides, 1988.
[64] *Ibid.*, p. 54.

contourner cette expérience, en combler les béances par des objets imaginaires, fussent-ils produits de la dérision.

Les religiosités des sociétés séculières renvoient en cela à la vie *ordinaire*. Sans doute est-ce une raison pour n'avoir point besoin de confesser leur cosmologie sacrale. Elles signent par là aussi une rupture entre les religiosités confessantes et les religiosités non confessantes, celles qui *avouent* leur rapport à une lignée, une tradition, voire une illumination et celles qui n'avouent rien de ce genre, qui se donnent comme une traduction nécessaire de l'ordre des choses, puisque l'ordre dont elles témoignent va de soi. Elles transcendent donc la distinction traditionnelle entre le *religieux* et le *séculier*, le *sacré* et le *profane*, pour nous introduire à autre chose. C'est pourquoi j'ai inversé, en cours et en titre de ce texte, le syntagme usuel pour parler, plutôt que de *religions séculières*, de *sécularités religieuses*.

Raymond LEMIEUX
Faculté de théologie et sciences religieuses
Université Laval

Résumé

Jusqu'à quel point peut-on logiquement parler de sécularité des sociétés globales contemporaines? Celles-ci n'ont-elles pas besoin, comme les autres, de mythes matriciels qui leur permettent d'assurer leur cohérence imaginaire face à ce qui, autrement, serait appréhendé comme chaos? Explorant la logique durkheimienne de ces questions, l'auteur emprunte à Peter Berger un concept de religion selon lequel celle-ci représente «l'établissement, à travers l'activité humaine, d'un ordre sacré englobant toute la réalité, i.e. d'un cosmos sacré qui sera capable d'assumer sa permanence face au chaos». Dès lors, il s'efforce de débusquer les traces d'une telle cosmologie sacrale, effaçant la disjonction religieux/séculier, dans les croyances et les rituels contemporains affranchis de l'encadrement des religions tradition-nelles. Il découvre alors la configuration complexe d'un rapport au monde qui, tout en se voulant parfaitement séculier, autonome par rapport aux significations religieuses qui continuent d'être mises en marché dans la société, remplit le rôle joué par ces dernières quand elles étaient capables d'encadrer des sociétés globales. Ce rôle n'est pas tenu dans la *confession* d'un sens particulier, mais dans l'appréhension implicite d'un sens inhérent à l'ordre même du monde, un sens qui n'a pas besoin d'être dit pour s'imposer.

Mots-clés: sécularité, religion, société globale, croyance, rite.

Summary

To what extent can we logically speak of the secularity of contemporary global societies? Do they, like others, not need master myths enabling them to ensure their imaginary coherence in light of what would otherwise be perceived as chaos? Exploring the Durkheimian logic of these issues, the author uses Peter Berger's concept of religion, according to which religion represents «the establishment, through human activity, of a sacred order encompassing all reality, i.e., of a sacred cosmos which will be able to maintain its permanence in the face of chaos.» With this he attempts to uncover the traces of such a sacral cosmology, effacing the religious/secular disjunction, in contemporary beliefs and rituals which have been extricated from the framework of traditional religions. He thus discovers the complex configuration of a relationship to the world which, while intended to be completely secular and autonomous vis-à-vis religious meanings that continue to be circulated in society, fulfills the role played by the latter when they were able to provide a framework for global societies. This role is not found in the *confession* of a particular meaning, but in the implicit apprehension of an inherent meaning in the very order of the world, a meaning which need not be stated for it to be imposed.

Key-words: secularity, religion, global society, belief, ritual.

Resumen

¿Hasta qué punto se puede hablar lógicamente de la secularidad de las sociedades globales contemporáneas? ¿Acaso no necesitan, como las otras, de mitos originarios que les permitan asegurar su coherencia imaginaria frente a aquello que, de otro modo, sería considerado como el caos? Explorando la lógica durkheimiana de esas cuestiones, el autor toma de Peter Berger un concepto de religión según el cual ésta representa «...el establecimiento, a través de la actividad humana, de un orden sagrado que engloba toda la realidad, i.e. de un cosmos sagrado que será capaz de asumir su permanencia frente al caos». De allí en más, él se esfuerza en desalojar las huellas de una tal cosmología sacra, borrando la disyunción religioso/secular, de las creencias y los rituales contemporáneos liberados del encuadre de las religiones tradicionales. El descubre entonces la compleja configuración de una relación con el mundo que, pretendiéndose perfectamente secular, autónoma en relación a las significaciones religiosas que continúan siendo puestas en el mercado de la sociedad, toma el papel asumido por estas últimas cuando ellas eran capaces de encuadrar sociedades globales. Tal papel no es tenido en la atribucion de un sentido particular, sino en la idea implícita de un sentido inherente al orden mismo del mundo, un sentido que no necesita ser dicho para imponerse.

Palabras claves: secularidad, religión, sociedad global, creencia, rito.

Pour une typologie du nouvel âge

Martin GEOFFROY

Depuis le début des années soixante, la plupart des chercheurs en sciences sociales constatent l'érosion progressive des formes traditionnelles de la religion dans le monde occidental. Cette érosion se caractérise par une baisse marquée de la pratique religieuse institutionnalisée dans la majorité des pays occidentaux. Au Québec, la proportion de la population catholique pratiquant régulièrement est passée de 40% à 30% entre 1975 et 1985, alors qu'en Belgique elle se situait à environ 20% en 1990, et le nombre de pratiquants continue de baisser progressivement d'année en année[1]. Parallèlement à cette désaffection, le nombre de personnes agnostiques augmente sans cesse[2].

Le phénomène du nouvel âge (NA) ayant pris une ampleur sans précédent dans la plupart des pays occidentaux, il apparaît de plus en plus évident aux chercheurs en sciences sociales que les transformations que connaît la vie spirituelle des gens, en ce début du XXIe siècle, sont considérables. Pour plusieurs auteurs, comme Champion, le christianisme occidental se désinstitutionnalise pour être progressivement remplacé par un «bricolage» de croyances et de pratiques individuelles:

> La logique du bricolage, majoritaire aujourd'hui dans le champ religieux
> des pays occidentaux, est à l'œuvre aussi bien au sein du christianisme

---

[1] F. Champion, «Religieux flottant, éclectisme et syncrétisme», dans J. Delumeau et autres, *Le fait religieux*, Paris, Fayard, 1993, p. 746.

[2] Selon le recensement canadien de 1991, même si les sectes religieuses ont connu un accroissement de leurs effectifs de 109 % de 1981 à 1991, elles ne représentent que 0,1 % de la population canadienne, soit 28 160 personnes. Par ailleurs, 3,3 millions de Canadiens (dont 262 000 Québécois) affirment n'avoir aucune religion. Depuis le début des années quatre-vingt, on classe une partie de ces gens «sans religion» sous «mouvement du nouvel âge».

que dans des mouvements où la référence à une tradition s'estompe derrière la quête du bonheur individuel par le spirituel[3].

Selon moi, ce «bricolage» signale plutôt l'émergence d'une nouvelle forme de religiosité qui ne coïnciderait plus avec la définition classique de la religion. Cette définition, habituellement fondée sur le critère d'appartenance à une Église, ne tient plus puisque, désormais, une majorité de gens se livrerait à un «bricolage» spirituel à l'extérieur des grandes traditions religieuses. Le critère d'appartenance à une institution religieuse deviendrait donc inefficace pour évaluer un phénomène comme le NA. Cette nouvelle forme de religion, appelée communément le «mouvement du nouvel âge», ou encore le «réseau de nouvel âge[4]», comporterait donc plusieurs caractéristiques organisationnelles qui auraient échappé jusqu'à maintenant aux chercheurs en sciences sociales.

Le NA n'est pas une institution au sens usuel du terme. C'est pourquoi on ne peut l'étudier de la même façon qu'on étudie les grandes Églises. En fait, il faut aborder le NA en tant que phénomène social. Ce n'est pas seulement une mode passagère qui résulterait d'un quelconque processus «inévitable» de sécularisation. Cette affirmation est limitée par une méthode comparative qui s'inspire d'une définition institutionnelle de la religion, ce qui va très souvent fausser les résultats de la recherche:

> *What are usually taken as symptoms of the decline of traditionnal Christianity may be symptoms of a more revolutionary change: the replacement of the institutional specialization of religion by a new social form of religion[5].*

Je dirais que le NA est la manifestation primaire de cette «nouvelle forme sociale de religion» qui, d'après Luckmann, a remplacé la religion institutionnelle et qui se caractérise par une multitude de conceptions religieuses relevant plutôt de la vie privée des individus que d'une Église déjà établie. Ces nouveaux regroupements d'individus, qui sont la plupart

---

[3] F. Champion, art. cité, p. 746.

[4] Dans ce texte, j'utilise à la fois l'expression «réseau» et celle de «mouvement», car il n'y a pas encore consensus chez les chercheurs dans le domaine quant à l'emploi plus précis de ces concepts qui font partie des débats théoriques actuels.

[5] T. Luckmann, *The Invisible Religion. The Problem of Religion in Modern Society*, New York, Macmillan, 1967, p. 91.

du temps autonomes, fonctionnent souvent à l'extérieur des structures sociales établies. En fait, ils fonctionnent parallèlement aux institutions primaires par un réseau de branches secondaires qui répondent à des besoins de plus en plus spécifiques. Le changement social et la contestation «passive» se manifestent par le boycott des institutions primaires. Par exemple, le désabusement général de la population envers la classe politique et les «vieux» partis pourrait être identifié comme une caractéristique commune aux enfants du Verseau.

Dans la perspective de Luckmann, le mouvement du NA serait donc plutôt un résultat du déplacement des systèmes symboliques concernant la signification ultime de l'existence (*ultimate concerns*) des institutions publiques vers la «sphère du privé». Ses travaux expliquent bien, à mon avis, cette transition, tout en soulignant certaines des caractéristiques du NA, comme la présence d'une idéologie un peu vague et le syncrétisme. Les institutions primaires, comme le gouvernement et l'Église, n'ont plus beaucoup de crédibilité aux yeux des populations occidentales et elles sont généralement coupées de la réalité des individus. La spiritualité humaine et la recherche d'un sens à la vie s'expriment désormais dans de nombreuses institutions secondaires. Ces organisations, contrairement à la croyance populaire, sont rarement sectaires.

En effet, les valeurs sont devenues des objets de consommation en concurrence dans un marché ouvert. Pour être dominant dans la société, un système de croyances doit désormais bénéficier d'une large diffusion dans les médias et recueillir l'approbation d'intervenants intermédiaires comme les journalistes. D'ailleurs, de plus en plus de journalistes, tels Marilyn Ferguson ou Jacques Languirand au Québec, sortent des cadres de leur profession pour faire la promotion de l'idéologie «nouvel-âgiste».

Du religieux flottant à l'émergence d'un réseau

Selon Champion, la notion de religion dans la société moderne s'articulerait autour de trois pôles: les croyants, les incroyants et, surtout, les croyances «diffuses». Elle remarque la polarisation du religieux sur deux tendances opposées: l'intégrisme et le syncrétisme. Mais la majorité de la population occidentale se placerait plutôt quelque part entre les deux, dans ce que l'auteure appelle un «religieux flottant[6]». D'ailleurs, c'est probablement ce concept qui amène Champion à conclure que le mouvement du NA en tant que tel n'existerait plus depuis la fin des années soixante-dix et qu'il s'intégrerait plutôt désormais dans une immense «nébuleuse mystique-ésotérique[7]».

Selon l'auteure, cette «nébuleuse» aurait sept caractéristiques fondamentales: la dimension de l'expérience comme point central, l'objectif de la transformation de soi grâce à des techniques psycho-corporelles ou psycho-ésotériques, le salut visé qui concerne la vie terrestre et est conçu selon les critères dominants de la société actuelle, une vision moniste qui s'oppose au postulat dualiste des religions traditionnelles, un optimisme à la fois certain et mesuré face au développement humain, une éthique de l'amour qui commence par l'amour de soi et, enfin, l'importance du charisme chez les leaders et les porte-parole du NA[8]. Par ailleurs, elle souligne la présence, dans cette nébuleuse hétérogène, de plusieurs points de tension. La tension principale se manifesterait entre les adeptes d'expériences paranormales et ceux, moins friands de spectaculaire, de l'autoperfectionnement. Un deuxième point de tension résiderait dans la valeur donnée aux traditions instituées par rapport au bricolage individuel et un troisième relèverait de l'articulation, pouvant même aller jusqu'à la fusion syncrétique, entre le psychologique et le spirituel. Finalement, il y aurait un autre point de tension entre la magie et le «spiritualisme humaniste», c'est-à-dire entre une volonté de puissance et un renoncement à cette dernière au profit «de symbolisations sur le sens de la vie et de conceptions éthiques[9]».

La sociologue belge Van Hove[10] abonde dans le même sens quand elle critique le concept de «mouvement du NA» en affirmant que ce mouvement est trop vague pour être défini avec exactitude. Selon elle, le NA ne serait qu'une composante, parmi d'autres, d'un immense «marché de la spiritualité». Ce marché serait constitué de croyances non intégrées et

---

[6] F. Champion, art. cité.

[7] F. Champion, «La nébuleuse New Age», *Études*, no 14, 1995, p. 233-242.

[8] F. Champion, «Religieux flottant, éclectisme et syncrétisme», art. cité, p. 752-753.

[9] *Ibid.*, p. 754-755.

[10] H. Van Hove, «L'émergence d'un marché spirituel», *Social Compass*, vol. 46, no 2, juin 1999, p. 161-172.

combinées individuellement par des «chercheurs-consommateurs». Elle émet l'hypothèse que la vie sociale serait désormais organisée selon des principes de consommation et que cela aurait des effets en profondeur sur la religion, dont les systèmes de sens se retrouveraient dans une situation de pluralisme en tant qu'objets de consommation. L'expansion du marché de la spiritualité entraînerait une désintégration des systèmes de sens et une fragmentation de la vie sociale d'où résulterait une résistance à la formation de groupes sociaux. Le marché spirituel serait donc un «ensemble d'initiatives qui s'articulent autour de voies alternatives censées ouvrir sur un mode de vie plus profond».

La consommation est probablement l'un des meilleurs indicateurs permettant d'évaluer l'existence et l'expansion d'un réseau et peut-être même, le cas échéant, d'un mouvement du NA. Mais on ne peut certes pas parler uniquement d'un «marché de la spiritualité», puisque le concept de «marché» laisse entendre qu'il n'y aurait, dans le réseau, que des relations purement économiques, alors que l'on sait que s'y font aussi constamment beaucoup d'échanges humains et spirituels. En fait, on devrait plutôt parler, comme York, de l'«émergence d'un réseau[11]» du NA, surtout en Amérique du Nord. Selon ce sociologue, une multitude de groupes et d'individus ayant des croyances et des styles de vie opposés s'intégreraient dans un vaste réseau informel d'échanges d'informations, de rencontres, en petits ou en grands groupes de personnes, visant une transformation radicale de la conscience individuelle et collective. La croissance d'un tel réseau serait spectaculaire dans plusieurs pays occidentaux, dont les États-Unis, le Canada, l'Angleterre, l'Allemagne, la France, l'Italie, la Scandinavie et le Danemark, ainsi que dans certains pays de l'Océanie, comme la Nouvelle-Zélande et l'Australie. Se servant des données du BMS Spirituality Survey, un sondage réalisé en 1989 pour le compte d'un grand magazine américain «nouvel-âgiste», l'auteur montre la diversité des croyances et surtout les multiples appartenances de ces gens qui partagent une vision holistique du monde. En effet, seulement 15% des lecteurs de ce magazine se disent *New Age*, alors que 17% sont protestants, 11% catholiques, 2% juifs, 10% autres et que 35% se déclarent «sans religion[12]».

---

[11] M. York, *The Emerging Network. A Sociology of the New Age and Neo-Pagan Movements*, Lanham, Mar., Rowman and Littlefield, 1995.

[12] *Ibid.*, p. 187-188.

Pour V. Vaillancourt[13] et A. Kubiak[14], le NA serait une forme de religiosité postmoderne. Vaillancourt établit plusieurs liens entre le courant «affirmatif» de la pensée postmoderne et le NA: individualisme, création d'une vérité personnelle, choix de valeurs et de croyances illimitées, anti-institutionnalisme, nouvelle vision de la tradition et primauté de l'expérience représentent, selon elle, des points de correspondance entre les deux phénomènes. La sociologue va encore plus loin en affirmant que le mouvement serait révolutionnaire. Ce que V. Vaillancourt désigne comme des «qualités» révolutionnaires du NA feraient en sorte que ce dernier serait difficile à définir dans le cadre de la modernité, puisqu'il serait antimoderniste, à la fois une critique et une réaction contre un monde moderne perçu comme défaillant. Pour Vaillancourt, le NA n'est pas une reconstitution contemporaine de la gnose antique et de l'ésotérisme ancien ni une recomposition des grandes traditions religieuses, comme certains auteurs le soutiennent, mais il représenterait plutôt la première tentative de création d'une «religion postmoderne». L'objectif du NA, tout comme celui du postmodernisme, serait de transcender la modernité au moyen de la subjectivité individuelle au détriment de l'objectivité rationaliste des Lumières. De son côté, Kubiak relève six caractéristiques du NA qui sont l'expression d'une culture postmoderne: le manque de définition du sujet et ses limites dans le temps et l'espace, la mouvance et l'imprévisibilité du réseau, l'effacement des oppositions entre la culture populaire et la culture intellectuelle et entre la science et la religion, l'holisme et le principe féminin, l'objectif de la transformation de la conscience et, finalement, l'autonomie des différents éléments du réseau les uns par rapport aux autres.

Pour une nouvelle définition du nouvel âge

Comme on peut le constater, il semble y avoir autant de définitions du NA qu'il y a de chercheurs pour les formuler. Ce tour d'horizon me permet de préciser ma propre définition de la religion et surtout du NA. J'envisage la religion comme une structure sociale ayant pour objectifs

---

[13] V. Vaillancourt, *Challenging Modernity: The New Age Movement as a Form of Postmodern Religiosity*, Senior Sociology thesis, Vassar College, New York, 1993.

[14] A. Kubiak, «Le Nouvel Âge, conspiration post-moderne», *Social Compass*, vol. 46, no 2, juin 1999, p. 135-143.

l'élaboration et le maintien de systèmes de sens ultimes de l'existence. Son organisation doit être en constante mutation pour lui permettre de s'adapter aux changements sociaux. Ces «mutations» servent à harmoniser les systèmes de sens désuets avec les nouvelles conditions sociopolitiques qui se mettent en place au fil de l'histoire. Le NA est religieux parce qu'il vise la transformation de ces systèmes par le biais d'une démarche spirituelle, sociale et culturelle.

Le NA serait la plus récente mutation des systèmes de sens ultimes. On pourrait même affirmer qu'il est une mutation radicale, puisqu'il remet en question les fondements mêmes de l'organisation religieuse, d'où la nécessité de construire une typologie qui serait propre au phénomène du NA. Celui-ci est un réseau informel de personnes ayant des affinités spirituelles, sociales, culturelles et techniques, un réseau qui établit un lien virtuel entre des individus de toutes les couches de la société occidentale, engendrant ainsi une nouvelle façon de vivre la religion au quotidien. Je fonde la construction de ma typologie sur cette définition, l'intention étant de confirmer ma définition par le biais des catégories mises au jour. Mon hypothèse est que nous pourrons alors percevoir, à travers les différentes catégories de la typologie, les liens sociaux qui unissent des parties à première vue disparates dans un «tout» appelé *réseau du nouvel âge*.

Le concept du *segmented polycentric integrated network* (SPIN) de Gerlach et Hine[15], que reprend York[16], me semble être aussi d'une très grande utilité dans l'élaboration d'une typologie du NA. Selon York, le leadership du mouvement du nouvel âge est polycentrique, car il peut changer selon les situations. Il en est ainsi parce qu'il y a un manque de consensus sur les buts du mouvement et sur les moyens de les atteindre et que personne ne peut recenser ni exercer une emprise sur tous les adeptes. Aucune personne ne peut prendre des décisions au nom d'une majorité d'adeptes. Aucun individu n'exerce de pouvoir régulateur sur le mouvement, parce qu'il n'y a pas de porte-parole unique ou officiel qui pourrait dire qui appartient au mouvement et qui n'en fait pas partie. Selon York, le polycentrisme est une force pour le NA, puisqu'il permet à la

---

[15] L. P Gerlach et V. Hine, *People, Power, Change. Movements of Social Transformation*, Indianapolis, Bobbs-Merrill, 1970.

[16] M. York, «Le supermarché religieux: ancrages locaux du Nouvel Âge au sein du réseau mondial», *Social Compass*, vol. 46, no 2, juin 1999, p. 173-179.

structure organisationnelle de s'adapter constamment aux changements sociaux et parfois d'innover par rapport aux normes établies. Cependant, une organisation segmentée et non centralisée comporte plusieurs cellules organisationnelles sur lesquelles il est difficile d'exercer une surveillance ou une influence. La segmentation ici découlerait de plusieurs facteurs de la croyance dans le pouvoir personnel de l'individu, des séparations sociales préexistantes, d'un sens de la compétition personnelle et des différences idéologiques entre les adeptes.

York parle d'un «mouvement holistique» qui comprendrait le nouvel âge, le néopaganisme, l'écologie, le féminisme, les groupes mystico-religieux orientaux et le mouvement du potentiel humain (MPH). On retrouverait dans ce «mouvement holistique» des aspects «sociaux» (Ferguson, Spangler, Ram Dass), occultes (Maclaine, Montgomery, Arguelles, Cayce, Bailey), spirituels (Trungpa Rinpoche, Maharishi Yogi) et de guérison. Pour la construction de ma typologie, je me suis partiellement inspiré de celle de York, résumée plus haut, mais que j'ai modifiée de façon à tenir compte des caractères propres au mouvement du NA.

Pour une typologie du nouvel âge

La compréhension de la problématique du NA appelle d'abord la construction d'une typologie propre à ce phénomène, et c'est essentiellement l'objet de ma démarche. Mes recherches m'ont permis de dégager quatre grandes dimensions du mouvement du NA: sociale, culturelle, ésotéro-occultiste et biopsychologique. Ces quatre dimensions se subdivisent en sous-dimensions (voir la figure 1). L'objectif de cette typologie n'est pas de classer des individus dans une dimension ou dans une autre, mais bien de recenser les grands courants idéologiques qui caractérisent le réseau du NA. Il faut souligner que ces divisions ne sont pas étanches et qu'elles permettent d'aller plus loin que les analyses simplistes selon lesquelles le NA est une religion «diffuse», «vague», une «nébuleuse», voire une «religion sans structure». Je soutiens que non seulement le NA a une structure, mais aussi qu'il est traversé par de grands courants idéologiques identifiables et qu'il est une nouvelle forme de religion.

Figure 1

Divisions et subdivisions du nouvel âge

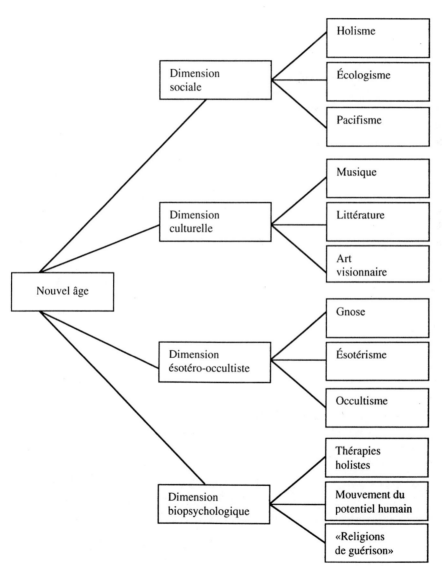

Mon concept opérationnel est celui d'un «réseau du nouvel âge» dans le sens d'un réseau social défini comme un rassemblement informel d'individus ou de groupes ayant une appartenance ou une sensibilité commune, soit, dans le cas qui nous occupe, une forme d'affinité spirituelle et émotionnelle. Pendant cinq ans, soit de 1992 à 1997, j'ai fréquenté les lieux d'échanges culturels et sociaux du réseau du nouvel âge à Montréal (librairies, restaurants végétariens, boutiques de cristaux, d'encens et de pyramides, galeries d'art visionnaire, etc.), assisté à divers événements culturels (concerts de musique NA, vernissages) et analysé le contenu et le tirage des publications spécialisées. J'ai aussi essayé diverses «thérapies holistes» (chiropractie, homéopathie, naturopathie, acupuncture, reïki, etc.) et suivi des cours de «croissance personnelle» (celui de Sylva Bergeron et plusieurs autres). J'ai également fréquenté plusieurs personnes qui prétendent au titre de psychothérapeutes et même assisté à une «tenue blanche» d'une loge franc-maçonnique humaniste. Toutes ces expériences, qu'on pourrait qualifier d'«observation participante», ont été faites dans le cadre strict d'un projet de recherche et avec tout le détachement qu'impose la démarche scientifique en sociologie. La collecte des données a été complétée par des entrevues réalisées avec quelques porte-parole du mouvement NA, soit Marilyn Ferguson, Pascal Languirand et Jac Lapointe.

La dimension sociale du nouvel âge

La dimension sociale du NA comporte différentes sous-dimensions (holisme, écologisme, pacifisme). Elle est constituée de mouvements sociaux et de manifestations culturelles dont l'ampleur n'a cessé de s'étendre au cours de la dernière décennie. Beaucoup de mouvements sociaux importants, comme le mouvement écologiste et le mouvement pour la paix, sans être affiliés officiellement au NA, ont de nombreux points en commun avec la vision sociale du NA. Certains des membres de ces deux mouvements ont déjà évolué, ou évoluent encore, dans les courants biopsychologique ou ésotéro-occultiste du NA. Celle qui a le mieux défini, à mon avis, cette vision sociale est sans doute la journaliste californienne Marilyn Ferguson, dans son ouvrage *Les enfants du Verseau*. Pour elle, l'émergence du NA correspond, en fait, à l'avènement d'un «nouveau paradigme» qui nous engagera dans une évolution culturelle et sociale à travers la transformation de la conscience des individus.

L'holisme

Contrairement à ce que certains auteurs soutiennent, le NA possède bel et bien sa propre vision du monde. Des auteurs comme St-Germain[17] et Melton[18] le confirment. Selon Melton, l'holisme est l'une des valeurs véhiculées par le NA. Ma propre typologie reprend également cette caractéristique. Dans une analyse fort juste des conclusions de Melton, St-Germain définit ces trois valeurs en commençant par la vision holistique propre au NA:

> Une vision holistique conçoit l'univers comme un seul système complexe et unifié. Tous les éléments de l'univers sont interreliés et interdépendants. Pensées, vie, matière et esprit, ici-bas et dans l'au-delà, tout cela est intimement lié. On rejette la vision analytique mécanique et matérialiste de l'univers, héritée de Descartes et Newton. On croit en outre que chaque partie de l'univers reflète l'ensemble de celui-ci car chaque partie posséderait, en son sein, toutes les composantes du tout[19].

Parmi les porte-parole qui représentent bien cette perspective, mentionnons, aux États-Unis, outre Marilyn Ferguson, David Spangler[20] et Ram Dass. Au Québec, des personnalités publiques, dont Placide Gaboury et Jacques Languirand, ont tenté de définir globalement le NA. Pour Spangler, il est évident que la vision du monde du NA est holistique: «Elle affirme le lien et l'inter-communion de toutes choses et le fait que les actions d'une partie quelconque de ce tout influent sur toutes les autres parties[21].» Cette façon de penser la vie sociale est une composante omniprésente dans ma typologie, c'est-à-dire qu'elle est commune à la vaste majorité des adeptes du NA. On la retrouve dans toutes les catégories de ma typologie. On pourrait même ajouter qu'elle en est le principal élément unificateur, puisqu'elle est souvent à l'origine de la mobilisation

---

[17] R. St-Germain, *Le cristal de quartz: outil de puissance et être de perfection. Analyse religiologique d'un objet magique du Nouvel Âge*, mémoire de maîtrise en sciences des religions, Université du Québec à Montréal, 1996.

[18] J. G. Melton, *New Age Encyclopaedia*, Detroit, Gale Research, 1990.

[19] R. St-Germain, ouvr. cité, p. 11.

[20] D. Spangler est né en 1945 aux États-Unis. Pendant les années soixante-dix, il a été coresponsable pendant trois ans de la célèbre communauté. Il est considéré comme l'un des pionniers du mouvement du NA.

[21] D. Spangler, *Émergence*, Barret-le-Bas, Le Souffle d'or, 1984, p. 82-84.

d'individus dans des mouvements sociaux. La vision holistique, sous une forme ou une autre, joue donc un rôle important dans l'articulation de la pensée du NA.

L'écologisme

Une deuxième valeur sociale du NA, selon Melton, est la conscience écologique des adeptes dont plusieurs perçoivent la Terre comme une déesse sacrée (Gaia). Pour Spangler, l'hypothèse Gaia[22] est l'«ultime écologie», ce que confirme Melton:

> La conscience de la fragilité de la Terre est une préoccupation majeure du Nouvel Âge. L'Homme a pris conscience que son bien-être dépend de la santé de la planète. Cette constatation est accentuée par l'hypothèse Gaia qui entrevoit la terre comme un être vivant à part entière. Dans cet ordre d'idées, les adeptes du Nouvel Âge se sentent concernés par les divers problèmes écologiques auxquels fait face la Terre comme la disparition progressive de la couche d'ozone, la destruction de la forêt amazonienne, les rejets industriels, etc. Ceux-ci appuient également les efforts des pacifistes pour éliminer les armes nucléaires qui menacent la survie de l'humanité. En ce qui concerne leur mode d'intervention favori, ils sont partisans de l'approche résumée par la formule: pensée globale, action locale[23].

Selon la typologie du mouvement vert établie par J.-G. Vaillancourt[24], les adeptes du NA feraient partie du «plan contre-culturel» écologiste. La vaste majorité de ceux-ci appartiendrait à la catégorie des «contre-culturels individualistes» ou à celle des «contre-culturels communautaires» de la dimension «contre-culture», cette dernière correspondant à la dimension sociale de ma typologie. On en trouve aussi plusieurs dans le «courant socioculturel alternatif» de la dimension «écosocialiste». Dans un article

---

[22] Selon cette hypothèse énoncée par Lovelock et Margulis, deux scientifiques américains, la Terre est une entité vivante qui s'autorégule et adapte constamment son environnement en fonction de la vie. Voir, à ce sujet, J. E. Lovelock, *Gaia: A New Look at Life on Earth*, New York, Oxford University Press, 1979; L. Margulis et autres (dir.), *Global Ecology: Towards a Science of the Biosphere*, Boston, Academic Press, 1989.

[23] J. G. Melton, cité dans R. St-Germain, ouvr. cité, p. 12.

[24] J.-G. Vaillancourt, *Essais d'écosociologie*, Montréal, Éditions Albert Saint-Martin, 1982, p. 87.

ultérieur, Vaillancourt[25] dégage les différentes pratiques écologistes reliées au «plan contre-culturel», soit la santé holistique, l'agriculture biologique, l'alimentation naturelle, l'utilisation de produits biodégradables et des énergies douces. Ces pratiques s'inscriraient dans l'optique de la pensée «nouvel-âgiste» qui préconise de vivre en harmonie avec l'environnement. Selon l'auteur, le magazine *Guide Ressources* représente bien ces tendances écologistes, ce qui témoigne, selon moi, du croisement entre le «plan contre-culturel» écologiste et les réseaux du NA, parce que le *Guide Ressources* est avant tout un magazine véhiculant des idéologies «nouvel-âgistes». Avec un tirage mensuel de 50 000 exemplaires, ce qui est énorme au Québec pour un magazine spécialisé, le *Guide Ressources* est une force majeure dans la diffusion de la pensée du NA au Québec.

Le pacifisme

Le troisième et dernier élément de la vision sociale du NA est, selon Melton, le respect des droits humains d'une façon globale. On parle de l'«émergence d'une culture planétaire», d'une «communion mondiale» et d'une vision «globale» du monde:

> Les adeptes du Nouvel Âge se sentent davantage «Terriens» que citoyens d'un pays. Ils sont pour l'égalité des sexes et des races. De la même façon qu'ils sont conscientisés à la protection de l'environnement, ils le sont aussi aux violations des droits de la personne[26].

Cette valeur du NA se cristalliserait plus particulièrement dans le mouvement pour la paix, notamment dans les groupes «non alignés», parce que ces derniers ont une structure organisationnelle «lâche» et que leurs revendications sont très larges. Les actions faites par ces groupes, par exemple les spectacles des *Artistes pour la paix*, seraient directes et non violentes, ce qui correspond à l'idéologie «nouvel-âgiste».

---

[25] J.-G. Vaillancourt, «Deux nouveaux mouvements sociaux québécois: le mouvement pour la paix et le mouvement Vert», dans G. Daible et G. Rocher (dir.), *Le Québec en jeu*, Montréal, Presses de l'Université de Montréal, 1992, p. 791-807.

[26] J. G. Melton, cité dans R. St-Germain, ouvr. cité, p. 12.

*

Spangler ajoute d'autres éléments à la dimension sociale. Pour ce défenseur et critique du NA, la vision du monde que professe le mouvement est aussi «mystique», en raison de la présence du sacré dans tous les aspects de la vie et de l'importance accordée à la réalisation de soi. Le NA serait également «actif» dans la société par son exploration des sacrements de la vie quotidienne qui engendrerait une redéfinition du sacré. Pour le sociologue Tessier[27], on assisterait plutôt, en ce moment, à un «déplacement du sacré» dans la société, avec la transformation, par la consommation et la diffusion des médias de masse, des vedettes en icônes. Les manchettes des journaux utiliseraient ainsi plus que jamais la symbolique religieuse pour illustrer les valeurs dominantes de notre société. Ce déplacement aurait pour conséquence la présence d'éléments religieux un peu partout dans la société, notamment dans la culture, la politique et l'écologie.

La dimension culturelle du nouvel âge

Le mouvement du NA a sa propre culture dans laquelle la musique, la littérature et, dans une moindre mesure, l'art visionnaire, occupent une place prépondérante.

La musique

La musique du NA présente un caractère syncrétiste qui est directement ou indirectement relié à l'idéologie «nouvel-âgiste». Il est faux de dire, comme certains le prétendent, que la catégorie «musique du NA» est une catégorie fourre-tout. Devant l'évidente multiplicité des sources de la musique du NA, j'ai recherché surtout des facteurs d'unité.

Le compositeur américain Terry Reily est considéré comme étant le père de la musique «répétitive», un courant musical né dans les années soixante, représenté aujourd'hui par des compositeurs comme Phillip Glass

---

[27] R. Tessier, *Déplacement du sacré dans la société moderne*, Montréal, Bellarmin, 1994.

et John Adams. Reily s'est beaucoup inspiré de la musique orientale, plus particulièrement du caractère répétitif des mantras. Par ailleurs, le premier groupe de musique électronique à connaître véritablement un succès mondial est un groupe rock allemand nommé Tangerine Dream[28] qui fut rapidement associé au NA.

Au Québec, le grand pionnier de la diffusion de l'idéologie et de la musique du nouvel âge est sans conteste Jacques Languirand qui, dès 1971, animait l'émission phare de la culture NA, soit *Par quatre chemins*, sur les ondes de CBF sur la bande AM, où l'on pouvait déjà entendre, à cette époque, la musique de Klaus Schulze, Vangelis, Neuronium, Ash Ra Tempel, Tangerine Dream et plusieurs autres. Le premier grand succès de musique du NA québécoise sera produit par Pascal Languirand (le fils de Jacques) avec l'album *Minos*, en 1978. En 1990, l'album *Atlantis Angelis* de Patrick Bernhardt est l'un des plus gros succès de vente au Québec, toutes catégories confondues. Cette musique s'inspire d'un langage ésotérique fondé sur les mantras, que le musicien appelle «la musique de l'Âge Éternel». Par la suite, en 1991, Pascal Languirand poursuit ses expériences avec un disque (*Gregorian Waves*) où il mélange chant grégorien et musique électronique dans une célébration du culte de la déesse de la Terre, Gaia. Fait à noter, le musicien ne reprend pas de chants grégoriens traditionnels; il en récupère seulement la forme, puisqu'il écrit ses propres paroles en latin et que son propos n'a rien à voir avec la religion catholique. En 1993, Pascal Languirand revient avec l'album *Ishtar*, un disque dont la thématique, issue des religions orientales, est évidente. Pour cet artiste, «l'Art doit être une manifestation du divin dans le quotidien» et «les musiciens du NA tentent de plus en plus de retrouver les racines du sacré dans leur musique[29]».

---

[28] La parution du premier album de Tangerine Dream, *Electronic Meditation*, en 1969, va bouleverser le monde de la musique populaire. Aujourd'hui, après avoir lancé une vingtaine d'albums et vendu des millions de disques partout dans le monde, Tangerine Dream reste l'un des groupes de musique associée au NA les plus populaires de la planète.

[29] Entrevue avec Pascal Languirand, publiée dans *Continuum*, semaine du 4 novembre 1991, p. 22.

La littérature

La littérature est le deuxième mode d'expression important de la dimension culturelle du NA. Un article publié en 1993 dans l'hebdomadaire montréalais *Voir*[30] rapporte que le marché de l'édition NA produit des revenus de 5 millions de dollars par année, ce qui représente environ 20% du marché de l'édition au Québec. Ces maisons d'édition ne reçoivent aucune subvention du gouvernement et mettent sur le marché une bonne centaine de titres par mois. Encore plus significatif, le même article affirme qu'au Québec une librairie sur cinq est spécialisée dans les publications du nouvel âge. Chaque librairie possède sa section «Nouvel âge» ou «Ésotérisme», et l'on peut se procurer des ouvrages sur la croissance personnelle dans la plupart des pharmacies au Québec. La librairie spécialisée semble être un des principaux lieux de rencontre et de communication pour les adeptes du NA; elle fait souvent le lien entre les différents réseaux du NA et est devenue un endroit où l'autonomie du consommateur, valeur sacrée du NA, peut se manifester librement.

Un exemple probant de littérature nouvel âge est le livre *Le chemin le moins fréquenté* du psychiatre américain Scott Peck[31] dont 4,75 millions d'exemplaires de la version originale ont été vendus. Environ 200000 exemplaires de sa version française ont été vendus au Québec seulement[32]. Ce livre est un long témoignage personnel de la compréhension de l'existence découlant des expériences de l'auteur. Il prône la nécessité, pour chacun, de se forger une religion personnelle et l'autonomie absolue en matière de spiritualité. Un autre exemple de cette littérature est le roman *La prophétie des Andes* de James Redfield[33] dont on a vendu plus de cinq millions d'exemplaires dans le monde. *La prophétie des Andes* invite le lecteur à entreprendre une démarche personnelle d'autotransformation par le biais de cours et de cassettes qui s'articulent autour de l'histoire. Selon Damiani, on deviendrait ainsi un «lecteur-pratiquant» qui chercherait à vivre une spiritualité «quotidienne»:

---

[30] F. Paradis, «L'autre littérature», *Voir*, 23 septembre 1993.

[31] S. Peck, *Le chemin le moins fréquenté*, Paris, Laffont, 1987.

[32] R. Richard, «Le chemin le moins fréquenté de Scott Peck. À l'interface du christianisme et du Nouvel Âge», *Nouveau Dialogue*, no 113, janvier-février 1997, p. 19-20.

[33] J. Redfield, *La prophétie des Andes*, Paris, Laffont, 1994.

Nous assistons donc à la popularisation d'un genre littéraire où des auteurs donnent un contenu concret aux «messages» de personnages à caractère religieux et para-religieux et font un lien entre transformation personnelle et changement social[34].

Ce roman parle de l'avènement du NA en tant que «culture de demain» et énumère les différentes caractéristiques de ce monde à venir: la préservation de l'environnement et des sites sacrés, l'automatisation de plus en plus poussée qui permettra aux individus de consacrer plus de temps à leur «épanouissement personnel», la diminution de la consommation, la rémunération selon la qualité des intuitions et des inspirations spirituelles, etc. Dans *La dixième révélation de la prophétie des Andes*, la suite du premier roman, l'auteur parle d'un projet social de «réunification dans l'après-vie».

L'art visionnaire

L'art visionnaire est le troisième mode d'expression de la dimension culturelle. Moins important au chapitre des ventes et de la visibilité que les deux autres, ce mode d'expression a tout de même connu une croissance spectaculaire au cours des dix dernières années dans le monde des arts visuels. L'art visionnaire est une forme d'art visuel dont les contenus sont inspirés des idées du NA. La technique utilisée, l'aérographe, est distinctive et les sujets sont la plupart du temps figuratifs. Ils sont traités dans un style très conservateur qui se rapproche un peu du surréalisme, du romantisme et du symbolisme, mais avec moins d'imagination. Un des précurseurs de ce style est Jac Lapointe. Après avoir été libraire et directeur artistique de la revue NA québécoise *Luminance*, Lapointe a commencé, en 1982, à exposer son «art visionnaire» aux États-Unis et au Québec.

En 1992, il lançait un calendrier ayant pour thème *Les légendes arthuriennes*, un thème courant dans le mouvement NA. Pour cet artiste, les chevaliers de la Table ronde poursuivaient la même quête que les adeptes du NA désirent reprendre aujourd'hui: la quête de l'«essentiel».

---

[34] C. Damiani, *Un projet de société anticipatif et participatif: une étude de cas, La Prophétie des Andes*, projet de thèse de doctorat, Université de Montréal, 1997.

Pour Lapointe, l'objectif de l'art visionnaire est de réactiver et de stimuler l'éveil de la conscience vers la découverte de soi:

> L'Art Visionnaire ouvre les portes permettant à la conscience d'accéder directement au monde de l'intérieur. Sa mission première est de transmettre par l'image les perceptions ressenties dans le rêve et l'imaginaire de chacun de nous[35].

On retrouve plusieurs galeries d'art visionnaire à Montréal, la plupart dans la rue Saint-Denis, mais il est difficile d'attester véritablement la popularité de cette manifestation culturelle du NA, puisqu'il n'existe, à ma connaissance, aucune donnée sur le sujet.

*
**

En somme, ces trois modes d'expression que sont la musique, la littérature et l'art visionnaire exercent une influence sur les idéologies de la dimension sociale. Des personnalités ont été associées à ces pratiques, mais il en est beaucoup d'autres que, faute d'espace, je ne peux énumérer ici.

Reste à savoir si le NA peut s'incarner en tant que mouvement social et culturel. La réponse n'est pas toujours évidente, mais elle est, malgré les paradoxes qui l'habitent, affirmative. Les individus qui peuvent être rattachés à cette dimension sont paradoxalement les moins «engagés» sur le plan personnel. En effet, aucune volonté de croissance personnelle (comme dans le courant biopsychologique) n'est requise et il n'est pas nécessaire de s'engager envers un groupe ni de professer des croyances particulières (comme dans l'ésotérico-occultisme). En revanche, on y est beaucoup plus politisé concernant des questions globales, comme la protection de l'environnement ou l'abolition de l'énergie nucléaire. Le sentiment d'avoir de grands idéaux universels, même s'ils sont parfois vagues, est commun à un très grand nombre d'individus disparates dans le réseau du nouvel âge.

---

[35] Entrevue avec Jac Lapointe, publiée dans *Continuum*, semaine du 11 novembre 1991, p. 19.

La dimension ésotéro-occultiste

La troisième dimension est qualifiée d'«ésotéro-occultiste» parce qu'elle a ses racines dans une réinterprétation de ces deux doctrines anciennes, en s'inspirant parfois d'une version ésotérique du christianisme. Il s'agit d'un courant où les petits groupes sectaires sont plus nombreux à cause de ses racines historiques et d'une idéologie qui est souvent d'orientation magique ou initiatique, voire exclusiviste. Cette dimension correspond à ce que certains auteurs appellent la «nébuleuse mystico-ésotérique» dans laquelle gravitent trois grandes sous-dimensions: gnostique, ésotérique et occulte.

La gnose

La gnose est l'une des plus anciennes idéologies dont s'inspire le mouvement du NA. On dit que la gnose est «éternelle» parce que ses principes se sont constamment manifestés dans l'histoire sous la forme d'une multitude de mouvements et de groupes gnostiques qui n'ont souvent pas d'autre lien entre eux que le principe même de la gnose. En vertu de ce principe, la libération de l'esprit humain n'est possible que par la connaissance de soi et des lois cosmiques.

Bergeron[36] affirme que la gnose n'est pas un savoir acquis par la raison discursive, mais plutôt un savoir intuitif. Il est donc impossible de remettre en question les savoirs individuels de chaque gnostique, puisqu'ils sont, par définition, subjectifs et relativement personnels. L'auteur qualifie cette connaissance de mythique, moniste et syncrétique par correspondance. La porte d'accès à cette connaissance, c'est l'expérience d'une mystique rationnelle absolue, une autorévélation qui n'a pas besoin d'intermédiaire. Cette autodécouverte du «moi profond» passe souvent par un ou des rites initiatiques qui sont pratiqués en général par des grands maîtres qui ont déjà atteint des niveaux supérieurs de conscience. Mais le but de la connaissance gnostique n'est pas de s'attacher à un gourou, car ce dernier est considéré seulement comme un guide qu'on doit dépasser. D'ailleurs, certains gnostiques du NA n'ont pas besoin de maître ni d'initiation, car les

---

[36] R. Bergeron, *Le cortège des fous de Dieu*, Montréal, Éditions Paulines, 1984, p. 260-271.

connaissances de la gnose se transmettent rarement par des discours oraux ou des documents écrits, étant plutôt acquises par clairvoyance. Le salut passe donc essentiellement par la connaissance de soi, le retour au soi réel qui est fondamentalement bon. La seule loi du gnostique, c'est celle de l'intérieur. Il rejette toutes les lois extérieures parce qu'elles sont issues du monde matériel, donc fausses. «Est vrai ce qui est expérimenté comme bienfaisant[37].»

C'est dans le courant de la gnose que l'on pourrait aussi classer le néo-paganisme, terme sous lequel on regroupe divers cultes, comme les religions animistes, nordiques, le satanisme, et les pratiques de sorcellerie (auxquelles s'adonnent, par exemple, les associations américaines telles que Wicca et The Craft). Selon York[38], il y a de nombreuses similitudes entre le néopaganisme et le NA: la «métaphore féminine», le rituel individuel et la prière affirmative, la réincarnation, l'éthique de la responsabilité individuelle, la croissance personnelle, la perception de la planète comme une entité vivante, la loi de la correspondance, le pluralisme, etc. On dénombre très peu de néopaïens à Montréal, mais ils ont quand même un point de rencontre au magasin *Le Mélange magique*, situé rue Sainte-Catherine Ouest, un commerce qui vend des livres sur la sorcellerie, la voyance, le tarot, etc., ainsi que divers accessoires pour ces pratiques Par ailleurs, de plus en plus de jeunes femmes du milieu universitaire montréalais portent au cou un pentagramme signalant leur croyance dans le mythe de la «magie blanche». La plupart de ces jeunes femmes estiment être des sorcières en bonne et due forme.

L'ésotérisme

De tous les mouvements précurseurs du NA, l'ésotérisme serait celui qui a exercé la plus grande influence sur les disciples de la «conspiration du Verseau». Selon Antoine Faivre, l'ésotérisme est «une forme de pensée identifiable par la présence de six caractères fondamentaux ou composantes, distribués selon un dosage variable à l'intérieur d'un vaste contexte historique et concret[39]». La première composante essentielle serait

---

[37] *Ibid.*, p. 261.
[38] M. York, ouvr. cité, p. 146-166.
[39] A. Faivre, *L'ésotérisme*, Paris, PUF, coll. «Que sais-je?», 1993, p. 14.

la *correspondance* entre tous les aspects de l'univers, visibles ou invisibles, dans un cosmos complexe, multiforme et hiérarchisé. La deuxième caractéristique serait la *nature vivante*, c'est-à-dire la croyance dans l'idée que la nature recèle une révélation et qu'elle en donne des signes qui peuvent être déchiffrés par l'initié. Une troisième caractéristique est l'affirmation que l'imagination et la méditation sont des outils permettant de voir la correspondance entre les choses et qu'elles donnent accès à la connaissance de soi. La dernière composante essentielle de l'ésotérisme est l'*expérience de la transmutation*, qui consiste en un processus en trois étapes (purgation, illumination, unification) qui amène l'individu à une seconde naissance dans laquelle il ne sépare plus la connaissance et l'expérience intérieure. Il y a aussi deux autres éléments que Faivre considère comme importants, mais non essentiels, soit les pratiques de *concordance* et de *transmission*. Dans le cas de la concordance, il s'agit de trouver des dénominateurs communs dans les diverses traditions religieuses, dans le but de créer ultérieurement une super-gnose. Quant à la transmission des connaissances ésotériques, pour qu'elle soit valide, il faut qu'elle s'appuie sur la tradition et que l'initiation de l'adepte soit faite par un maître reconnu.

Au XXe siècle naissent des mouvements qui se situeront, toujours selon Faivre, dans le sillage de l'ésotérisme: le guénonnisme de René Guénon (1886-1951) qui prône le retour à la tradition primordiale, le martinisme (ce dernier ayant ensuite éclaté en plusieurs sous-groupes très divers) et l'ordre rosicrucien AMORC (Ancien et Mystique Ordre Rosae Crucis), fondé en 1915 par Harvey Spencer Lewis, qui est le premier mouvement de masse de l'histoire de l'ésotérisme occidental. Très actif au Québec, l'AMORC est toujours présent dans les Salons du nouvel âge de Montréal. Mais il ne reste cependant qu'une manifestation parmi tant d'autres du NA. Selon Faivre, Paul Le Cour, qui a fondé l'association Atlantis et la revue du même nom en 1927, a été un des premiers à lancer l'idée d'une «ère du Verseau». Faivre attribue aussi les origines du NA à Alice Bailey, fondatrice de l'Arcane School en 1923:

Les tenants du NA proclament la venue d'une ère nouvelle, celle du Verseau, caractérisée par un progrès de l'humanité sous le signe d'une harmonie retrouvée et d'une conscience élargie[40].

---

[40] *Ibid.*, p. 114.

Aujourd'hui, les arts divinatoires ésotériques (astrologie, alchimie et magie) sont plus populaires que jamais et sont désormais accessibles à un vaste public de non-initiés. Le tarot s'est étendu au point que l'on peut maintenant trouver des cartes dans plusieurs librairies et même dans certaines pharmacies. L'astrologie est probablement le courant le plus en vogue, et toutes les grandes publications de masse y consacrent un espace. Depuis quelques années, un phénomène nouveau, les Alliances psychiques, envahit les ondes de la télévision américaine. Récemment, une Québécoise, Jojo Savard, a connu un grand succès dans le domaine très lucratif de la voyance dite à bon marché par téléphone (4,99$ la minute!) aux États-Unis et au Québec. Faivre signale aussi la présence de contenus ésotériques dans le cinéma contemporain, citant en exemple les films *2001 A Space Odyssey*, *Excalibur*, *Highlander* et *Star Wars*.

L'occultisme

Pour Marie-France James[41], les «précurseurs de l'ère du Verseau» se retrouveraient dans trois grands courants ésotériques du XIXe siècle soit le spiritisme d'Allan Kardec[42], l'occultisme moderne d'Éliphas Lévi[43] et la Société théosophique[44] d'Helena Petrovna Blavatsky. Le *channeling* est la version NA du spiritisme. On trouve dans le spiritisme de Kardec les fondements de certaines croyances «nouvel-âgistes», notamment que l'esprit de Jésus ne serait pas divin, mais qu'il serait plutôt un esprit d'élite dont la sagesse serait accessible à tout être humain capable de franchir les étapes définies par Kardec. Trois éléments issus du spiritisme vont inspirer les valeurs du NA. Le premier a trait à la possibilité du contact avec l'au-delà. Le deuxième repose sur la nécessité de donner une certaine crédibilité à cette croyance en récupérant une partie du discours scientifique. Le

---

[41] M.-F. James, *Les précurseurs de l'ère du Verseau*, Montréal, Éditions Paulines, 1985.

[42] C'est avec la publication du livre *Le monde des esprits* de H. L. Rivail (Allan Kardec), en 1857, que le spiritisme s'organise en une doctrine cohérente.

[43] Considéré par plusieurs comme le père de l'occultisme moderne, Alphonse Louis Constant (dit Éliphas Lévi) voulait offrir une nouvelle option, à l'encontre du scientisme triomphant du XIXe siècle.

[44] Fondée à New York en 1875 par Helena Petrovna Blavatsky, Henry Steel Olcott et William Quan Judge, la Société théosophique se fixe trois buts: former le noyau d'une fraternité universelle, encourager l'étude des religions, de la philosophie et des sciences et étudier les lois de la nature et les pouvoirs psychiques et spirituels de l'être humain.

troisième consiste dans la volonté de créer la première véritable religion populaire, pour ne pas dire populiste. Selon Ladous[45], le NA serait un essai pour structurer des groupuscules spontanés en une institution de type millénariste.

Du côté des États-Unis, on trouve aussi dans ce courant des porte-parole autour desquels s'organisent des petits groupes religieux, comme Ruth Montgomery, une journaliste de religion méthodiste, qui affirme recevoir des messages de l'au-delà par le biais de l'écriture automatique, ou José Arguelles qui soutient que l'on peut éviter la fin du monde en liquidant le paradigme scientifique et matérialiste. Il prédit le retour imminent du Christ et déclare que le NA va débuter en l'an 2012!

Pour sa part, la Société théosophique (ST) serait formée d'un amalgame de féminisme, de religion hindoue et de franc-maçonnerie[46]. Fait à souligner, il n'y a pas de doctrine formelle ni d'étapes d'initiation dans la ST, à l'instar du NA; cependant, elle est plus organisée que ce dernier. La ST est aujourd'hui implantée dans la plupart des pays occidentaux et connaît un rayonnement considérable depuis le début du XXe siècle. Elle compte de nombreux adeptes un peu partout dans le monde.

Telles sont les principales doctrines qui ont influencé et influencent encore le courant ésotéro-occultiste du NA. On peut se demander si le NA est une conséquence historique des mouvements et groupes religieux énumérés ci-dessus. En fait, presque tous les auteurs s'entendent pour dire que le NA est plutôt un amalgame diffus de ces divers mouvements. S'il puise son origine dans plusieurs traditions souvent millénaires, ses véritables précurseurs ne seraient apparus qu'au XIXe siècle.

La dimension biopsychologique

La quatrième et dernière dimension de la typologie du nouvel âge que je propose est dite biopsychologique, car elle s'articule essentiellement

---

45 R. Ladous, *Le spiritisme*, Paris, Cerf/Fides, 1989.
46 M.-F. James, ouvr. cité, p. 94.

autour des aspects biologiques et psychologiques de l'être humain, et ce toujours dans la perspective d'une quête spirituelle personnelle. Aujourd'hui, l'emprise quasi absolue qu'a la médecine sur la santé, la vie et la mort des individus est fortement remise en question par les personnes ayant des affinités avec le courant biopsychologique du NA. Cette tendance se caractérise par une approche holistique de la santé, souvent en opposition avec l'approche biomédicale dite «traditionnelle» ou en réaction contre celle-ci. Selon la sociologue Damiani, l'émergence, au Québec à tout le moins, d'un réseau de santé holistique serait reliée à une «crise» de la médecine scientifique pratiquée dans les hôpitaux du Québec[47].

D'après l'auteure, trois facteurs expliqueraient cette «crise» de la médecine scientifique au Québec et en Occident. Le premier est l'incapacité de la médecine moderne à venir à bout des grandes maladies de la fin du XXe siècle, comme le sida, les maladies cardiovasculaires et plusieurs autres types de maladies chroniques, telles que les maladies psychosomatiques. Un deuxième facteur vient de ce que le modèle du corps conçu comme une machine sur lequel se fonde la médecine contemporaine empêcherait cette dernière de «saisir les dynamiques inhérentes à l'être humain» et de tenir compte du rapport de ce dernier à son environnement naturel et social. Mais le facteur le plus intéressant relevé par la sociologue est que l'institutionnalisation de la médecine aurait entraîné un phénomène de médicalisation des problèmes sociaux. Dans ce contexte, la médecine serait devenue une force sociale qui impose sa vision de la santé conformément à une conception cartésienne derrière laquelle se cacheraient des intérêts de classe. Cette médicalisation aurait conduit toute la société à une interprétation biomédicale et psychologisante de problèmes jadis perçus comme moraux ou religieux.

La philosophie holiste en santé s'est construite en réaction contre le modèle corps-machine, parce qu'elle pose que «l'expérience du malaise est révélatrice de vérités qui sont somatisées par le corps[48]». On pourrait dire que la santé, dans une perspective holistique, se passe essentiellement dans la tête de l'individu concerné qui devient le principal responsable de sa guérison, le praticien holistique n'étant qu'un «guide». Selon cette

---

[47] C. Damiani, *La médecine douce*, Montréal, Éditions Saint-Martin, 1995, p. 15.
[48] *Ibid.*, p. 87.

doctrine, la réalisation personnelle et collective de l'individu influe sur sa participation à l'acte thérapeutique. Les praticiens holistes se seraient donc emparés d'un vaste champ inexploré par la médecine: celui des «rapports d'interdépendance entre la psyché et le biologique[49]».

Selon une enquête menée en 1992 par le Groupe Multi Réso pour le compte du ministère de la Santé et des Services sociaux, 45% des Québécois ont déjà eu recours à des thérapies alternatives, comparativement à 49% des Français et 53% des Allemands[50]. Selon une enquête du gouvernement du Québec, il existe quatre grandes catégories de pratiques holistiques en santé: la pratique «spirituelle et psychologique» qui comprend les religieux, les guérisseurs, les psychiques et les mystiques qui utilisent des techniques psychologiques telles que l'imagerie mentale; la pratique «nutritionnelle» qui recommande des plantes, des vitamines et des régimes alimentaires spéciaux; la catégorie des «drogues» qui englobe les praticiens qui prescrivent des produits chimiques; la dernière catégorie correspond aux traitements qui utilisent des appareils ou «diverses techniques de massage[51]». Toutes ces pratiques se retrouvent dans les trois sous-dimensions: les thérapies holistes, le mouvement du potentiel humain et les «religions de guérison».

Les thérapies holistes

Les thérapies holistes correspondent aux médecines «alternatives», ainsi appelées parce qu'elles sont en opposition avec les médecines «traditionnelles». L'expression thérapies holistes, que définit clairement Damiani, m'apparaît la plus pertinente pour la construction de ma typologie:

Les thérapies holistes se définissent comme un ensemble de pratiques de soins fondées sur l'approche alternative holiste en santé, centrées sur la stimulation des potentiels d'intégration de la personne et d'auto-guérison

---

[49] *Ibid.*, p. 94.

[50] A. Aboubacar, «Quelques caractéristiques des utilisateurs et non utilisateurs des médecines alternatives au Québec», *Dire*, vol. 4, no 2, hiver 1995, p. 13.

[51] *Ibid.*, p. 12.

de l'organisme humain soutenu par des interventions énergétiques, physiques, psychiques ou spirituelles[52].

Dans la plupart des thérapies holistes, on insiste sur le potentiel d'autoguérison de l'être humain. Ces thérapies, sans toutefois délaisser le psychologique et le spirituel, s'intéressent davantage aux aspects biologiques de l'être humain, par des interventions centrées le plus souvent sur les éléments physiologiques du corps. La plus populaire des thérapies holistes est, sans conteste, la chiropractie, car 32% des Québécois ont déjà consulté un «chiro[53]». Elle est aussi, avec la massothérapie et l'acupuncture, celle qui a le plus de crédibilité médicale auprès de la population.

Deux études commandées par l'Ordre des pharmaciens du Québec ont estimé que de 25% à 50% de la population québécoise consommait des produits homéopathiques, ce qui a forcé l'Ordre à établir des normes pour un produit dont l'efficacité n'a pas été encore démontrée de façon scientifique[54]. Ainsi, selon un article paru dans *L'Actualité* en 1995, les laboratoires homéopathiques auraient vendu pour plus de 18 millions de dollars de produits au Québec en 1994 seulement[55].

Selon Damiani, une professionnalisation[56] de la fonction de thérapeute holistique est en cours au Québec depuis quelques années, mais cette dernière rencontrerait de sérieuses résistances de la part du puissant Collège des médecins du Québec. Malgré tout, on compterait déjà une trentaine d'organismes de santé «holistique» reconnus officiellement par l'Office des professions du Québec. Cette reconnaissance passerait

---

[52] C. Damiani, *La médecine douce*, ouvr. cité, p. 28.

[53] Selon l'enquête Multi Réso, en 1992, le Québec comptait 496 chiropraticiens reconnus par l'Ordre des chiropraticiens du Québec, ce qui dépasse largement le nombre de massothérapeutes et d'acupuncteurs reconnus qui se situe respectivement à 274 et 179 pour le Québec. Bien qu'il y ait plus de massothérapeutes que d'acupuncteurs au Québec, la même enquête indique que l'acupuncture et la massothérapie sont nez à nez en ce qui concerne le pourcentage d'individus qui y ont recours, soit 12 %. Viennent ensuite l'homéopathie (7 %) et la naturopathie (6 %).

[54] C. Damiani, *La médecine douce*, ouvr. cité, p. 128.

[55] L. Gendron, «La médecine abracadabra», *L'Actualité*, vol. 20, no 18, 1995, p. 23-27.

[56] Au Québec, c'est en 1982 que s'est constituée la première Fédération des homéopathes kentistes du Québec qui deviendra, en 1985, le Groupe hahnemannien de Montréal.

souvent par l'approbation tacite de plusieurs médecins et infirmières dont les pratiques quotidiennes s'inspirent des approches holistiques. Le toucher thérapeutique (ou massage d'aura), la visualisation et la réflexologie sont reconnus comme des actes infirmiers par l'Ordre des infirmières et infirmiers du Québec (OIIQ) depuis 1987. Selon un médecin de l'hôpital Sainte-Justine, à Montréal, de 5% à 10% de ses confrères appliqueraient des méthodes «alternatives» dans l'exercice de leurs fonctions[57]. Le rapport de la commission Rochon publié en 1988[58] estime à 7000 le nombre de praticiens en santé holistique au Québec, dont 4800 feraient partie d'une association. Mais le plus important est qu'on y trouve 15% de professionnels reconnus (médecins, infirmiers, pharmaciens).

Le mouvement du potentiel humain

Appartenant au courant biopsychologique, le mouvement du potentiel humain (MPH) en serait la composante la plus «psychologique». Cette perspective aurait donné naissance à toute une panoplie d'interventions thérapeutiques à caractère plus psychologique que biologique, pour ne pas dire parfois carrément ésotérique, qu'on désigne souvent aussi comme des «groupes de croissance personnelle». Selon Charron[59], plus de 400 groupes ou individus donnaient des cours de croissance personnelle au Québec en 1989. Il est permis de penser que ce nombre doit avoir passablement augmenté depuis ce temps.

Le mouvement du potentiel humain est né en réaction contre la psychanalyse freudienne et la psychologie behavioriste qu'il juge trop axées sur l'aspect «maladie» des individus et pas assez sur l'aspect santé mentale de ces derniers.

---

[57] M. De Gramont, *Les médecines douces au Québec*, Montréal, Québec/Amérique, 1986.

[58] C. Damiani, *La médecine douce*, ouvr. cité, p. 113.

[59] J. M. Charron, *L'âme à la dérive. Culture psychologique et sensibilité thérapeutique*, Montréal, Fides, 1992.

Abraham Maslow et Carl Rogers sont reconnus comme les pères de la psychologie humaniste, une tendance toujours très populaire aujourd'hui. Cette psychologie ne soigne pas des individus «malades», mais cherche plutôt à faire atteindre leur plein potentiel à des gens en santé. Pour ce faire, il faut pouvoir gravir les cinq niveaux de besoins de la célèbre pyramide de Maslow jusqu'à l'actualisation du potentiel de la personne. Dans le monde scientifique, ce mouvement du potentiel humain va se développer parallèlement aux «religions de guérison» pendant toute la première partie du XXe siècle. C'est dans ce mouvement que le NA va, la plupart du temps, puiser ses prétentions scientifiques. Selon le psychanalyste Pierre Pelletier, la psychologie humaniste est à l'origine du MPH et de la psychologie transpersonnelle dont l'expansion en Occident, depuis le début des années soixante, est fulgurante:

> De celles-ci [les thérapies humanistes] émergeront, de plus en plus au cours de cette décennie, les thérapies transpersonnelles, les démarches d'accès au transcendant, et les divers groupes, techniques et disciplines que l'on considère, de façon plus stricte, comme formant le Mouvement du potentiel humain, souvent considéré comme la facette psycho-spirituelle du Nouvel âge, ou de l'ère du Verseau[60].

Selon Pelletier, l'essor spectaculaire du Mouvement du potentiel humain commence en 1961 avec la fondation de l'institut Esalen à Big Sur, en Californie. La même année, l'Institut endosse les idées de Maslow qui publie un article dans le nouveau *Journal of Humanistic Psychology*. Le fondateur, Michael Murphy, un diplômé en histoire et en philosophie de l'Université Stanford, est un adepte de l'hindouisme et de la contre-culture américaine. Esalen deviendra dans les années soixante le point de convergence des nouvelles thérapies humanistes et transpersonnelles, comme la gestaltthérapie de Fritz Perls, la thérapie familiale de Virginia Satir, la thérapie non verbale de Bill Shultz et plusieurs autres. Le *rolfing*, une technique de massage des tissus conjonctifs, a été élaborée par Ida Rolf à Esalen. Le *rebirth* est une thérapie qui vise à faire revivre, par hyperventilation ou dans l'eau, le traumatisme original de la naissance. Le *reïki*, qui signifie «énergie vitale», est une méthode d'autoguérison par l'imposition des mains sur ses propres *chakras*. Cette méthode est encore

---

[60] P. Pelletier, *Les dieux que nous sommes*, Montréal, Fides, 1992, p. 35.

très prisée par les disciples du NA. Les livres qui donnent les instructions de cette technique sont parmi les plus populaires dans les librairies NA.

Mais Pelletier voit dans le MPH beaucoup plus qu'un simple mouvement idéologique ou une excroissance de la psychologie humaniste. Il y relève une des convictions fondamentales du NA, celle de la divinité intérieure de l'être humain, qui veut que nous possédions tous le potentiel de perfection et que, si ce potentiel est développé à son maximum, nous devenions alors des dieux en nous-mêmes[61].

D'ailleurs, les adeptes des thérapies transpersonnelles, même s'ils contestent souvent leur appartenance au courant biopsychologique du NA, sont d'accord avec Ferguson sur la nécessité et l'avènement d'un «nouveau paradigme». Ce «nouveau cadre de référence» est le même que celui qui est décrit dans la dimension sociale du NA.

Les religions de guérison

La dernière sous-dimension biopsychologique réunit les «religions de guérison», une expression du sociologue français Dericquebourg[62]. Selon lui, ces «religions» sont nées d'une volonté d'apaiser la souffrance humaine et d'employer des moyens non scientifiques dans le traitement des maladies mentales et physiques. Il est intéressant de constater que ces religions pseudo-scientifiques sont en général en opposition avec la tradition religieuse et l'éthique scientifique. J'ajouterais à cette description que, dans le cadre du NA, une «religion de guérison» ne requiert aucune institution formelle, il suffit de prôner la guérison par des moyens spirituels. On peut former une «religion de guérison» uniquement en lisant les livres d'un personnage charismatique et en suivant des cours de croissance personnelle reliés à ceux-ci, sans jamais rencontrer son «gourou virtuel».

Il existe des formes plus institutionnalisées de «religions de guérison», comme celles qu'a recensées Dericquebourg qui a trouvé des points communs à trois «religions de guérison» pourtant très différentes.

---

[61] *Ibid.* et P. Pelletier, *Les thérapies transpersonnelles*, Montréal, Fides, 1996.
[62] R. Dericquebourg, *Les religions de guérison*, Paris, Cerf/Fides 1988.

L'antoinisme, la science chrétienne et la scientologie ont en commun des structures et des idéologies qui, selon moi, sont à l'origine des valeurs véhiculées aujourd'hui par le mouvement du NA. L'antoinisme, un culte institué en Belgique au début du XXe siècle par Louis Antoine, prône la guérison par la foi, ce qui n'est pas sans rappeler les thèses avancées aujourd'hui par Lise Bourbeau dans le best-seller *Écoute ton corps*[63]. En fait, l'antoinisme fait partie de ces nombreuses «religions de guérison» qui ont vu le jour au début du siècle. Dans les trois groupes étudiés par Dericquebourg, le miracle est devenu un événement ordinaire; il est possible d'y assister ou même d'y participer tous les jours. La rencontre avec Dieu ne se fera pas au ciel, mais bien sur terre. C'est donc à un enchantement presque immédiat que nous convient ces groupes. La conception d'un salut individuel qui va se réaliser par un travail personnel, que ce soit par la prière ou la thérapie, conduit inévitablement à la conclusion que la guérison des maladies est possible grâce à une régénération, morale ou psychologique, obtenue par l'autosuggestion. Dans les trois groupes, l'accent est mis sur la formation des individus pour que ces derniers puissent appliquer sur eux-mêmes ces techniques. Les connaissances transmises sont souvent puisées dans la culture ambiante, ce qui les rend plus faciles à assimiler pour la plupart des adeptes. Les trois fondateurs de ces groupes ont tous souffert de troubles physiques qui ont été guéris par une révélation personnelle. Il est à souligner que la conversion passe presque obligatoirement par une guérison obtenue grâce aux techniques employées par les membres. Selon Dericquebourg, ces «religions de guérison» sont optimistes parce qu'elles croient au potentiel humain, une donnée fondamentale dans la compréhension du NA.

Conclusion: pour une sociologie du nouvel âge

J'ai voulu souligner qu'un certain consensus commence à se dessiner autour de la définition du NA. À la lumière des multiples définitions du NA que j'ai analysées et critiquées, j'ai pu formuler ma propre hypothèse sur le NA: le NA serait la mutation la plus récente des systèmes de sens ultimes de l'existence et cette transformation est radicale, car elle remet en question les fondements mêmes de l'organisation religieuse, à laquelle se

---

[63] L. Bourbeau, *Écoute ton corps*, Sainte-Marguerite, Éditions E.T.C., 1994.

substitue un réseau de socialisation formé autour des principales idées du NA, dont on peut établir une typologie.

La typologie que je propose montre que le NA est un réseau informel de gens ayant des affinités spirituelles, sociales, culturelles et techniques qui a des ramifications très larges. Les quatre grandes dimensions idéologiques (sociale, culturelle, ésotéro-occultiste, biopsychologique), dans lesquelles évoluent les tenants du NA, relient des individus de toutes les couches sociales, formant ainsi une nouvelle façon de vivre la religion au quotidien. Cette typologie permet, du moins je l'espère, de mettre de l'ordre dans ce qu'on qualifie trop souvent de «religieux flottant», mais il ne s'agit pas de catégories étanches: il est clair que les dimensions du NA sont des «vases communiquants». Ma typologie n'en demeure pas moins un outil de classification pertinent pour l'étude du phénomène du NA.

Au cours de cette recherche, je me suis rendu compte de l'importance du sens social pour les individus. J'ai aussi constaté que la société ne pouvait avoir de sens que par la création de liens sociaux. C'est surtout cette absence de liens sociaux, ainsi que l'incapacité chronique de nos sociétés occidentales modernes à produire des systèmes de sens solides et durables, qui est responsable de la «détresse sociale» de notre époque. Devant l'incapacité des grandes institutions sociales et religieuses à produire un discours qui serait en prise directe sur la réalité, nombreux sont ceux qui se tournent vers de nouvelles formes de solidarité sociale, culturelle et spirituelle. Le réseau du NA représente bien cette tendance, car il propose une nouvelle forme d'organisation de la vie spirituelle mieux adaptée à la vie des sociétés occidentales postmodernes.

La société contemporaine ne semble pas être en mesure de fournir des modèles de sens assez forts pour assurer une intégration sociale harmonieuse des individus. Aussi, la façon dont nos contemporains vivent la religion et la spiritualité est, elle, en train de changer radicalement à travers le mouvement du NA. Devant le trou béant laissé par l'effondrement des grandes institutions génératrices de sens en Occident (Église, famille, État), des milliers d'individus se tournent désormais vers ce courant pour redonner un sens à leur vie.

Martin GEOFFROY
Doctorant
Département de sociologie
Université de Montréal

Résumé

Cet article se veut un effort de construction théorique, sous la forme d'une typologie, du mouvement du nouvel âge. Dans un premier temps, l'auteur présente une revue critique d'une partie de la littérature scientifique concernant le nouvel âge pour ensuite proposer, à partir de ces lectures, une définition sociologique du phénomène. Le réseau du nouvel âge n'est pas sans lien avec un certain relativisme moral, et c'est surtout grâce à cette idéologie à caractère religieux que le mouvement peut justifier son existence. Beaucoup de tenants du nouvel âge continuent d'entretenir des liens avec la société séculière et ils ne sont pas nécessairement tous des marginaux. Les glissements entre le relativisme et le pluralisme sont possibles à l'intérieur du réseau complexe de la «conspiration du Verseau». Ce réseau s'articule autour de quatre grandes dimensions: sociale, culturelle, ésotéro-occultiste et biopsychologique. Ces quatre dimensions dans lesquelles évoluent les tenants du nouvel âge tissent des liens virtuels entre des individus de toutes les couches de la société occidentale, formant ainsi une nouvelle façon de vivre la religion au quotidien.

Mots-clés: nouvel âge, religion, typologie, réseau, dimensions sociale, culturelle, ésotéro-occultiste et biopsychologique.

Summary

This article attempts a theoretical construction—in the form of a typology—of the New Age movement. The author begins with a critical review of part of the scholarly literature on the New Age, and then puts forward, on the basis of this review, a sociological definition of this phenomenon. The New Age network is not without links to a certain moral relativism; indeed, it is above all due to this religious ideology that the movement can justify its existence. Many New-Agers, not all of whom are necessarily marginal, continue to maintain links with secular society. The shifts between relativism and pluralism are possible within the complex "Aquarius Conspiracy" network. This network is organized around four main dimensions: social, cultural, esoteric-occultist, and bio-psychological. These four dimensions within which New-Agers operate weave virtual links with individuals from all walks of Western society, thereby creating a new way of experiencing religion in daily life.

Key-words: new age, religion, typology, network, social dimensions, cultural, esoteric-occultist and bio-psychological.

Resumen

Este artículo se define como un esfuerzo de construcción teórica, bajo la forma de una tipología, del movimiento *new age*. En un primer momento, el autor presenta una reseña crítica de una parte de la literatura científica que concierne al *new age* para luego proponer, a partir de esas lecturas, una definición sociológica del fenómeno. La red del *new age* tiene puntos de coincidencia con un cierto relativismo moral, y es sobre todo gracias a esta ideología de caracter religioso que el movimiento puede justificar su existencia. Muchos partidarios del *new age* continúan manteniendo lazos con la sociedad secular y ellos no son necesariamente marginales. Los deslizamientos entre el relativismo y el pluralismo son posibles al interior de la red compleja de la «conspiración de Acuario». Dicha red se articula alrededor de cuatro grandes dimensiones: social, cultural, esotérico-ocultista y biopsicológica. Esas cuatro dimensiones en las cuales evolucionan los defensores del *new age* tejen lazos virtuales entre individuos de todos los estratos de la sociedad occidental, formando así una nueva forma de vivir la religión en lo cotidiano.

Palabras claves: *new age*, religión, tipología, red, dimensiones social, cultural, esotérico-ocultista y biosicológica.

Les médiations dans le christianisme. Points théoriques et tracés sociohistoriques

Paul-André TURCOTTE

Un monde auquel il n'est plus possible de rien reprocher est un monde fasciste

M. SURYA[1].

La médiation évoque l'intermédiaire qui met en interaction des éléments distincts, voire opposés, sans chercher à nouer un lien fusionnel. Elle sert à établir une relation de réciprocité grâce à la mise en œuvre de moyens visant des objectifs implicites ou explicites, grâce aussi à l'implication de divers acteurs. Il s'agit d'un processus où se mêlent variants et invariants, continuité et discontinuité, production et reproduction. Le processus relationnel se révèle plus ou moins complexe selon le cas. Bien plus, sa compréhension peut se limiter aux seuls aspects explicites ou quantitativement mesurables, bref au déterminé, tout comme l'implicite, le non-exprimé directement ou l'indéterminé peuvent être pris en compte dans l'observation et l'analyse. Des paradigmes bien caractérisés soutiennent ces angles de vision: la société est conçue soit comme un corps composé d'éléments interdépendants et coordonnés, soit à l'image d'un marché mettant en présence des éléments divers et en interrelation dans un cadre plus ou moins défini.

---

[1] M. Surya, *De la domination. Le capital, la transparence et les affaires*, Paris, Éditions Farrago, 1999.

Ces points de repère parcourent l'étude des médiations concernant le christianisme en tant que phénomène religieux dans l'histoire et la société. L'esquisse proposée entend rendre compte du déroulement historique sur une longue période, et ainsi dégager des constantes et des déplacements significatifs sur lesquels se greffent les niveaux d'entendement, allant de l'imaginaire aux conditions empiriques, ces dernières étant socioculturelles ou économico-politiques. Je propose donc d'aborder, à grands traits certes et dans la suite des classiques de la sociologie moderne, les rapports entre l'extraordinaire et l'ordinaire, entre le charisme et l'institution, entre l'intransigeance et le compromis.

1   Utopie chrétienne et histoire, ou les diversions du sacré

Associer médiation et religion peut amener, parmi les voies de connaissance possibles, à cerner comment un imaginaire utopique, tourné donc vers des représentations globalement autres de la réalité sociale, en arrive à influencer la société grâce à diverses transactions. Qu'en est-il dans le cas du christianisme? Quels présupposés cognitifs traversent l'analyse de la question qu'ont fait Friedrich Engels, Max Weber ou Ernst Troeltsch? La réponse à ces questions fournira les éléments de base préparant à l'examen subséquent.

1.1 Les détournements de l'utopie chrétienne

Les transactions entre l'extraordinaire des origines chrétiennes et l'ordinaire du cours historique apparaissent, aux yeux d'Engels, typiques de la compromission, c'est-à-dire l'intégration d'éléments antagonistes inversant la capacité de novation sociale. Cet argument constitue le fil conducteur de l'exposition du théoricien marxien dans sa «Contribution à l'histoire du christianisme[2]».

Comme le suggère son titre, l'essai s'apparente plus à une ébauche qu'à une étude soignée et bien documentée. En outre, l'objet déborde les origines chrétiennes et englobe l'histoire du christianisme jusqu'au XIXe siècle. La lecture consiste essentiellement à mettre en opposition le

---

[2] F. Engels, «Contribution à l'histoire du christianisme», dans F. Engels et K. Marx, *Sur la religion*, Paris, Éditions sociales, 1972, p. 310-338.

caractère révolutionnaire du premier christianisme et son détournement aliénant dans l'Église institutionnelle à la solde des classes oppressives. Le propos, toutefois, ne verse pas bêtement dans une dichotomie manichéenne. Engels, par exemple, signale l'existence de la lutte des classes au sein même des Églises, ce qui suppose une différenciation des positions à l'intérieur de l'institution. La description historique est centrée essentiellement sur le rapport entre forces de production et représentations de la réalité, qu'elles engagent ou qu'elles détournent de l'action de changement.

Ces remarques appellent des explications. Signalons d'abord que l'exposé sur le christianisme primitif d'Engels souffre d'une connaissance limitée des études critico-historiques de son époque concernant le Nouveau Testament, et les interprétations se révèlent disproportionnées par rapport aux appuis empiriques. Par ailleurs, le texte d'Engels ne fait pas vraiment avancer la théorisation marxienne de la religion, qui, comme chacun sait, est demeurée fragmentaire. Néanmoins, le philosophe historien dégage des traits sociohistoriques du christianisme: les discontinuités entre les origines néo-testamentaires et les Églises chrétiennes, la fonction sociale du christianisme dans le sens soit de l'attestation-reproduction, soit de la protestation-novation jusqu'à l'esprit révolutionnaire, ou de la différenciation de la religion dans sa composition ou ses effets.

Le positionnement d'Engels, tout tranché qu'il soit, soulève une foule de questions. Par exemple, en quoi et comment la religion peut-elle être tout à la fois un produit de la société et un agent de sa transformation, surtout si cette société est aliénante? La capacité de désaliénation ne requiert-elle pas quelque autonomie de la religion par rapport aux conditions sociohistoriques? Ne serait-ce pas l'irréductibilité d'une religion qui donne à celle-ci la capacité de constituer une force de changement dans les rapports sociaux, d'être un agent de protestation active et non seulement de reproduction, entière le cas échéant, des facteurs de désappropriation de la conscience? Sur un volet connexe, qu'une religion, tel le christianisme dont le message original s'adresse aux plus démunis, en vienne à atteindre les divers secteurs et couches de la société globale, eh bien! Cette religion a toutes les chances de compter des adhérents appartenant à toutes les classes sociales et, par ce fait même, elle reproduira les conflits entre ces classes au sein de ses institutions. Dans ce cas, la religion organisée se présente comme un lieu de distorsions entre la reproduction sociale et l'affrontement des classes sociales, bref un lieu susceptible d'alimenter la lutte des classes et, pour ce qui est du christianisme, d'en fournir la référence symbolique. En filigrane certes, Engels avance que la religion, et tout particulièrement le christianisme, cultive des transactions avec la société, qui sont tant d'ordre matériel ou institutionnel que d'ordre symbolique.

Poursuivons la discussion. Dans des termes phénoménologiques bien connus, la religion entretient un rapport avec le sacré — cette représentation de l'harmonie parfaite entre contraires, et ainsi l'envers des conditions terrestres — et un rapport avec le profane, ce qui s'oppose au sacré. Le caractère dialectique de la religion, comme de toute production humaine, permet d'éviter le glissement vers la pensée mécanique ou la réduction simplificatrice. Engels n'y échappe pas en partie, en raison notamment du préalable cognitif selon lequel il assimile la religion à l'envers des conditions terrestres. La religion, chez lui, s'identifie ni plus ni moins au sacré, et le changement, à la révolution en tant que renversement des conditions de production. Ces dernières imprègnent l'ensemble de la religion chrétienne en tant que reproduction aliénante, détournement des fins originaires. En revanche, et indirectement, Engels reconnaît le potentiel symbolique de transformation radicale qu'offre le message des origines chrétiennes.

Néanmoins, l'apport de Marx et Engels, rappelons-le, reste important dans la genèse de la sociologie de la connaissance, cette portion de la sociologie qui s'attache à l'examen dialectique des représentations humaines et des conditions ou modes de leur construction. Dans cette perspective, le sacré et l'utopie ont en commun d'exprimer l'envers de conditions humaines existantes, sur le mode représentatif d'une altérité, à cette distinction près que le sacré renvoie à un transcendant entièrement délocalisé et autonome, délié de quelque lien avec ce monde. C'est à la religion qu'il revient d'établir et de cultiver des liens entre le sacré et le profane, permettant ainsi à l'être humain de se familiariser avec le sacré et de le nommer. Par les médiations engagées, les représentations du sacré deviennent capables, le cas échéant, de surdéterminer l'imaginaire utopique, qui, lui, ira éventuellement jusqu'à se sacraliser et, de la sorte, légitimer sa radicalité de changement historique, c'est-à-dire l'intention de restructurer la société dans des termes globalement autres. Qu'il en soit ainsi, l'imaginaire utopique apparaît hautement délocalisé tout en se rapportant aux conditions de l'existence.

Les rapports de production entre les représentations des choses de la vie et les différents niveaux de l'existence sociale peuvent s'exprimer indépendamment de l'imaginaire utopique. Ainsi, les idées, modèles ou positions se référant à la religion renvoient à une altérité construite à même l'expérience du transcendant. C'est la symbolique qui, entre autres choses, sert à élucider les liens entre moyens et fins aussi bien qu'à fabriquer du sens, à le maintenir ou à l'éradiquer. Elle participe également à l'institution des rapports sociaux concrets dans les conditions où ont pris forme les représentations symboliques. Au cœur de la dialectique prend place l'acteur social qui évolue dans des structures et se construit comme sujet dans l'interaction sociale et la réaction aux contraintes et prescriptions, qu'elles soient intériorisées ou simplement reçues comme extérieures au moi.

1.2 Les modalités de la protestation socioreligieuse

Le caractère protestataire de la religion n'a cessé d'inspirer des recherches de terrain et des essais de théorisation. Joachim Wach fournit un apport de premier plan sur la question[3]. D'autres auteurs ont suivi, se rattachant aussi bien à Max Weber qu'au duo Marx-Engels.

À titre d'échantillon, la distinction entre protestation explicite et protestation implicite se révèle particulièrement opératoire. Ainsi, la protestation est explicite, par exemple, quand une remise en cause au nom d'intérêts divergents se combine au renversement de l'ordre des choses existant. C'est l'imaginaire utopique qui, s'il s'inscrit dans l'histoire, en change le cours, quitte à s'institutionnaliser du même coup et à banaliser sa force de transformation sociale. Dans l'analyse des cas de figure, la réalisation du rêve se révèle être en deçà de l'imaginaire intentionnel. La

---

[3] En français, on pourra consulter sa *Sociologie de la religion*, Paris, Payot, 1956, notamment le chapitre II; pour les mouvements de contestation de ce siècle, voir E. de Waresquiel (dir.), *Le siècle rebelle. Dictionnaire de la contestation au XXe siècle*, Paris, Larousse, 1999, 672 p.

protestation peut aussi revêtir un caractère implicite[4]. De quoi s'agit-il? En gros, les contestataires se refusent à l'expression radicale et directe, par stratégie ou par manque du nécessaire pour l'accomplissement d'un projet dans son entier. Pour indirecte qu'elle soit, cette protestation n'en vient pas moins à produire des effets publics par des voies détournées. Il arrive aussi bien qu'elle se radicalise et même que ses porteurs soient évincés par quelque procédé.

En complément, les degrés de radicalité varient selon les intentions des acteurs. Par exemple, la distance est grande, dans la réforme du christianisme européen du XVIe siècle, entre l'intention catholique de réformer les individus dans l'Église hiérarchique, le projet protestant de réformer l'Église selon l'Écriture, la réforme des sectes en vue de re-situer l'Église de l'Écriture et la réforme mystique préoccupée de restituer le vrai christianisme. La typologie s'étend de la réfection avant tout fonctionnelle de l'Église à une version autre jusque dans le fondement structurel et non seulement par les réorganisations de l'ensemble[5]. Entre la mise à jour et la réactualisation des sources prennent place la communion catholique ou le courant institutionnel hiérarchique, la communion évangélique ou le courant sectaire, la communion mystique ou le courant spirituel. Les trois courants idéal-typiques se retrouvent au sein de l'Église catholique romaine, moyennant tensions et compromis. La conformité institutionnelle et la dissidence du non-conformisme traversent le christianisme, de l'Antiquité à l'époque actuelle.

1.3 Les transactions de l'extraordinaire et de l'ordinaire

Chez Engels, et dans sa plus simple expression, l'utopie chrétienne s'est inversée au fil de l'intégration du christianisme dans l'histoire humaine, en vertu de la mainmise des classes dominantes. Cette position est loin d'être endossée inconditionnellement par Max Weber et Ernst Troeltsch. Pour les amis de Heidelberg, la religion ne s'identifie pas

---

[4] À titre d'exemple, voir L. Miller, «La protestation sociale dans la Première Lettre de Pierre», *Social Compass*, vol. 46, no 4, décembre 1999, p. 521-543.

[5] Sur la théorie à ce propos, voir J. Séguy, *Lettre à Jacqueline no 3*, Paris, E.P.H.E., VIe section, 1973-1974, p. 27 et suiv. (polytypé); du même auteur, *Conflit et utopie, ou réformer l'Église. Parcours wébérien en douze essais*, Paris, Cerf, 1999. L'ouvrage constitue tant une introduction à la pensée de Max Weber qu'un recueil d'études sur la protestation utopique et l'Église.

simplement au sacré. Ce dernier, en tant qu'imaginaire social d'une altérité, peut bien se révéler être une référence contribuant à tracer des configurations historiques. Il s'agit d'un processus le plus souvent fort complexe, où entrent en jeu conditionnements et enjeux les plus divers. L'extraordinaire en vient à changer les comportements et à avoir des effets sur le cours historique, à la condition expresse qu'il se mêle avec l'ordinaire de la vie et qu'il prenne corps avec des institutions de la société.

En dépit d'une intention apparentée, le projet intellectuel de Troeltsch ne se confond pas avec celui de Weber. Ce dernier, nous le savons, centre l'étude de la relation sociale sur la domination, ce phénomène central de la vie en société. Tenant de la sociologie compréhensive, l'interprétation wébérienne des textes porte sur l'activité et la production des divers acteurs sociaux, nommément sur des règles de conduite découlant de commandements dont la légitimation suscite l'obéissance. Ainsi émergent et disparaissent des systèmes de référence, d'ordre religieux ou politique. Leur production ou leur reproduction sont liées au changement social. C'est bien la formulation d'une théorie là-dessus qui aiguillonne la pensée de Marx et d'Engels, mais ceux-ci s'intéressent, bien plus que Weber, aux forces de production sociales d'ordre économique.

Quant à Troeltsch, il s'attache à montrer que le christianisme atteint le monde pour autant que le monde transforme le christianisme. Les représentations chrétiennes, sans être déterminées en dernière instance par les rapports de production, connaissent un développement historique marqué par les conditions sociales générales. L'apport chrétien au monde serait indirect, et ce en raison du caractère éminemment historique du christianisme. Bien plus, celui-ci en tant que religion prophétique accorde une importance de premier plan à l'éthique en matière de lien social et aux médiations historiques de la volonté de Dieu. Ces médiations comprennent, outre les rites, principalement de grandes personnalités et des modèles organisationnels. Les grandes personnalités subissent des condition-nements de tout ordre, mais l'idéation religieuse qu'ils affirment ou confirment ne saurait se réduire au reflet idéologique de facteurs extérieurs, notamment économiques. De la même manière, l'organisation sociale des groupements religieux médiatise l'influence de la société globale sur l'idéation chrétienne et l'influence que cette dernière peut socialement exercer. Le fil conducteur renvoie au point de vue de Max Weber, pour qui, répétons-le, les représentations du monde véhiculées dans les sociétés aboutissent à des éthiques productrices de conduites et d'attitudes. Chez Troeltsch comme chez Weber, l'étude de questions particulières est menée dans la perspective de la sociologie compréhensive, elle-même une sociologie historique et comparative.

2 La différenciation des médiations, des origines chrétiennes à l'époque moderne: aperçu historique

Sans prétendre à quelque exhaustivité, je propose un tracé, à grands traits certes, des médiations engagées depuis les origines chrétiennes jusqu'à l'époque moderne. Ce tracé fournira le cadre des rapports entre les origines prophétiques et l'institution qui s'en réclame et y trouve sa légitimation, moyennant continuités et discontinuités, symboliques ou fonctionnelles. Je renvoie d'abord aux *Soziallehren*[6] de Troeltsch, qui seront complétées par d'autres analyses ouvrant à des points de discussion, théoriques ou méthodologiques.

2.1 Du mouvement Jésus à l'Église établie

La lecture sociocritique des Évangiles conduit Troeltsch à insister sur le contexte social, culturel ou politique, mais tout à la fois le mouvement autour de Jésus ne se comprend pas uniquement à la lumière des conditions de son époque. D'ailleurs, la prédication évangélique se présente avant tout comme un message religieux et non comme un programme social, comme un discours éthique en rien révolutionnaire et inspiré d'une expérience spirituelle hors de l'ordinaire. En outre, le message, à portée universaliste, met l'accent sur l'individualisme et non sur le collectivisme. Quant au corpus scripturaire du Nouveau Testament, il est influencé par le stoïcisme, un des courants dans une société en pleine transformation. À ce propos, poursuit Troeltsch, le christianisme a bel et bien inspiré des révolutionnaires, mais la question de la fonction d'attestation et de

---

[6] E. Troeltsch, *Die Soziallehren der christlichen Kirchen und Gruppen*, Aalen, Scientific Verlag, 1965, t. I. Voir en français, A. Dumais, *Histoire et foi chrétienne. Une lecture du théologien Ernst Troeltsch*, Québec, Presses de l'Université Laval, 1995. Pour une lecture de l'ouvrage majeur de Troeltsch, voir C. Froidevaux, *Ernest Troeltsch, la religion chrétienne et le monde moderne*, Paris, PUF, 1999; J. Séguy, *Christianisme et société. Introduction à la sociologie de Ernst Troeltsch*, Paris, Cerf, 1980.

protestation de l'idéation chrétienne reste irrésolue. C'est une question ouverte. Par exemple, le Moyen Âge est la période où le catholicisme se révèle comme un chef-d'œuvre de compromis: il produit et reproduit une société au point de l'attester apparemment entièrement, mais l'analyse décortiquant le processus de cette attestation jusque dans ses tranchées frontières, dans ses limites extrêmes, met au clair les failles ou interstices du système de reproduction et les contestations novatrices. Bref, l'angle de vision et la méthode canalisent hautement les résultats dans un sens ou dans l'autre, en ce qui regarde production et reproduction, attestation et protestation.

Troeltsch procède à une lecture historique du christianisme de nature typologique. Chaque moment historique représente une synthèse qui ne peut être répétée, et ces moments sont typés, dessinés toujours plus en fonction de la typologie connue de mystique, secte et Église. Dans des termes neutres, l'Église s'oppose à la secte, comme l'extension ou le compromis s'oppose à l'intensité ou à la radicalité, et les deux s'opposent à la mystique à la manière de l'extériorité qui s'oppose à l'intériorité. Or la différenciation des médiations organisationnelles traverse l'histoire chrétienne. Les différences entre périodes ou entre types de communion se tissent au fil des déplacements, des conflits et des ruptures dans les rapports de réciprocité de l'idéation religieuse avec la société.

Ainsi, il fallut bien trouver, après la disparition du maître, un autre principe d'unité lequel devait rester en liaison avec ce maître. Ce fut la croyance en la résurrection de Jésus et en son exaltation à la droite du Père; en même temps se constituait un culte structurant de la mission de Jésus. À partir du IIe siècle, la foi en Jésus ressuscité et exalté, et ce dans une communauté retraçant la présence de l'absent et confortant la conversion autour du baptême et de l'eucharistie, glissa vers un croire en l'Église, une Église dirigée par l'épiscopat et attachée à la tradition. C'est le passage du type mystique ou secte au type Église, dans la recherche d'une organisation accordée à l'idéation chrétienne en même temps qu'autonome et composant avec le monde ambiant. Des tensions naissent, qui perdurent jusqu'à notre époque, par exemple à propos des liens entre sacrement et Évangile, de la distinction entre clergé et laïcat, de la double éthique, celle des préceptes pour la masse et celle des conseils évangéliques pour les virtuoses religieux. Dans le mouvement, l'exercice de la charité voisine avec la formalisation rituelle, pendant que l'Église définit ses oppositions sélectives au monde et ses intégrations aux classes dirigeantes.

Les modèles chrétiens de formation socioreligieuse s'affinent autour de l'évangélisme, du mysticisme et de l'institutionnel catholique. Les conflits entre ces formes historiques se transforment en affrontements sans cesse plus serrés avec la fin du Moyen Âge et la Renaissance. S'il est communément admis que le Christ représente la tête du corps des croyants, les conceptions relatives au mode et à la finalité des médiations diffèrent, allant de la communion strictement spirituelle à la communion passant par la nécessaire institution ou par le canal de la communauté des convertis, ces frères dans la foi. Les dissensions autour des médiations s'expriment dans les termes d'extériorité et d'intériorité, d'Évangile et d'institution, religieuse ou civile, de conciliarisme et de papauté, de sacerdoce universel et de sacerdoce ministériel, de l'*ex opere operantis* et de l'*ex opere operato* dans l'efficacité symbolique des sacrements. L'énumération indicative laisse soupçonner l'ampleur de la crise chrétienne et des réformes apportées. Les réformes du XVIe siècle concernent des représentations du croire comme totalité, l'ensemble organisationnel de la communion des croyants et leurs rapports éthiques, symboliques ou fonctionnels dans la société et avec les États.

2.2 Ruptures et rationalisation du croire

Avec les Lumières et dans les mots de Michel de Certeau[7], les religions institutionnelles deviennent inaptes à pourvoir de sens la vie sociale, alors que s'opère la rupture de l'alliance entre le langage chrétien énonçant la tradition d'une vérité révélée et les «pratiques proportionnées à un ordre du monde». Dans le mouvement qui fait que la religion devient une force sociale dépendante et non politiquement instituante, le lieu décisif de la vérité se déplace vers les comportements et quitte l'aire de la foi, disséminée qu'elle est dans la pluralité des croires et des non-croires. Dans la foulée d'une unité fictive autour d'un croire défini par les Églises, le bon usage des Écritures en vient à l'emporter sur leur vérité, à exprimer et soutenir un langage uniforme et de conformité administrative. Pendant ce temps, des acteurs lient la raison au pouvoir d'organiser les pratiques,

---

[7] M. de Certeau, *L'écriture de l'histoire*, Paris, Gallimard, 1975, «La formalité des pratiques. Du système religieux à l'éthique des Lumières (XVIIe-XVIIIe)», p. 153-212.

associent la morale au progrès et cherchent l'unité autour du politique. Dans la sphère ecclésiale s'opère la dissociation de plus en plus nette entre la culture savante, qui se préoccupe de «faire le monde», la culture ecclésiastique du savoir réservé et la culture populaire des mythes et des symboles ravivés en opposition à l'organisation des pratiques et au culte officiel.

Le processus est à rapprocher de l'observation de Max Weber: avant l'époque moderne, le changement concerne les transformations intérieures des êtres humains qui sont moteurs de changement; avec la modernité, la discipline, la technique ou l'intellectualisme philosophique, parmi les formes de *ratio*, deviennent les facteurs de production ou de reproduction, mais sans appeler nécessairement des transformations intérieures; tout extérieures qu'elles soient, les transformations de la rationalisation ont quelque effet sur la vision des choses[8].

Dans le sens de la rationalisation et à titre d'hypothèse, les affaires de la religion s'apparentent, surtout depuis le XIXe siècle, au fonctionnement utilitaire de l'entreprise industrielle ou étatique, dont elles empruntent les mécanismes organisationnels et les idéologies sous-jacentes. Un pas de plus est franchi quand, comme l'avance Michel Freitag, la réussite organisationnelle devient une fin en soi; dès lors, l'idée de légitimité renvoie immédiatement à celle d'utilité, qui, elle, se réduit à l'efficacité, à l'effectivité opérationnelle. C'est que les institutions, y compris les institutions religieuses, tendent à adopter le modèle de l'organisation axée en priorité sur le savoir-faire institutionnel et la réussite pratique, sur l'ajustement des moyens et d'un but particulier, un ajustement servant à la définition autoréférentielle des frontières. Le déplacement est d'importance, dans la mesure où l'institution «se définit par la nature de sa finalité, qui est posée, définie et rapportée sur le plan global ou universel de la société», dans la mesure donc où l'institution «participe du développement "expressif" des valeurs à prétention universelle qui sont propres à la fin qu'elle sert», d'où découle l'exigence d'une reconnaissance collective ou publique de légitimité et d'une marge essentielle d'autonomie[9].

---

[8] M. Weber, *Économie et société*, Paris, Plon, 1971, t. I, p. 252.

[9] M. Freitag, *Le naufrage de l'université et autres essais d'épistémologie politique*, Québec et Paris, Nuit blanche et La Découverte, 1995, p. 31-32.

La focalisation sur la rationalité instrumentale autoréférentielle compenserait l'incapacité de créer du sens, de dire le sens, d'affirmer une identité socialement prégnante dans le nécessaire compromis avec la différence, c'est-à-dire ce qui se présente comme étranger à ses vues. La compensation organisationnelle offre une solution circonstanciée à la tension au cœur des transactions de l'institution avec le croire individué, fût-ce au prix de l'exclusion. Dans cette ligne s'inscrit l'action pastorale axée sur le vérifiable et le mesurable à court terme. L'orientation peut cacher un imaginaire se refusant à la composition avec la pluralité. Ainsi, le non-conforme aux normes institutionnelles est assimilé tout de go au non-croyant, ce qui peut bien servir les intérêts d'une pratique pastorale routinisée.

2.3 Les migrants du sens et ses garanties de plausibilité

La mutation organisationnelle de l'institution peut être saisie comme la résultante de la difficile réciprocité entre la société et la religion instituée, de l'antinomie entre l'affirmation d'une identité à symbolique totalisante et la reconnaissance du caractère fabriqué ou mouvant du sens en situation de concurrence sur le marché des biens symboliques. Par ailleurs, l'acceptation active du caractère construit de toute symbolique existentielle pourrait bien aller de pair avec une plus grande dépendance sociale de l'institution religieuse. Dans le cas de sous-groupes institutionnels comme les ordres religieux, cette dépendance signifie leur effacement comme force sociale avec qui la société civile ou étatique doit compter.

Plus largement, des acteurs sociaux fabriquent du sens à leur existence dans les méandres de l'expérience personnelle et les interactions avec les diverses instances de l'environnement social. Dans la société globale, les discours de totalité voisinent avec la sectorisation des institutions, religieuses y compris, en même temps que la destinée commande le choix de possibles, avec le sentiment, pour le sujet, d'être condamné à la liberté et à la responsabilité de son devenir. Le destin s'invente, mais l'entreprise n'est pas aisée dans un monde d'imperfections et de contradictions. Ces conditions sont propices à l'éclosion de la conviction, qu'elle soit réfléchie et soucieuse de désaliénation ou marquée par la négation de l'individu et la mauvaise foi. Ce sont autant de «cosmovisions» socialement construites, pour lesquelles la référence à un quelconque transcendant, à quelque principe humaniste ou à une tradition religieuse particulière représente l'un des appuis garantissant, outre des pratiques à récurrence variable, la plausibilité, subjective ou objective[10].

Dans un contexte de modernité apparenté, dans ses lignes de fond, Troeltsch soutenait que la connaissance des effets de l'histoire sur le croire et l'agir des chrétiens s'imposait aux croyants. Ces derniers se concevaient comme des produits de l'histoire et se définissaient en fonction de celle-ci. L'histoire, au tournant du millénaire, sert à détourner de la cosmovision centrée sur l'ego, à revisiter les ancrages dans le passé, à relativiser et ainsi à donner de la profondeur à l'entendement des choses de la vie, y compris la vie spirituelle. Ne s'agit-il pas de quelque médiation dans l'ordre du symbolique? Bien plus, la production de ces dernières années sur la divinité, le mystère d'un Dieu en trois personnes[11], ne va pas sans remodeler, par le biais des reconceptualisations, les représentations du sacré chrétien et sans, non plus, avoir des incidences sur le dialogue avec les autres religions.

3   Les conflits de l'institutionnalisation: réflexions critiques sur un processus inachevé

Les médiations constituent la trame de l'institutionnalisation de la religion prophétique. Dans ce cas, les rapports de l'extraordinaire avec l'ordinaire peuvent être saisis du point de vue de la «quotidiennisation» de l'exceptionnel des origines. Ces rapports s'entendent tout autant de la tension dans le déroulement historique entre, d'une part, la référence à un transcendant médiatisée par quelques personnages ou par des activités hors du commun, rituelles notamment, et, d'autre part, les contraintes de la vie

---

[10] Voir P. L. Berger, *The Heretical Imperative Contemporary Possibilities of Religious Affirmation*, Garden City (N.Y.), Anchor Books/Doubleday, 1980. Aussi, R. Stark et W. Brainwridge, *A Theory of Religion*, New York, Peter Lang, 1987, «Secularisation, revival and experimentation», p. 279-313; R. S. Warner, «Work in progress toward a new paradigm for the sociological study of religion in the United States», *American Journal of Sociology*, vol. 98, no 5, mars 1993, p. 1044-1093; P. L. Berger et T. Luckmann, *Modernity, Pluralism and the Crisis of Meaning. The Orientations of Modern Man*, Gütersloh, Bertelsmann Foundation Publishers, 1995 (*Modernität, Pluralismus und Sinnkrise. Die Orientierung des Modern Menschen*, Gütersloh, Verlag Bertelsmann Stiftung, 1995).

[11] Sur les divers aspects de la question, voir le no 182HS de *Christus* (mai 1999), consacré au mystère de la Trinité.

ordinaire composant avec les représentations ou modèles de l'existence aussi bien qu'avec les exigences du calcul et de l'élucidation des moyens et fins[12].

3.1 Les transactions de la continuité historique

L'inscription de l'exceptionnel originaire dans le quotidien vise à garantir la continuité historique d'une expérience qui, porteuse d'un nouveau corps de références, se constitue comme force sociale historique et non dépendante, au moins relativement. Il s'agit d'un processus dont les indicateurs sont repérables par vis-à-vis diachroniques. En ce qui concerne le christianisme, il importe de faire état du passage de la communauté des fidèles, de ceux qui mettent leur confiance dans le leader porteur d'un charisme, et de ce fait reconnu, à la communauté institutionnelle, celle qui régit l'adhésion à des disciplines, rites et doctrines officiellement accordés à l'intention du fondateur et présentés comme des voies de salut. Ce passage s'opère par la «quotidiennisation», au sens déjà donné de confrontation et de composition avec les nécessités ou aléas de l'ordinaire de la vie, ce qui entraîne la banalisation de l'exceptionnel. La «quotidiennisation» ne va pas sans la «routinisation», qui tient à la fois de la répétition et de l'inscription de l'inspiration dans la vie courante, individuelle et collective. La «routinisation» favorise l'institution-nalisation, c'est-à-dire la transformation de l'institué, de ce qui relève du mouvement et de la création, en institution, ce qui appartient plutôt au système en tant que coordination d'éléments interdépendants.

Nous sommes devant des mutations décisives échelonnées sur un laps de temps plus ou moins étendu, variant, entre autres facteurs, selon les conditionnements historiques, la force d'inspiration originelle et le jeu des acteurs concernés, directement ou indirectement. Même que l'institution-nalisation va de pair avec l'esprit d'invention dans les franges du défini institutionnel et dans le sillage du buissonnement des origines. Autrement dit, la reproduction est elle-même une forme historique de production, en

---

[12] D'après M. Weber, ouvr. cité, p. 249-261. À ce texte et pour l'ensemble de la section, il convient d'ajouter les *Lettres à Jacqueline*, ce texte de J. Séguy déjà cité, spécialement la troisième lettre, et l'ouvrage de M. Halbwachs, *La mémoire collective*, Paris, PUF, 1968. Ce sont des lectures qui ont marqué ma propre compréhension de l'institutionnalisation de l'exceptionnel et de son rapport avec l'ordinaire du quotidien.

ceci tout au moins qu'elle se montre créatrice à l'intérieur des balises fixées. La fixation peut bien se ramollir, à la faveur d'inductions par des agents intervenant à l'intérieur même du système ou le mettant en cause dans sa globalité. Même plus, une activité de reproduction institutionnelle inclut des éléments en mesure de faire surgir des intentions d'innovation, qui, elles, produiront des effets sociétaux inopinés. C'est le cas de la proclamation des textes bibliques dans une célébration fortement ritualisée comme la messe catholique. Là même, la réception n'échappe-t-elle pas aux contraintes du cadre institutionnel? Tel récepteur peut bien faire une interprétation déstabilisante du système dans des conditions apparemment peu favorables à l'écart symbolique et encore moins favorables à l'écart institutionnel.

C'est connu, les Églises chrétiennes, en confirmant leur raison d'être par la proclamation des textes fondateurs, rendent publics des passages qui, matériellement parlant, interrogent ce qu'elles sont devenues ou dévoilent les contradictions entre leur dire et leur faire. De façon certes involontaire, les institutions chrétiennes, et même si leurs instances de régulation se réservent l'interprétation de la volonté du fondateur, fournissent elles-mêmes le matériau susceptible de les mettre en cause. Peuvent-elles faire autrement? En tant qu'institutions, les Églises revendiquent la crédibilité auprès de leurs adeptes ou dans la société en renvoyant aux origines prophétiques, qui garantissent le fondement symbolique et la légitimation de la domination, que cette dernière soit de nature spirituelle ou autre. Par voie de conséquence, l'esprit de mensonge côtoie les transgressions fécondes dans le déroulement des continuités et discontinuités entre les institutions chrétiennes et leurs origines[13]. Bref, la reproduction structurelle, toute centrale qu'elle soit, ne saurait rendre compte de l'ensemble des dynamiques institutionnelles.

À l'examen, les continuités et discontinuités se chevauchent, moyennant le recul du regard et la prise en compte des failles et interstices des systèmes de référence ou de fonctionnement. Des transactions sont en cause, qu'elles concernent les rapports de l'intérieur ou les rapports avec

---

[13] P. Ladrière, «L'esprit de mensonge dans le discours théologique», *Le Supplément*, no 139, décembre 1981, p. 509-531; A. d'Haenens, «De la trace transgressive. Problèmes et apports d'une analyse historienne de la transgression féconde», *Le Supplément*, no 140, février 1982, p. 31-42; J. Séguy, «Comment on fait des hérétiques», *Archives de sciences sociales des religions*, vol. 47, no 2, avril-juin 1979, p. 189-193.

l'extérieur, et leur interrelation. La remarque pointe la tendance actuelle à considérer le phénomène religieux indépendamment de la société, prochaine ou globale. En outre, les transactions s'accomplissent dans une relation sociale de réciprocité sous la contrainte des rapports de force, y compris ceux de l'imaginaire[14]. De la sorte se forgent des transactions stratégiques entre acteurs bien campés, entre des corps de référence plus ou moins antagonistes, entre le corps imaginaire et le corps social. Les jeux et enjeux s'avèrent le plus souvent conflictuels, à tout le moins en tension, et cela même si un marché est conclu entre les instances impliquées. Si jamais la tension paraît éliminée, il se pourrait que l'un des corps de référence ait conquis une position de monopole, grâce à l'exclusion de la différence ou à l'absorption de l'autre. Qu'il en soit ainsi, les réaffirmations mijotées dans la répression brutale risquent de prendre des voies d'expression excessives. Les exemples ne manquent dans l'histoire de l'Occident chrétien. Ce dernier, toutefois, connaît encore, au prix de détours parfois humainement coûteux, la différenciation des modes de transigeance entre le référent symbolique, dans son lien avec les origines fondatrices, et les conditions de la continuité historique et de la prégnance sociale.

3.2 Le processus de la coordination systémique

Dans le prolongement de ces observations d'ordre théorique et méthodique, un processus est traçable à titre indicatif, qui s'appuie sur l'étude de nombre de cas et sur la sociologie de Max Weber. Ainsi, le passage de l'institué à l'institution comprend un croisement de processus qui ne sont le plus souvent ni successifs ni simultanés, tout comme l'institutionnalisation se fait lente ou rapide, décisive ou capable d'inversion, entière ou partielle, etc. Les processus peuvent se ramener principalement à la spécialisation permanente des tâches, à la formalisation de la vie interne du groupement et de ses régulations, à la hiérarchisation des membres et à la rationalisation administrative, à l'intégration fonctionnelle à la société ambiante. L'énumération n'est en rien

---

[14] Je définis la fonction sociale comme une relation de réciprocité sous contrôle, en raison notamment des rapports de force, entre autres imaginaires, ce qui a pour effet les déplacements des principes («points») d'équilibre, déplacements qui travaillent à la restructuration dynamique de la société. Cette définition est issue de la sociologie de Norbert Elias.

exhaustive, et des processus connexes se rattachent aux processus directeurs. Par exemple, en vertu de la spécialisation des tâches, la division du travail en fonction de la compétence s'accroît au sein du groupement, l'exercice de fonctions permanentes en vient à remplacer les missions provisoires, la formation aux «ministères», comme d'ailleurs la socialisation s'aligne sur un programme institutionnel, et la sélection des candidats prend moins en compte le critère de l'ancienneté dans la foi. La codification de la vie chrétienne, elle, signifie l'adoption progressive de constitutions, de statuts, de règlements écrits et impersonnels, qui tendent à se substituer à l'arbitraire personnel et parfois changeant du chef charismatique. Avec la formalisation juridique se développe un appareil de gouvernement de type bureaucratique qui pratique une gestion des biens marquée par le calcul et la prévision économique plus poussée. L'intégration fonctionnelle complète le tableau: elle vise à l'utilité sociale ou religieuse, au rapprochement avec les instances dominantes et à la réduction de la distinction socioreligieuse par l'adoption des pratiques présentes dans l'environnement. Ce sont autant de points de repère, parmi d'autres, qui permettent de saisir l'évolution et le degré d'institutionnalisation.

L'institution en tant que résultat d'un processus de coordination systémique se pose comme étant en rupture avec l'exceptionnel des origines. Le rapport entre les deux pôles se révèle être plus qu'une simple inversion dans le temps, dans le passage du mouvement au système. D'autres angles d'examen permettent d'élargir la vision des choses, par exemple les jeux de la sociation et de la communalisation, de l'objectif et du subjectif, du rationnel et de l'émotionnel dans le croire. Pour finir, il convient de rappeler la remarque de Max Weber: «L'extraordinaire dans l'ordre religieux, comme dans l'ordre politique, n'est capable de développer des effets sociaux que dans la mesure où il s'inscrit concrètement dans le quotidien et la durée, dans la mesure donc où il prend corps avec des institutions[15].»

---

[15] M. Weber, ouvr. cité, p. 585.

4 Charisme et institution dans le catholicisme confronté à la différenciation socioreligieuse

J'ai évoqué plus d'une fois la question du charisme et de ses rapports avec l'institution. C'est ce que je développerai dans les pages qui suivent à propos de la gestion de la symbolique dans l'Église catholique qui fait face à la différenciation du croire. Je reprendrai ainsi certains éléments pour les expliciter sous l'angle de l'interactionnisme symbolique.

4.1 Charisme et interaction sociale

D'un point de vue sociologique, le charisme[16] n'a surtout rien d'éthéré. Les charismatiques sont des êtres humains, qui agissent dans l'histoire: ils en sont une production pour une part à tout le moins, et ils la produisent à leur façon. Qu'un individu réclame la légitimité de son agir et de son dire dans une expérience personnelle sortant de l'ordinaire, il devra tout vraisemblablement compter avec les variations de l'image de sa personne et de la réception de son caractère hors du commun. D'autant, peut-être, que la hauteur de l'inspiration personnelle va de pair avec le refus ouvert des médiations institutionnelles. Dans le cas où des disciples survivent à la personne charismatique et mettent sur pied des associations socio-religieuses qui s'institutionnalisent plus ou moins rapidement, le charisme personnel se mue en charisme de fonction.

À ce sujet, deux remarques s'imposent. D'une part, ce charisme de fonction est une variante du charisme personnel, en ceci qu'il est porté par des êtres humains en chair et en os, des êtres relationnels donc, mais il se distingue par le fait que sa légitimation repose essentiellement sur la médiation rituelle d'une institution se disant propriétaire du charisme

---

[16] Mon propos sur le charisme se tient dans l'ombre de Max Weber et de l'interactionnisme symbolique d'après Georg Simmel et George Mead. On pourra consulter, entre autres, J. Séguy, «Le clergé dans une perspective sociologique ou que faisons-nous de nos classiques»?, dans le collectif *Prêtres, pasteurs et rabbins dans la société contemporaine*, Paris, Cerf, 1982, p. 11-58; J. Séguy, «Charisme, sacerdoce, fondation: autour de L. M. Grignion de Montfort», *Social Compass*, vol. 29, no 1, 1982, p. 5-29; P. Bourdieu, «Genèse et structure du champ religieux», *Revue française de sociologie*, vol. 12, 1971, p. 295-334; M. Weber, ouvr. cité, p. 249-261; J. M. Ouédraogo, «La réception de la sociologie du charisme de M. Weber», *Archives de sciences sociales des religions*, no 83, 1993, p. 141-157.

fondateur et son interprète exclusif. D'autre part, cette institution, prise comme organisation sociale, ne peut prétendre au charisme de fonction que dans la mesure où elle réunit des croyants en son état de grâce spécifique[17]. Bien plus, l'institution religieuse fait face au problème de la reformulation de sa légitimation charismatique au fil des événements et transformations de toutes sortes dans l'histoire. C'est qu'elle ne constitue pas une réalité purement objective. En effet, n'est-elle pas la résultante d'interactions sociales et symboliques continues tout autant qu'un ensemble de structures relativement indépendantes des adeptes et du cours historique? Autrement, qu'en est-il de la crédibilité dans l'adhésion du croyant et de la recherche d'une docilité dans la domination? Par ailleurs, la légitimation requiert un ensemble de critères acceptables par les définisseurs et les récepteurs, qui ainsi justifient à la fois des positions de réciprocité et un rapport de forces inégalitaires.

Bref, la dynamique sociale du charisme, peu importe sa forme, tourne autour de la réception d'une prétention à l'extraordinaire par la référence à une réalité autre que le communément reçu ou le va-et-vient du quotidien. Afin de réduire les distorsions compromettant la crédibilité du charisme de fonction, notamment si l'orthodoxie est en cause, l'astuce du camouflage ou du raccourci représente un éventuel recours stratégique. Que la stratégie vise l'acceptation inconditionnelle d'une mesure coercitive ou d'un message assimilé à la vérité, il y a de fortes chances pour qu'intervienne l'utilisation de médiations d'imposition monopolistique, d'ordre symbolique ou structurel. Ce sont, par exemple, la restriction de l'accès aux moyens de salut ou le règlement du pouvoir civil soutenant la norme ecclésiastique: le canal institutionnel de la grâce prévaut impérativement sur la grâce acquise par l'expérience subjective du croire. Néanmoins, le charisme personnel est susceptible de surgir à n'importe quel moment, spécialement dans les périodes de flou ou de remuement des systèmes de référence existentiels.

Du point de vue des acteurs affectés à la gestion de biens symboliques institutionnels, et peut-être bien davantage dans les titres subordonnés, le charisme de fonction, le cas échéant, se met en quête d'un supplément de personnalisation à finalité charismatique comme compensation du déficit de crédibilité et de légitimité sociale de l'institution. La quête en arrive

---

[17] «Le charisme de fonction, la croyance en l'état de grâce spécifique d'une institution sociale» (M. Weber, *Wirtschaft und Gesellschaft*, Tübingen, Mohr, 1956, t. II, p. 683).

éventuellement au charisme personnel privé, en ceci que le caractère personnalisé affirme un esprit inventif, tout en conservant explicitement le rattachement institutionnel et tout en se refusant à la novation. Ainsi est réduit le coût personnel de l'appartenance à l'institution déficitaire, particulièrement en ce qui regarde la reconnaissance identitaire dans les activités à son service. D'autres cas de figure sont possibles, comme chez les clercs qui se positionnent à la frange de l'institution, voire carrément à l'extérieur mais moyennant un rattachement minimal et officiellement reconnu au moins implicitement, ou qui revendiquent efficacement une extraterritorialité interne, comme pour les ordres religieux. Dans le cas des autorités de définition, le supplément de charisme personnel vient à la rescousse de la crédibilité chancelante de la fonction institutionnelle devenue par trop «routinisée». Le problème ne se pose-t-il pas crûment avec la fonctionnarisation dans une institution religieuse qui adopte des éléments du modèle technocratique de gestion et d'organisation?

4.2 L'Église catholique et la fonction charismatique

Si le charisme consiste en la réception de l'extraordinaire médiatisé soit par l'expérience personnelle, soit par le rite institutionnel, ou par un mélange des deux, qu'en est-il de l'Église catholique en tant que système institutionnel, d'une part, et, d'autre part, en tant que lieu de production symbolique interactive? À cette double question est directement liée une autre, celle de la fonction de protestation ou d'attestation sociale du catholicisme historique et de ses différenciations à cet égard.

Depuis le XVIe siècle[18], l'Église catholique a centré le croire sur le savoir objectif de la doctrine, la distinction disciplinaire de la morale et la sacralisation des fonctions dirigeantes. L'unité autour de la doctrine passe par la pédagogie de la progression, le compromis en somme, et de l'émotion, c'est-à-dire l'effort pour rendre sensible la foi quitte à matérialiser le spirituel dans des représentations picturales anthropomorphes ou dans des dévotions à des figures sanctifiées. Quant aux pratiques morales, elles visent non seulement à accorder le comportement quotidien à l'idéal chrétien défini par les autorités ecclésiastiques, mais tout autant à signifier concrètement la distinction sociale par rapport aux

---

[18] Je procède à une lecture libre de l'article précédemment cité de Michel de Certeau et d'autres auteurs.

non-catholiques et aux non-croyants. L'unité souhaitée du croire et du faire s'accomplit sous la direction d'une hiérarchie qui se présente comme un monde à part, détentrice d'un savoir réservé et de privilèges, même d'ordre économique. L'intention d'une distinction sociale et religieuse du catholique entretient la réunion collective dans des structures bien établies, en même temps que l'individuation du croire jusque dans l'intimité incommunicable et forte de la protection de la conscience (le for intérieur). Il importe, en effet, que chaque individu se réforme dans le cadre fixé et selon sa condition propre. L'objectif requiert les services institutionnels, cléricaux notamment, et l'action de diverses associations, dont les ordres religieux.

La gestion de la symbolique ne se réduit pas à l'entretien du système[19] pour assurer sa permanence par-delà le passage des subjectivités, qu'elles soient récalcitrantes ou «observantes. Un examen critique du système de conformité montrerait les failles et interstices où se logent les écarts. C'est même dans l'illustration analytique du fonctionnement systémique qu'apparaîtraient, le cas échéant, les lieux de protestation, d'utopie et de charisme personnel.

Dans la gestion du croire et des rythmes cosmobiologiques des fidèles, l'Église s'est employée à éveiller à l'extraordinaire et à y nourrir l'attachement. Ainsi, son discours officiel a revendiqué la qualité de société parfaite par rapport à l'État ou à la société civile, à savoir une société transtemporelle et affranchie pour une bonne part des règles humaines au nom d'origines exceptionnelles et d'une mission historique reçue du fondateur lui-même. La revendication a besoin de crédibilité sociale en vue de sa réception positive. À cet effet, les officiels ecclésiastiques et les élites intermédiaires ont misé sur les qualités hors du commun par la répression des instincts naturels dans une vie ascétique socialement visible.

Par voie de conséquence, les écarts sont sévèrement réprimés, aux côtés de la tolérance envers les conditions négociées entre commettants et des coutumes contraires à la règle dans certaines régions du monde. Il

---

[19] On peut entendre par système la coordination impérative des composantes d'un ensemble qui s'impose aux volontés et consciences et qui, en tant que totalité, force à des comportements, individuels et collectifs, coupés des intentions particulières dans la poursuite d'un résultat programmé à quelque degré.

importe que le serviteur de l'institution affiche publiquement des comportements, attitudes et propos qui le distinguent dans sa charge d'administrer le sacré. De la sorte, la magnificence des liturgies et l'éclat des sermons exerceront une influence, loin d'être mineure, sur la rationalisation de l'existence individuelle et collective, conçue par ailleurs comme une grande dramatique. Les compléments pastoraux sont nombreux, dont les dévotions à l'église, à l'école ou en famille, les retraites et missions où prédications et confessions pénitentielles se succèdent, les pèlerinages et les fêtes annuelles, le rappel périodique des grandes figures spirituelles de la tradition chrétienne, sans oublier les services les plus divers, particulièrement à l'intention de la population indigente. L'ensemble est censé mener à la réception active de la grâce institutionnelle.

Ces indications, toutes sommaires qu'elles soient, tracent les contours d'un projet de christianisation qui affronta la modernité. Dans un long combat, l'intransigeance doctrinale et disciplinaire représente l'une des réactions au refus de reconnaître les vertus charismatiques d'une Église jugée d'une autre époque par des agents sociaux déniant sa raison d'être sociale. La résistance active ne dit pas tout du rapport aux temps modernes d'une Église qui en adopta nombre de modèles et fonctionnements, telles la fonctionnarisation des appareils de gouvernement et la rationalisation bureaucratique de la pastorale. Certains des emprunts, fussent-ils réadaptés à la structure catholique, ont passé pour avoir retiré le soutien institutionnel à la figure catholique traditionnelle, ce qui ne cesse de susciter, encore maintenant, une volonté de retour à l'intégralité du système. Outre les intransigeants et les modernistes, des individus et des groupes s'adonnent à des transactions complexes entre l'insertion dans la modernité et la revendication d'une cosmovision qui s'affiche critique devant les errements d'instances civiles ou religieuses ne tenant pas leurs promesses. Le fait est constant et contribue à la complexification de l'action de l'Église et à la différenciation de la réception du charisme de fonction.

De tous côtés, la référence à l'histoire ou à l'institution catholique comporte une part significative de saisie imaginaire. Les études de sciences sociales, tel qu'elles ont été évoquées ci-dessus, n'échappent pas au phénomène. Le modèle issu du concile de Trente perdure dans des appréhensions imaginaires, y compris ses variations historiques tant chez des pasteurs ou croyants fidélisés que chez les distanciés. Il arrive que l'imagination globalisante accentue des traits, en positif ou en négatif. Dans le mouvement sont accolés à l'extension des mutations actuelles des impasses supposées ou des lendemains rêvés, souvent à défaut d'une appréhension rationnelle.

4.3 La gestion rituelle de la symbolique

Dans la religion organisée, et ainsi dans le catholicisme, le rite occupe une place de choix. Ne rend-il pas possible l'inscription dans le patrimoine symbolique d'itinéraires individuels? Sans doute, mais à la condition de se faire répétitif plus que novateur, de privilégier l'expression objective et non subjective, de mâtiner l'individuel et le collectif, le défini institutionnel et la sensibilité culturelle. Dans la situation pluraliste, l'accès de cheminements les plus divers à une même liturgie permet tout à la fois une reconnaissance implicite et pratique des singularités présentes, la prise de contact des générations et différences, la proclamation d'une identité traditionnelle et, le cas échéant, la sélection dans la réserve symbolique offerte en vue d'asseoir sur un invariant une composition personnelle relevant plutôt du variant. À la faveur de ces possibles, le charisme institutionnel reçoit une confirmation publique à tout le moins implicite de la part des croyants itinérants, et non seulement la confirmation explicite des croyants fidélisés. De la sorte s'établit une correspondance, relative certes, entre la demande du public catholique et l'offre institutionnelle officielle.

Quant à la position du clerc affecté à la célébration commune, le réconfort identitaire par la reconnaissance de son charisme peut être passager, comme dans le cas où, par exemple, les paroissiens disent le voir moins souvent que le pape ou une autre personnalité religieuse. Plus sérieusement, des enquêtes montrent le fort attachement aux rites traditionnels et aux lectures bibliques en même temps que le désintérêt manifeste à l'endroit de la prédication ou de l'accueil à l'entrée de l'église[20]. La reconnaissance porterait d'abord sur le caractère objectif d'un charisme légitimé d'abord et avant tout par l'institution dans ce qu'elle a

---

[20] P.-A. Turcotte, «Sunday mass and participation in its rituals: The acceptance of the innovations of Vatican II», *Journal of Empirical Theology*, vol. 5, no 1, 1992, p. 5-17; P.-A. Turcotte, *Intransigeance et compromis. Sociologie et histoire du catholicisme actuel*, Montréal et Paris, Fides et Cerf, 1994, p. 79-105.

d'officiel, et cela même si elle est considérée comme obsolète sur certains points. En revanche, le prêtre peut bien revendiquer la gestion monopolistique des biens symboliques — croires et pratiques —, il doit composer avec un laïcat aux tendances allant du traditionnel intégraliste au critique de type intellectuel ou prophétique, sans oublier la mobilité des populations, les déplacements de sensibilité spirituelle, le ressac des effets publics et privés des administrations civiles ou des productions médiatiques. Même le clerc-moine n'échappe pas à ces contraintes des choses de la vie en société[21].

La ritualisation, hier confinée aux lieux de culte officiellement reconnus, quoique admettant des exceptions, en est venue à prendre le chemin de rassemblements de nature aussi bien fonctionnelle que proprement symbolique, voire sans lien direct avec le cadre institutionnel, et ce dans des lieux les plus divers, privés ou publics. Bien plus, l'expression mêle le geste séculier, en particulier le repas, avec la réflexion ou la prière d'intériorité. Les déjeuners de prière nord-américains s'apparentent à ce type de ritualisation. Les inventions de lieux et de modalités rituelles, autour des obsèques notamment, ne manquent pas et désarçonnent des définisseurs épris de clarifications nettes entre les divers modes d'expression liturgique. La préoccupation se reflète dans des enquêtes et sondages axés sur la mesure de la normalité d'après l'accord à des définitions issues du dernier concile. Le recours à des procédés de vérification déduite des méthodes positivistes sert des fins de régulation du croire en fonction du défini officiel conforme à la tradition.

Force est de constater la multiplication et l'extension des lieux de spiritualité et de ritualisation qui offrent une brochette de produits variés se réclamant de la tradition catholique. Plus largement, l'esprit de choix du migrant du sens[22] a une correspondance sociétale dans la multiplicité des entreprises de biens de salut. La sphère catholique est touchée, et ses frontières de salut en arrivent à recouper celles d'autres traditions religieuses. De part et d'autre sont proposées des voies pour asseoir la

---

[21] P.-A. Turcotte, «Les ministères catholiques au Québec. Une affaire de clercs?», dans R. Luneau et P. Michel (dir.), *Tous les chemins ne mènent plus à Rome. Les mutations actuelles du catholicisme*, Paris, Albin Michel, 1995, p. 59-86.

[22] P.-A. Turcotte, «Parole cléricale et parole laïcale dans la paroisse québécoise», *Lumière et vie*, no 199, 1990, p. 11-23. Cet article dessine la configuration des conflits entre l'individuation du croire et sa gestion institutionnelle.

recherche subjective sur des bases rationnelles, émotionnelles ou pratiques. Si bricolage il y a, ne suit-il pas un minimum de règles de l'expérience humaine, et ces règles ne sont-elles pas loin de se ramener à l'ajustement des fins et des moyens? De ce point de vue, le bricolage subjectif et objectif n'a rien de proprement nouveau comme phénomène social, si ce n'est dans les formes de son expression publique.

Par ailleurs, la diversification des services d'ordre spirituel, culturel ou matériel de l'institution catholique, parmi d'autres confessions, a pour conséquence que la référence religieuse institutionnelle finit par occuper plus de place qu'on en convient habituellement dans l'expérience de la transcendance par des croyants qui ne pratiquent pas régulièrement ou par les migrants du sens. De longues entrevues permettraient d'en savoir plus à cet égard que ce que nous apprend l'information sommaire des sondages et des enquêtes quantitatives. L'appréhension de la complexité en mouvement commande des études sur des terrains aussi divers que les angles d'approche. Des sociologues de la religion américains, forts de ce terreau cognitif, s'affairent à reformuler hypothèses et interprétations en regard du pluralisme religieux[23].

5   Intransigeance et compromis

L'examen des médiations appelle le complément du compromis. J'en exposerai des éléments de théorie, éléments qui serviront d'arrière-scène au tracé historique sur l'«intransigeantisme» et le compromis dans le catholicisme contemporain.

5.1 Aperçu théorique

Le compromis[24] ne se confond point avec la compromission et concerne tous les groupements religieux dans leurs rapports avec le monde, c'est-à-dire, par référence à l'apôtre Jean, avec la société globale en tant qu'elle se fait pécheresse, qu'elle désobéit à la loi de Dieu. Dans le détail,

---

[23] Se reporter à la note 10, spécialement R. S. Warner.

[24] J. Séguy, «Intensité-extension», dans P.-A. Turcotte (dir.), *Compromis religieux et mutations du monde. Aspects théoriques et points historiques*, Paris, Faculté de sciences sociales et économiques, 1998, p. 26-42.

les spirituels pratiquent volontiers le nécodémisme, ont des idées précises sur l'organisation du monde, tout en le critiquant comme il est. Les relations avec le monde posent bien plus de problèmes pour la secte. Au nom de la radicalité évangélique, celle-ci entretient des rapports négatifs avec le monde, allant des ennuis quotidiens à la dissidence d'avec l'État. Dans ce cas, le compromis est impossible ou se fait à la pièce, il est subi plus que reconnu explicitement, à l'inverse de l'Église où il est recherché en vue de l'extension du Royaume, l'évangélisation de l'humanité et la pénétration de la culture pour la marquer de la tradition issue de l'Évangile. Néanmoins, le compromis ecclésial a des limites (par exemple, le problème du péché collectif), et la mixité avec la secte est possible, comme il en va pour l'Église libre de l'ordre religieux.

Le concept de compromis chez Max Weber[25] représente un outil ne réfractant que quelques aspects de la réalité, et cet idéal-type, tout ébauche qu'il soit, vise à la compréhension des processus génétiques. Cette visée est particulièrement patente dans le passage de la religion des virtuoses à la religion de masse. Forme de la religion radicale, la virtuosité religieuse offre une production d'intellectuels qui répond à la quête de sens et de salut de ceux-ci pour une solution du problème du mal par la rédemption et, du même coup, disqualifie la magie comme moyen d'accès au salut. Il en va bien autrement pour ceux qui n'ont pas l'oreille musicale de la religion tout en manifestant de l'intérêt pour le salut. D'un côté, moines, communautés charismatiques, groupes sectaires et réformateurs cherchent un salut fondé sur une nécessité ou une détresse intérieure, sur un sens à une façon de vivre qui procure l'unité avec soi-même, avec les autres hommes et avec le cosmos. De l'autre, la constitution d'un laïcat étranger à l'intellectualisme fait en sorte que l'on passe d'une religiosité animée par des nécessités d'ordre intérieur à une religiosité portant la marque de problèmes extérieurs, par conséquent loin des considérations théologiques à propos du sens du monde et proche des besoins culturels des masses et des contraintes organisationnelles en lien avec la question du salut.

Dans le processus de transformation apparaissent les compromis qui vont se nouer autour de l'interprétation du monde, de la méthode de salut et du rapport avec le monde. À titre d'exemple, le prêt à intérêt a fini par

---

[25] J. M. Ouédraogo, «Des religiosités de virtuoses aux religiosités de masses: aux origines des compromis selon Max Weber», *Social Compass*, vol. 44, no 4, 1997, p. 611-625.

être accepté dans le christianisme, les tractations politiques s'imposent aux religions universelles, et la magie y resurgit publiquement. Dès lors, le compromis assure la perpétuation de quelque religiosité de virtuose. Cela ne va pas de soi et, qu'il en soit ainsi, c'est le symptôme d'une réception massive des idées et de leur influence sur le quotidien. Attention toutefois de faire du compromis une étape successive à celle de la religiosité de masse ou de le ramener au syncrétisme. Plutôt, il est au départ de la quête de sens, tout comme il recouvre la production religieuse et l'assise organisationnelle garantissant sa liaison avec les institutions et organismes de ce monde.

Dans la mesure où il comporte une relation de réciprocité entre des acteurs en situation d'opposition d'ordre symbolique ou institutionnel, le compromis appelle un terrain où puissent s'exprimer les intérêts divergents et en arriver à une entente. Il en est ainsi pour la secte ou la religiosité de virtuose dans les relations avec le monde ou la masse. L'exigence comprend tout aussi bien l'extériorisation, c'est-à-dire une expression qui soit la manifestation publique d'une collectivité, peu importe le nombre. De ce point de vue, le spiritualisme mystique s'adonne au compromis individuel, notamment par la réception des sacrements considérés par ailleurs comme non essentiels pour le salut, mais il ne se livre pas pour autant au compromis à caractère collectif, en raison d'un esprit de relativisation de l'extériorité et de l'appartenance à l'Église conçue comme une communion spirituelle. Quant à l'extériorité de type Église, elle englobe les rites, les croyances, les formations dogmatiques et une certaine contrainte. Encore plus, l'Église pose des conditions minimales en ce qui concerne l'obtention du salut, comme l'appartenance baptismale à l'institution ecclésiastique, la pratique de ses autres sacrements, l'obéissance aux préceptes, soit les «commandements de Dieu et de l'Église», la conformité aux vertus attachées à l'état de vie ou la vocation profane[26].

5.2 Intransigeance et compromis dans le catholicisme contemporain

Tout n'est pas négociable dans le compromis. Celui-ci s'inscrit, moyennant des transactions entre religion et monde, dans la réalisation

---

[26] J. Remy et P.-A. Turcotte, «Compromis religieux et transactions sociales dans la sphère catholique», *Social Compass*, vol. 44, no 4, 1997, p. 627-640.

d'une intention dont la forme historique peut prendre des aspects divers, de l'idéation utopique à l'affirmation historique d'une identité institutionnelle, et dont les visées d'extension sont tout aussi variables, de même que la reconnaissance de l'écart entre le défini et sa réception. Depuis le XIXe siècle notamment, l'identité catholique, celle des communautés ou des institutions, entend bien ne pas se dissoudre dans le socialisme communiste, le libéralisme ou le subjectivisme. La dialectique engagée oppose tradition et modernité, communauté et institution, individu et société, religiosité de masse et religiosité de virtuose. Dans de telles conditions, les transactions du compromis mettent en interaction des acteurs qui cultivent une distinction sans rupture et qui en arrivent à une entente sans fusion, à un marché. Il y a bien réciprocité, mais une réciprocité faite d'échanges de type «donnant, donnant» qui évitent le nivellement des identités.

L'intransigeant est l'acteur qui ne fait pas de concessions, qui n'accepte aucun accommodement, quel qu'il soit, qui s'affiche carrément opposé. Dans le cas du catholicisme occidental du XIXe siècle[27], la théologie thomiste est érigée en système comportant la vérité révélée contre la modernité et le libéralisme. Léon XIII imposera le thomisme intégral à toutes les écoles catholiques. L'Église se constitue en contre-société, en forteresse assiégée qui doit faire face à l'ennemi. Elle entend restaurer l'ordre social chrétien et, à cette fin, si les papes condamnent les fondements du lien social préconisé par le libéralisme ou le marxisme, ils ne condamnent pas la société pour autant: les catholiques doivent s'y engager socialement. Par exemple, le *Syllabus* de Pie IX, qui dresse un catalogue des erreurs modernes, se termine par un article où le souverain pontife s'invite à une réconciliation avec le progrès, le libéralisme et la nouvelle civilisation. Il y aura des compositions, avec gains et pertes de part et d'autre, entre des instances, nommément l'État moderne et l'Église catholique, s'excluant mutuellement dans un premier temps. L'aboutissement sera, entre autres choses, les concordats. En clair, comme la modernité déclasse la religion au titre d'affaire strictement privée, l'institution catholique, en ses instances supérieures, adopte la position de

---

[27] E. Poulat, «L'Église romaine, le savoir et le pouvoir. Une philosophie à la mesure d'une politique», *Archives de sciences sociales des religions*, no 37, 1974, p. 5-21; «La science de la vérité et l'art de la distinction. Intransigeance et compromis dans le catholicisme contemporain», *Social Compass*, vol. 44, no 4, 1997, p. 497-506.

la différence avant d'affronter une réalité antagoniste, au moins relativement, et qui s'impose massivement.

L'«intransigeantisme» renvoie à l'intégrité et à l'intégralisme de la doctrine, de la discipline, des rites et de l'organisation, dans la mesure où ils sont conformes à la tradition de l'institution catholique. Il s'agit d'un ensemble donné et intangible, à prendre dans son intégralité. Or comment concilier l'intransigeance et la sécularisation qui, elle, en vient à différencier les sphères de la société et à en soutenir le pluralisme? Là-dessus, le concile Vatican II a décidé de dissocier intégralisme et «instransigeantisme[28].» L'intégralisme non intransigeant met en avant une totalité de l'Église historique — une vision unifiée héritée de la tradition — qui soit en opposition avec la modernité mais sans en dénier l'existence et ses effets, même en matière religieuse. Le système de la totalité héritée de la tradition prend en compte la modernité, sans cesser d'être une totalisation. Les rapports demeurent conflictuels, et des contentieux persistent, par exemple avec la laïcité. L'invariant de la tradition n'est pas devenu pour autant un quelconque variant historique.

Dans un tel contexte, la production théologique et la recherche de la vérité sont confrontées l'une à l'autre. Le fait est bien antérieur à Vatican II. Le théologien construit une réflexion sur la foi en se rattachant à une communauté de croyants et en s'inscrivant dans une tradition sous l'autorité du magistère. De ce point de vue, il se fait le médiateur de l'équilibre des trois vecteurs nommés, entre l'intégration normative à l'institution et l'expérience croyante dans le monde, entre la logique de reproduction et la systématisation de la référence. La médiation joue différemment selon que le théologien avalise la régulation orthodoxe ou qu'il interprète le donné révélé en accord avec les mouvements de pensée de son temps ou, encore plus, selon qu'il entend innover par la critique des racines de la tradition en telle matière. La question de la légitimité est en cause au sujet d'un discours portant sur une vérité révélée. La vérité est donnée et allergique au pluralisme, dans son exigence de cohérence et de

---

[28] J.-M. Donegani, *La liberté de choisir. Pluralisme religieux et pluralisme politique dans le catholicisme français contemporain*, Paris, Presses de la Fondation nationale des sciences politiques, 1993.

synthèse. La critique est construite, se confronte avec l'opposition et tente une cohérence à la jonction de vecteurs divers[29].

*
* *

J'ai indiqué quelques points-clés de la médiation dans le christianisme, sans prétendre à quelque exhaustivité. Il ressort de l'exploration que le croire revêt un caractère religieux dans la mesure, justement, où il se rapporte à l'expérience du transcendant en tant qu'envers du quotidien, dans la mesure aussi où cette référence à une altérité s'exprime à travers des pratiques, éthiques ou administratives, des appartenances, des rites et des identités symboliques. En outre, en accord avec la perspective wébéro-troeltschienne, l'idéation religieuse, dans le christianisme, marque la vie en société pour autant qu'elle se traduit dans des institutions. De la sorte, des transactions s'instaurent, notamment de type donnant, donnant, entre des parties opposées — la religion et le monde —, ce qui ne va pas sans tensions continues entre l'affirmation d'une identité propre et le nécessaire compromis. C'est que les représentations sacrales ne sauraient échapper à l'histoire, au faisceau de ses médiations, dans le jeu des variants et des invariants.

Nous sommes devant des jeux complexes depuis les origines chrétiennes, bien avant donc la rationalisation organisationnelle et l'individuation confortée par la subjectivation. En outre, conséquence de la modernité, la dissémination du croire met à mal l'identité confessionnelle, qui, par ailleurs, continue de prendre place dans l'espace public et de «s'y compromettre» en vue de quelque influence, soit-elle sectorisée, mouvante ou subjectivement véhiculée. De même, les rapports à l'institution, individuels ou collectifs, se sont modifiés, et la gestion de la symbolique officiellement définie se doit de composer avec un marché des biens symboliques en pleine expansion, proposant des références diversifiées aux migrants du sens. Qu'il en soit ainsi, le défi de l'examen sociologique n'est-il pas d'éviter la focalisation sur un aspect traité de façon univoque, ou la réduction de l'objet à un concept flou? De part et d'autre, la

---

[29] F. Dumont, *L'institution de la théologie. Essai sur la situation du théologien*, Montréal et Paris, Fides et Cerf, 1987, 287 p.

complexité est évacuée, faute d'avoir pris en compte l'exigence de la configuration[30] déstabilisant les positions idéologiques.

Paul-André TURCOTTE
Faculté de sciences sociales et
économiques
Institut catholique de Paris

Résumé

La médiation renvoie à un rapport de réciprocité entre des parties opposées qui, par ailleurs, peuvent en arriver à un marché, à une entente selon certaines conditions. Il en va ainsi entre les représentations chrétiennes, dans ce qu'elles ont d'extraordinaire, et l'histoire avec son cortège de contraintes axées sur la reproduction sociale, soit dans l'ordre de l'ordinaire. Parmi les modalités possibles, ces représentations arrivent à marquer la vie en société en se liant avec des institutions. Les tensions entre les instances en cause ne disparaissent pas pour autant. Bien plus, l'institution des origines ne cesse de provoquer des conflits à l'intérieur même des Églises, qui, elles, appuient leur identité sur un texte fondateur susceptible de donner lieu à leur remise en question. D'où les différenciations dans les figures historiques du christianisme. Chacune entend affirmer une différence socioreligieuse dans la société et y exercer quelque influence, entre l'intransigeance et le compromis. Les modalités de l'entreprise s'avèrent complexes, comme en ce qui concerne les rapports du catholicisme avec la modernité.

Mots-clés: utopie et histoire, protestation socioreligieuse, charisme et institution, différenciation du croire, institutionnalisation des origines, plausibilité sociale de la religion, migrant du sens et pluralisme religieux, intransigeance et compromis, rite et gestion symbolique de croire.

---

[30] N. Elias insiste tout particulièrement sur la démarche de connaissance configurative dans *Qu'est-ce que la sociologie*, Paris, Pandora, 1980, surtout dans les chapitres II et III.

Summary

Mediation involves a relation of reciprocity between opposed parties who, moreover, can come to terms or reach an agreement under certain conditions. Such is the case for relations between Christian representations, in their otherworldly dimensions, and history with its procession of worldly constraints concerned with social reproduction. Among the possible modalities, these representations affect life in society by creating links with institutions. But this does not mean that the tensions between the agencies in question disappear. Indeed, the institution of origins continues to provoke conflicts even within Churches themselves, which base their identity on a founding text which can be used to bring them into question—which accounts for the differentiation in Christianity's historical figures. Each claims to affirm a socio-religious difference in society and to exercise some influence, between intransigence and compromise. The modalities of this are complex, such as with regard to the relations between Catholicism and modernity.

Key-words: utopia and history, socio-religious protestation, charisma and institution, differentiation of belief, institutionalization of origins, social plausibility of religion, shift in meaning and religious pluralism, intransigence and compromise, ritual and symbolic management of belief.

Resumen

La mediación implica una relación de reciprocidad entre las partes opuestas que, por otra parte, pueden llegar a un trato, a un acuerdo, según ciertas condiciones. Así sucede también entre las representaciones cristianas, en aquello que ellas tienen de extraordinario, al igual que la historia, con su cortejo de limitaciones basadas en la reproducción social, en el campo de lo ordinario. Entre las modalidades posibles, dichas representaciones llegan a marcar la vida en sociedad ligándose a instituciones. Las tensiones entre las instancias en juego no desaparecen por ello. Es más, la institución originaria no cesa de provocar conflictos al interior mismo de las iglesias que apoyan su identidad sobre un texto fundacional susceptible de dar lugar a su puesta en duda. De allí, las diferenciaciones de las figuras históricas del cristianismo. Cada una cree afirmar una diferencia socioreligiosa en la sociedad y ejercer cierta influencia, entre la intransigencia y el compromiso. Las modalidades de tal empresa son complejas, al igual que en lo concerniente a la relación del catolicismo con la modernidad.

Palabras claves: utopía e historia, protesta socioreligiosa, carisma e institución, diferenciación de la creencia, institucionalisación de los orígenes, plausibilidad social de la religión, migrador del sentido y pluralismo religioso, intransigencia y compromiso, rito y gestión simbólica de la creencia.

Les amants maudits: heurs et malheurs du couple religion et politique en Europe à l'aube du troisième millénaire

Kristoff TALIN

C'est une gageure d'écrire sur le thème religion et politique. D'une part, le sujet est si vaste qu'une vie n'y suffirait pas. D'autre part, l'étude du thème est séculaire et, depuis les pères fondateurs de la sociologie — Durkheim et Weber —, qui ont bien montré l'un comme l'autre les conséquences des comportements religieux sur l'activité sociale, voire politique[1], les analyses se sont multipliées, si bien que le risque de redondance est élevé. Enfin, et c'est sans doute ici le risque le plus important, on peut se demander si l'étude du thème religion et politique est encore pertinente. Tant de travaux ces dernières années ont remis en cause cette articulation qu'il faut être un peu téméraire pour se risquer là où des maîtres ont déjà tout dit[2]. S'inscrivant résolument dans une problématique de la modernité — travaillée par le religieux —, remettant en cause le désenchantement du monde, ils insistent sur l'autonomisation des croyances et la fécondation du politique par le religieux et du religieux par le politique.

S'inscrire dans cette lignée scientifique risque de rendre caduque, voire illégitime, toute recherche — un tant soit peu empirique — qui voudrait montrer que, dans la société européenne sécularisée de la fin du XXe siècle, le lien «religion et politique» a encore du sens, si ce n'est un sens.

---

[1] É. Durkheim, *Les formes élémentaires de la vie religieuse*, Paris, PUF, 1922 [1912]. M. Weber, *Économie et société*, Paris, Plon, 1971 [1922].
[2] J.-M. Donegani, *La liberté de choisir. Pluralisme religieux et pluralisme politique dans le catholicisme français contemporain*, Paris, Presses de la Fondation nationale des sciences politiques, 1993; M. Michel, *Politique et religion. La grande mutation*, Paris, Albin Michel, 1994; D. Hervieu-Léger, «Catholicisme et politique. Un objet sociologique à construire», *Projet*, no 240, 1994, p. 36-46.

Pourtant, au risque de paraître archaïque, l'analyse proposée dans cet article entend montrer la permanence du modèle de Guy Michelat et Michel Simon. Certes, l'éclatement du système catholique en conséquence du concile Vatican II a permis aux catholiques de s'inscrire beaucoup plus largement sur le spectre du politique. Mais cette diffraction — si elle est indéniable et facilement observable[3] — reste pourtant difficilement mesurable. De plus, il ne semble pas que cette analyse invalide forcément le modèle précédemment utilisé mais qu'elle le nuance. Il s'agirait donc davantage de la modification d'un paradigme plutôt que de son changement.

Vu l'ampleur du sujet, il convient de limiter le terrain d'étude. Je ne parlerai pas de l'ensemble des religions, mais bien principalement de la religion catholique[4]. Des digressions seront faites, ici et là, pour examiner la pertinence de l'hypothèse dans les autres religions chrétiennes. Cet article se propose de présenter et d'analyser les modèles concurrents qui régissent l'étude du couple religion et politique, avant de montrer comment ces modèles fonctionnent dans l'espace européen[5]. Le lecteur l'aura compris, le sujet — religion et politique — doit être compris et restreint à la sociologie des attitudes religieuses et politiques.

Religion et politique: un couple qui se déchire

En France, lors de l'élection présidentielle de 1965, dans le cadre des premières enquêtes postélectorales, la variable religieuse est apparue comme fortement explicative des comportements politiques. La mise en lumière des liens existant entre religion et politique n'était pourtant pas nouvelle. André Siegfried avait en effet insisté sur l'importance du facteur religieux pour expliquer le «tempérament» politique de l'Ouest. «On peut dire, sans exagérer, que toutes les élections législatives depuis

---

[3] J.-M. Donegani, ouvr. cité.

[4] Les références théoriques utilisées ici sont exclusivement, ou presque, des références françaises. D'une part, beaucoup de choses sur cette question ont été théorisées en France, d'autre part, j'aurai plaisir à soumettre son modèle de relations à l'épreuve de la comparaison.

[5] Je suis bien conscient du caractère un peu ethnocentrique de mon analyse. L'absence d'éléments sur le Québec peut surprendre. Cependant, je ne suis que partiellement responsable de cette situation. L'étude des relations entre religion et politique n'est pas très développée dans les enquêtes quantitatives québécoises, si bien que les données sont pour l'instant difficilement utilisables. L'arrivée prochaine — sur le «marché» de la recherche — des données de l'International Social Survey Programme (ISSP) 1998 sur la religion devrait permettre de combler cette lacune.

1876 se sont faites sur la question du pouvoir politique de l'Église[6]». Il mettait par ailleurs l'accent sur la nécessité de distinguer le catholicisme et le cléricalisme, soulignant que «le catholicisme non clérical laisse, dans l'homme, le citoyen distinct du fidèle [...] mais [que,] dans le cléricalisme, le fidèle reconnaît au prêtre ou subit de lui une autorité politique du même ordre que son autorité religieuse, c'est-à-dire également indiscutée[7]». Pour la première fois donc en 1965, au moment justement où la hiérarchie catholique — qui sortait du Concile Vatican II — changeait de doctrine, acceptant la liberté religieuse et reconnaissant le pluralisme politique des chrétiens, l'importance de la religion pour expliquer les attitudes politiques devenait palpable. Sur l'autel de la sociologie, la religion était intronisée «variable lourde».

Religion et politique : un couple monogame

Guy Michelat et Michel Simon ont été les premiers à montrer les liens existant entre la position de classe, l'univers religieux et l'univers politique[8]. L'étude a été réalisée de deux manières conjointes. D'une part, les auteurs ont mené une série d'entretiens non directifs qui ont permis d'isoler deux groupes profondément différents: les «irréligieux communisants» et les «catholiques déclarés». Dans ces deux groupes, les valeurs religieuses, tout comme les valeurs politiques, sont antagonistes. Cela aboutit à la structuration de deux systèmes de représentations. D'autre part, les auteurs ont mené une enquête quantitative auprès d'un échantillon représentatif de la population française à partir de laquelle ils ont établi une typologie distinguant quatre types d'individus. Le type A réunit des individus de gauche et faiblement pratiquants, tandis que le B est un type du centre. Au type A s'oppose le C qui est de droite et regroupe des individus massivement pratiquants[9]. Enfin, le type Y se caractérise par un fort apolitisme et un niveau élevé de pratique religieuse.

Par ailleurs, les relations entre intégration religieuse et attitudes politiques sont médiatisées par un système d'opinions et «un certain nombre de variables sociodémographiques, dont la classe d'appartenance et d'origine et le sexe, varient significativement d'un type à

---

[6] A. Siegfried, *Tableau politique de la France de l'Ouest sous la Troisième République*, Paris, Armand Colin, 1964, p. 390.
[7] *Ibid.*, p. 392.
[8] G. Michelat et M. Simon, *Classe, religion et comportement politique*, Paris, Presses de la Fondation nationale des sciences politiques et Éditions sociales, 1977.
[9] On constate que la pratique religieuse croît selon les types: 32%, 60% et 70% pour A, B et C respectivement (*Ibid.*, p. 94).

l'autre[10]». Michelat et Simon constatent l'existence de corrélations entre la classe sociale objective, la classe sociale subjective, l'intégration religieuse et les attitudes politiques. Dans une démarche scientifique, les auteurs cherchent à annuler les relations entre intégration religieuse et comportement politique, mais le résultat est négatif. Ils concluent donc à l'existence de liens très puissants entre religion et politique ou, plus exactement, entre niveau de pratique religieuse et attitudes politiques. Ces liens demeurent médiatisés par l'appartenance de classe, les facteurs sociodémographiques et les systèmes d'opinions.

> Il semble bien qu'en termes de probabilité (et nous insistons sur ce point) il existe une relation non seulement entre pratique religieuse et vote mais entre religion et politique au triple niveau des croyances et opinions, des sentiments et attitudes, et des comportements. Si l'on préfère, c'est bien un haut niveau d'adhésion au système symbolique du catholicisme (croyances, rituels, systèmes de normes et de valeurs, etc.) qui, dans un nombre élevé de cas, se trouve en relation avec des représentations, attitudes et comportements de droite[11].

Mais, petit à petit, ce modèle est modifié[12]. Certes, les relations entre le vote et la pratique religieuse demeurent, mais Michelat et Simon prennent en compte l'effet du patrimoine pour formuler une explication du vote et observent des liens entre possession patrimoniale et appartenance religieuse. La possession patrimoniale augmente lorsque le degré d'intégration religieuse croît. Ils expliquent cette corrélation de deux manières. Premièrement, le fait d'être possédant accroît l'intégration au catholicisme. Cette explication structurelle, et en grande partie déterministe, est tout à fait classique dans le schéma de pensée de Michelat et Simon. L'apport essentiel de ce travail provient de l'autre explication. Il s'agit de considérer que l'appartenance au catholicisme incite davantage à la possession patrimoniale. Il y aurait une sorte «d'éthique catholique et d'esprit du capitalisme»:

> Si l'on préfère, il nous paraît plus raisonnable de penser que, de façon générale, ce n'est pas le comportement d'acquisition qui entraîne une conversion religieuse (encore que le cas puisse se présenter) mais plutôt l'intériorisation de valeurs éthico-religieuses (caractéristiques de la famille, de la lignée et d'autres groupes primaires d'appartenance, et "déjà là" quand l'individu vient au monde), qui se traduit par un style de conduite

---

[10] *Ibid.*, p. 105.

[11] *Ibid.*, p. 414.

[12] G. Michelat et M. Simon, «Religion, classe sociale, patrimoine et comportement électoral: l'importance de la dimension symbolique», dans D. Gaxie (dir.), *Explication du vote, un bilan des études électorales en France*, Paris, Presses de la Fondation nationale des sciences politiques, 1985, p. 291-322.

déterminé, favorisant une forte orientation vers la propriété patrimoniale[13].

Michelat et Simon affirment d'ailleurs que l'appartenance au catholicisme est une variable privilégiée pour expliquer les rapports entre vote, possession patrimoniale et classe sociale. Les auteurs accordent une importance beaucoup plus faible que dans leurs travaux précédents à la classe sociale, et l'intégration religieuse devient le facteur central dans l'explication des attitudes politiques. Tout se passe comme si la possession patrimoniale et l'appartenance à une classe sociale étaient un sous-ensemble de l'intégration religieuse. Elles apparaissent médiatisées, pour ne pas dire éclipsées, par l'intégration religieuse des membres. Le fondement des études sociologiques portant sur le lien entre religion et politique était posé, et il est vrai que peu d'études jusqu'au début des années quatre-vingt ont amendé ces travaux.

Religion et politique: un couple tenté par l'adultère

D'autres types de relations entre religion et politique existent. En s'intéressant à des groupes politiques ou religieux bien circonscrits, des politologues ont montré l'existence de modèles minoritaires où catholicisme et vote à droite ne vont pas forcément de pair.

Jean-Marie Donegani a publié en 1979 un article où il atteste la présence de catholiques parmi les militants du Parti socialiste[14]. À partir d'entretiens non directifs, il trouve, chez certains individus, un modèle d'articulation du religieux et du politique différent de celui qu'ont mis en évidence Guy Michelat et Michel Simon. Par ailleurs, chez ces militants, la pratique religieuse est faible et ne peut en aucun cas être l'indicateur synthétique d'une intégration au catholicisme[15]. Enfin, l'appartenance de classe semble entraîner des itinéraires différents. Les ouvriers ont été sensibilisés à l'éthique politique par la Jeunesse ouvrière chrétienne (JOC) ou par l'Action catholique ouvrière (ACO).

---

[13] *Ibid.*, p. 305.

[14] J.-M. Donegani, «Itinéraire politique et cheminement religieux. L'exemple de catholiques militant au Parti socialiste», *Revue française de science politique*, vol. 29, nos 4-5, 1979, p. 693-738.

[15] Voir G. Michelat et M. Simon, ouvr. cité. Dans le premier chapitre de la quatrième partie, les auteurs montrent que l'intensité de la pratique religieuse est un indicateur synthétique du degré d'intégration au catholicisme. S'appuyant sur cette observation, ils font de l'intensité de la pratique l'indicateur privilégié pour mesurer les relations entre univers religieux et univers politique.

Ces structures permettent de concilier univers religieux et univers politique. En effet, l'engagement religieux dans les groupes de l'ACO suppose un engagement syndical. C'est un mouvement qui établit consciemment des liens entre les sphères religieuse et politique. Un chrétien, dans l'optique de l'ACO, c'est un homme qui s'engage dans le monde et qui cherche, dès aujourd'hui, à le transformer. Le rapport au politique est donc essentiellement médiatisé par le groupe. En revanche, les militants d'origine bourgeoise ont un itinéraire plus individuel. Ils ont choisi, à un moment donné, de délaisser le conservatisme religieux et politique lié à leur milieu d'origine.

Après avoir observé des socialistes chrétiens, il était assez logique de tester l'hypothèse inverse en vérifiant la présence de «catholiques de gauche» parmi les catholiques pratiquants.

Pierre Bréchon et Bernard Denni ont effectué une enquête sur les catholiques pratiquants dans la région grenobloise[16]. Ils montrent, à partir d'indicateurs religieux divers, que le modèle majoritaire dégagé par Guy Michelat et Michel Simon reste très présent dans le catholicisme. Toutefois, ils décèlent l'existence «d'autres modèles minoritaires d'articulation du politique, de l'éthique et du religieux[17]«. Ainsi, pour les votes déclarés aux présidentielles de 1981, 35% sont favorables à François Mitterrand et 65% à Valéry Giscard d'Estaing. Les auteurs montrent par ailleurs que l'intégration au catholicisme modifie parfois les opinions. Ainsi, au sujet du tiers-monde, les «catholiques de droite» défendent plutôt l'idée selon laquelle «la pauvreté du tiers-monde est due en grande partie à l'exploitation de ses ressources par les pays occidentaux». Or cette affirmation est contraire à ce que pense la droite en France.

Religion et politique: un couple vivant la polygamie?

La culture catholique n'est pas monolithique. Les individus sont certes plus ou moins intégrés à cette culture et, de plus, ils le sont différemment. Jean-Marie Donegani et Guy Lescanne ont réalisé une série d'entretiens non directifs pour savoir quels étaient les types de sensibilités religieuses des catholiques et quels rapports ces derniers entretenaient avec le domaine social et politique. Ils distinguent sept

---

[16] P. Bréchon et B. Denni, «L'univers politique des catholiques pratiquants. Enquête par questionnaire dans huit assemblées dominicales grenobloises», *Revue française de sociologie*, vol. 24, no 3, 1983, p. 505-534.
[17] *Ibid.*, p. 534.

modèles d'intégration au catholicisme[18]. Dans quatre d'entre eux, le catholicisme n'apparaît pas comme une valeur fortement structurante. Les *consommateurs*, les *exilés*, les *indifférents* et les *culturels* ne font pas référence au catholicisme comme à un des moteurs de leur existence.

Pour les *consommateurs*, le religieux s'exprime dans les grandes fêtes, et ils confient à l'Église le rôle d'institution présente pour les rites de passage. Être catholique, c'est alors se conformer à une évidence, c'est être comme tout le monde. La catégorie des *exilés* correspond à ceux qui sont malheureux dans leur identité catholique. Les auteurs parlent d'ailleurs de «conscience malheureuse». Ce sont des individus qui ont une certaine nostalgie de ce qu'ils ont connu dans leur enfance. Les *indifférents*, à l'opposé du type précédent, sont heureux. Que l'Église se trouve dans leur environnement ne leur pose pas spécialement de problème, elle n'exerce sur eux aucune attraction ni répulsion. Pour eux, l'Église catholique n'a pas vraiment d'importance. Enfin, les *culturels* sont des baptisés qui ont pris leurs distances par rapport à la norme. Ils vivent le moment présent en faisant du christianisme «une morale de l'immédiateté[19]».

Les trois autres modèles dégagés par Donegani et Lescanne peuvent être qualifiés de modèles d'intégration forte au catholicisme. Chez les individus appartenant à ces catégories, le catholicisme est en relation étroite avec la façon dont ils conçoivent et gèrent leur existence.

Les *engagés* sont proches de l'Action catholique et mettent l'accent sur les valeurs altruistes de la religion. Ils estiment faire partie d'un ensemble social. Engagés à la fois sur le plan social et sur le plan religieux, ils ont conscience d'appartenir à un groupe social structuré. Ils cherchent à concilier la vie et la foi qui, pour eux, ne font qu'un. De plus, ils veulent construire la vérité à partir de leur vécu. Reprenant l'éthique de l'ACO, ils pensent que les valeurs prônées par l'Évangile doivent être universelles. Leur système de représentation est fondé sur la certitude qu'il faut combattre pour changer le monde. La voie politique est sans doute l'une des possibilités pour effectuer ce changement. Elle rend possible une réalisation concrète de l'idéal évangélique selon lequel il faut plus de justice. Seuls l'incarnation dans le monde et un engagement social ou politique permettent de vivre cet idéal. Enfin, ouverts à la parole des autres, ils croient que c'est du dialogue que naîtront la justice et la vérité.

---

[18] J.-M. Donegani et G. Lescanne, *Catholicismes de France*, Paris, D.D.B./Bayard-Presse, 1986.
[19] *Ibid.*, p 203.

Pour les *fidèles*, tout repose sur une certitude: Dieu est. Croire en cette certitude, c'est être un homme responsable qui ne se laisse pas emporter par un groupe. La foi est un don de Dieu et la vérité n'est pas à construire, mais à recevoir. La famille occupe une place privilégiée dans leur système de valeurs. Elle incarne les valeurs morales. «Fondamentalement ce modèle n'est et ne peut être qu'individualiste. Sa tradition repose sur le primat de la personne insérée dans une communauté à structure familiale[20].» Peu enclins à la militance, cherchant plutôt à avoir un comportement exemplaire, ils s'engagent tout de même dans l'Église, car être chrétien, c'est être missionnaire. En revanche, tout engagement social est exclu. Par ailleurs, leur système de valeurs engendre la fidélité à l'Église. Il faut suivre la doctrine, car «être catholique c'est adhérer à un tout[21]».

Le dernier modèle regroupe les *fraternels*. Ces personnes valorisent la réalisation de soi. Les références au présent sont nombreuses et se rattachent à la connaissance et à l'accomplissement de soi. Le respect de la personne humaine devient un absolu qu'il faut atteindre. Ainsi s'explique qu'ils se sentent plus proches des pauvres, des exclus, des marginaux. Ils n'ont pas l'âme militante, car la politique leur apparaît comme une tentation d'assistance et de démission. À leurs yeux, en effet, tout peut être accompli par soi-même. «Ma religion c'est ma vie[22].» La référence à la communauté chrétienne est fréquente. Celle-ci semble jouer le rôle que joue la famille pour les *fidèles*. «Ici, la communauté n'est pas seulement, ni d'abord, la structure sociale et religieuse qui entre en cohérence avec leur vision du monde, mais c'est le lieu même qui favorise la recherche de leur identité et permet l'intégration dans un ensemble plus vaste, l'Église en particulier[23].»

Ainsi, Donegani et Lescanne mettent en évidence trois formes d'intégration forte au catholicisme. Toutefois, nous l'avons vu, ces formes diffèrent. La religion apparaît donc comme une valeur fortement unificatrice, mais selon des modes différents. De plus, ils sont situés différemment par rapport à la tradition religieuse et aux valeurs politiques. L'univocité de la relation entre religion et politique est morte, vive le pluralisme! Ainsi, l'ouvrage de Jean-Marie Donegani et Guy Lescanne peut être considéré comme le nouveau paradigme définissant le couple religion et politique.

Toutefois, aussi pertinentes que soient ces analyses, je ne suis pas sûr pour autant qu'elles invalident le modèle de Guy Michelat et Michel

---

[20] *Ibid.*, p. 139.
[21] *Ibid.*, p. 119.
[22] *Ibid.*, p. 151.
[23] *Ibid.*, p. 160.

Simon: l'intégration au catholicisme demeure fortement explicative du comportement politique.

Religion et politique: un couple qui évolue et un mariage qui s'inscrit dans la durée

Il semble qu'il y aurait intérêt à resituer les travaux de Guy Michelat et Michel Simon dans leur contexte. Premièrement, c'est un peu par hasard qu'ils ont découvert l'importance de la variable religieuse dans l'appréhension de l'univers politique. L'enquête de 1966, qui les amène à la mise en évidence de cette variable, visait, à l'origine, une étude des comportements politiques. Leur projet, à la différence de celui de Jean-Marie Donegani, n'était pas de faire une sociologie de l'identité catholique. On peut donc penser que les outils dont ils disposaient n'étaient pas destinés à faire apparaître la diversité du catholicisme. Il paraît bon de rappeler que l'enquête quantitative a été précédée d'une étude qualitative exploratoire dans laquelle la question qui débutait l'entretien portait sur la politique et les partis politiques et était ainsi formulée: «Pouvez-vous me dire ce que représentent pour vous la politique, les partis politiques?» C'est spontanément que certains enquêtés ont abordé la thématique religieuse. L'entretien, tout comme le questionnaire de l'enquête quantitative, ne s'articulaient donc pas à une recherche sur la diversité catholique.

Deuxièmement, nombre de sociologues ont concentré leur attention sur la dimension progressisme/conservatisme qu'ont dégagée Guy Michelat et Michel Simon[24] et qui constitue le point central de leur travail: lorsque l'intégration au catholicisme croît, la probabilité d'un vote à droite augmente. Mais il me semble que leur travail ne se résume pas à cette seule proposition. Si Michelat et Simon affirment volontiers que les types A, B et C forment une relation d'ordre dans un univers politique, il n'en reste pas moins qu'ils font aussi apparaître un quatrième type, appelé le type Y, qui se caractérise par un apolitisme fort associé à un univers religieux «traditionnel». Or si beaucoup d'auteurs reprennent les modèles A et C, peu utilisent le modèle intermédiaire B et très rares sont ceux qui gardent à l'esprit l'existence du type Y. C'est dommage, car il témoigne selon moi de la diversité politique des catholiques. L'existence d'un tel type montre que l'on peut être catholique pratiquant sans que cela s'associe forcément à un univers politique nettement conservateur. Michelat et Simon avancent alors l'hypothèse d'une moindre compétence politique du type Y. Mais

---

[24] C'est le cas de D. Hervieu-Léger, art. cité.

on peut se demander si, en fait, il ne s'agit pas d'un modèle où la variable religieuse entraîne un retrait à l'égard de la chose politique. Autrement dit, le type Y ne contient-il pas en germe le modèle des «*fraternels*» que définiront Donegani et Lescanne quelques années plus tard? Reprendre la seule équation «intégration forte égale vote à droite» paraît un peu réducteur.

Troisièmement, Guy Michelat et Michel Simon n'affirment pas l'unicité de leurs modèles:

> Ainsi les sous-cultures dont nous avons bâti les modèles à partir d'entretiens de catholiques déclarés et d'ouvriers communisants irréligieux semblent bien constituer deux pôles particulièrement significatifs pour l'analyse du comportement politique. Mais il existe, entre ces deux pôles, de multiples situations intermédiaires et, sans doute, un grand nombre de combinaisons originales dont nous sommes très loin d'appréhender la diversité et la complexité[25].

Ce qu'ils mettent au jour dans leurs travaux, c'est l'existence de types majoritaires. Et rien ne dit, jusqu'à présent, que les sept modèles de Jean-Marie Donegani et Guy Lescanne s'opposent à la typologie de Guy Michelat et Michel Simon. Et si force est de constater que Jean-Marie Donegani a raison quand il affirme que l'intégration religieuse par la pratique a connu un net recul (9% à 10% de pratiquants réguliers) et que, par conséquent, le modèle de Guy Michelat et Michel Simon perd de sa valeurs — on peut en revanche se poser des questions sur la mise aux oubliettes de ce modèle explicatif[26]. Il semble en effet que, et ce y compris dans des travaux récents, la religion — examinée sous l'angle de la pratique religieuse — demeure une des variables lourdes de l'explication du comportement politique. Ainsi que le montrent Daniel Boy et Nonna Mayer, la variable religieuse — même si seulement un tiers des enquêtés seulement disent pratiquer au moins irrégulièrement — demeure une variable très pertinente: «Les sept variables prises en compte — degré d'activité, statut professionnel, pratique religieuse, niveau de diplômes, âge, sexe, nombre d'éléments de patrimoine — entrent toutes à des degrés divers dans les équations. Mais la religion et le statut social restent les principaux déterminants du vote pour la gauche comme pour la droite modérée.[27]»

---

[25] G. Michelat et M. Simon, ouvr. cité, p. 461.

[26] J.-M. Donegani, «L'individu et ses credo», *Projet*, no 240, 1994, p. 47-55.

[27] D. Boy et N. Mayer. *L'électeur français a ses raisons*, Paris, Presses de Sciences-po, 1997. Voir plus particulièrement leur chapitre «Que reste-t-il des variables lourdes?», p. 101-138.

Quatrièmement, aussi clairs et indiscutables que soient les travaux montrant le pluralisme religieux et politique des catholiques, il n'en demeure pas moins qu'ils ne prennent pas en compte le poids des différents modèles dans la société française. Le peuvent-ils d'ailleurs? Est-il possible d'obtenir des indicateurs suffisamment nombreux, diversifiés et précis pour faire émerger les sept modèles de la typologie de Jean-Marie Donegani et Guy Lescanne? En fait, autant ces sept catégories apparaissent comme les types idéaux des relations qui existent entre religion et politique parmi les catholiques, autant les groupes de Guy Michelat et Michel Simon constituent une typologie permettant de prendre toute la mesure du poids de ces relations dans la société française actuelle.

Au terme de cet examen des différents paradigmes en concurrence pour décrire, comprendre et expliquer le couple religion-politique, force est de constater que nous ne sommes pas en présence de paradigmes qui seraient en contradiction, qu'il s'agit plutôt de l'évolution d'un même paradigme. Il y a en fait, entre ces deux grands modèles, beaucoup de ressemblances et les opposer serait hasardeux. Il ne faudrait pas non plus oublier que les points de départ des auteurs ne sont pas les mêmes. Qu'y a-t-il de commun, en effet, entre la question débutant l'entretien de Guy Michelat et Michel Simon et celle de Jean-Marie Donegani? Alors que la première portait sur la politique et les partis, la seconde invitait à une réflexion sur le fait d'être catholique.

La suite de cet article voudrait ainsi apporter une modeste contribution au vaste débat inauguré par nos prédécesseurs. Il s'agit de montrer comment, dans un certain nombre de pays européens, religion et politique — au singulier — forment encore un modèle d'analyse pertinent pour la compréhension des comportements individuels. Nous verrons par la même occasion que l'équation «intégration religieuse forte égale univers politique conservateur» demeure valide et qu'elle s'applique aussi à la religion protestante, voire orthodoxe. À cette intention, je me servirai des données des enquêtes Eurobaromètre[28].

Un mariage qui déborde les frontières

Parler du lien entre religion et politique en tant que tendance, fréquence et positionnement des individus est certes au cœur du sujet tel que j'ai voulu l'aborder. Le lecteur avide de détails vivra alors des frustrations.

---

[28] Les enquêtes Eurobaromètre sont financées par l'Union européenne à des fins de connaissance politique de l'opinion publique européenne. Ce ne sont donc pas des enquêtes de recherche, mais leurs résultats sont utiles aux chercheurs.

L'intrusion dans la chambre à coucher est-elle légitime?

Ledit lecteur pourra regretter l'absence de mise en perspective en ce qui concerne le continent nord-américain, ou bien encore il pourra me reprocher l'imprécision des concepts ou leur manque de pertinence. Il pourra ensuite critiquer ma position épistémologique qui privilégie la régularité de la relation à la singularité de l'événement. Face à ces critiques légitimes, le sociologue que je suis implore la clémence du lecteur et tentera d'expliciter son propos.

1. D'une part, le but de ce texte est de montrer le changement de paradigme théorique dans l'étude du couple religion et politique. D'autre part, il s'agit de tester les paradigmes à l'échelle de l'Europe. L'ampleur du sujet est déjà telle que des choix draconiens et cornéliens ont été indispensables. Qui plus que le sociologue de la religion empiriste n'aurait pas désiré avoir un échantillon — ou mieux, un panel — permettant la comparaison dans le temps et dans l'espace sans se soucier de la taille de son échantillon. Mais les limites de l'exercice tiennent précisément à sa nature. Entrer dans un champ de validation popperien et essayer de faire œuvre scientifique, c'est faire face aux réalités inhérentes à l'empirie: les données ont leurs limites et il est souvent obligatoire d'utiliser des données imparfaites.

2. On pourrait objecter que l'étude menée ici est fallacieuse parce que l'indicateur qu'est la pratique religieuse n'a pas la même signification pour toutes les religions. Il serait donc illusoire de vouloir mener une étude comparative sur plusieurs religions. Deux arguments permettent au moins de relativiser cette objection. Le premier est que les religions que je compare sont toutes chrétiennes. Comme elles ont des racines et une histoire européenne communes, on peut penser qu'elles se prêtent alors à la comparaison. Le second argument est que si le choix de l'indicateur, c'est-à-dire la pratique, est discutable, celle-ci n'en demeure pas moins un indicateur solide. Dans un espace géographique ayant une histoire commune et en considérant des religions ayant un terreau commun, on peut tout de même croire que cet indicateur est pertinent, quelle que soit la religion chrétienne européenne prise en considération. De plus, je n'ai pas l'intention de me livrer à une déconstruction théorique quant à la pertinence de cet indicateur dans une perspective comparative, l'intérêt de l'analyse portant sur un autre élément: il s'agit de déterminer si les conséquences d'un degré donné d'intégration à une religion sont les mêmes sur le plan politique.

3. Il est relativement fréquent de s'intéresser à la désinstitu-tionnalisation du croire ou de montrer comment le pluralisme produit des formes politiques singulières, et je ne renie pas l'extrême richesse de

ces études. Cependant, telle n'est pas ma perspective. Je veux plutôt prendre la mesure de la continuité des liens entre religion et politique et montrer la permanence de la relation dans l'espace européen. Cette prise de position épistémologique met en avant la continuité plus que la discontinuité et je veux analyser ainsi plus sous l'angle des transformations que des ruptures les changements contemporains. Cette perspective met de plus l'accent sur les mutations externes des relations entre religion et société, alors qu'une épistémologie plus singulière s'attachera davantage aux mutations internes touchant la sphère religieuse vues comme une conséquence de la modernité.

Tester le modèle de Guy Michelat et Michel Simon dans l'espace européen, en vérifier la pertinence dans différents pays, différentes religions et mesurer sa variation dans le temps, tel est l'objectif. Pour ce faire, ma base de travail sera essentiellement les données cumulées des enquêtes Eurobaromètre.

Pour ne pas compliquer l'analyse et de façon à tenir compte des contraintes liées à la production même des données, il m'a fallu faire certains choix méthodologiques. Par exemple, afin de pouvoir effectuer une analyse satisfaisante de la pratique religieuse, j'ai dû la recoder en distinguant simplement les pratiquants des non-pratiquants. De la même manière, pour ne pas multiplier les indicateurs politiques, j'ai choisi de me référer à un indicateur synthétique: l'échelle gauche-droite.

Un couple stable pendant près de vingt ans (1973-1992)

D'abord, on observe une grande stabilité dans le temps de la structure du couple religion-politique (*voir le tableau 1*). Indépendamment de la religion ou de l'année considérées, les non-pratiquants sont toujours positionnés à gauche sur l'échelle gauche-droite, sauf en 1988 où les protestants pratiquants sont plus nombreux à gauche que les non-pratiquants.

On note aussi que l'écart entre pratiquants et non-pratiquants se réduit chez les catholiques. Observer le même type de relation chez les protestants permet d'insister sur les conséquences de l'intégration à un système normatif. Parallèlement, on peut en déduire que la corrélation entre le fait de ne pas pratiquer un positionnement à gauche est moins forte dans les années quatre-vingt-dix que dans les années soixante-dix.

Plusieurs hypothèses explicatives peuvent être avancées. Premièrement, ce resserrement découle de l'évolution des pratiquants. Dans le cas des catholiques — moins proches de la norme de l'Église en 1992 que vingt ans auparavant, encore pratiquants, mais de moins en moins régulièrement —, il est légitime de penser qu'ils ont pris leurs distances par rapport au conservatisme politique, et ce même chez les catholiques les plus pratiquants. Il est probable que le concile Vatican II, en légitimant le pluralisme, a contribué à l'émancipation politique du catholique. Deuxièmement, la société européenne ayant beaucoup changé entre 1973 et 1992, les motivations qui poussent au positionnement à gauche ont évolué. Dans le contexte contestataire des années soixante-dix, l'ordre établi était remis en question et la dimension politique devenait le moteur de l'engagement religieux. Par exemple, on était des «cathos de gauche» non pratiquants. Dans la décennie 1990, les valeurs changent et l'appartenance à un groupe religieux devient prépondérante, le positionnement politique passant au second plan. Par exemple, il est plus important de s'affirmer protestant — donc adhérant à une religion — que de se dire «protestant de gauche» ou «protestant de droite». Bref, l'affirmation d'une religion prédomine sur l'affirmation d'une position politique.

Enfin, on peut se demander si la fin des idéologies et la quasi-disparition du système communiste n'ont pas amoindri l'opposition idéologique qui existait entre pratiquants et non-pratiquants ou entre pratiquants et sans-religion.

Par ailleurs, le «rapport de chance» (*odds-ratio*) en ce qui concerne le vote pour un parti de droite ou de gauche en lien avec la pratique religieuse décroît régulièrement (*voir le tableau 2*).

Cela signifie, si l'on envisage une analyse longitudinale, que les liens entre l'intégration religieuse forte et le vote à droite sont de moins en moins intenses. Il n'en demeure pas moins que l'intégration religieuse demeure toujours une variable explicative lourde du comportement politique[29]. Selon le paradigme, on pourra montrer la pertinence ou la non-pertinence du couple religion et politique. Quoi qu'il en soit, cette analyse longitudinale indique clairement que la relation entre religion et politique opère de la même manière dans les trois religions chrétiennes. Du coup, on peut tenter d'étendre le modèle élaboré par Guy Michelat et Michel Simon. À la lumière de mes observations, il semble en effet possible de dire que la relation demeure vérifiable pour d'autres religions que la religion catholique. Ce n'est donc pas seulement une intégration au catholicisme qui déterminerait des comportements politiques conservateurs, mais bien l'intégration à une religion instituée. À partir du moment où une religion quitte la voie prophétique et contestataire pour devenir «attestaire», on peut se demander si le conservatisme politique ne va pas de soi. Dès lors, c'est

---

[29] Une étude effectuée avec l'échelle gauche-droite donne des résultats similaires. Les relations entre pratiquants et sans-religion se nouent de la même manière.

moins le contenu dogmatique de la religion considérée qu'il faut prendre en compte que son attestation politique. Toute religion qui perdrait son caractère prophétique se trouverait donc potentiellement porteuse de schèmes politiques conservateurs. Cette hypothèse mérite d'être vérifiée, mais, dans un premier temps, il convient de la tester dans différents pays européens. En effet, il se pourrait fort bien que la relation existe dans un contexte national précis, mais qu'elle ne soit pas significative dans un pays biconfessionnel, par exemple.

Avant de tenter d'expliquer la diversité des situations selon les pays, je veux montrer quelques aspects généraux de la relation religion-politique (*voir le tableau 3*). Premièrement, dans chacun des 11 pays pris en considération[30], les non-pratiquants se situent toujours plus à gauche que les pratiquants. Il existe donc une certaine universalité du couple religion-politique.

Par ailleurs, si l'écart entre pratiquants et non-pratiquants est globalement plus grand chez les catholiques (17,2%) que chez les protestants (13%), il n'en demeure pas moins que, pour l'ensemble, les différences sont d'importance. Même les orthodoxes confirment le sens et l'intensité de la relation (27%). Pour le catholicisme, l'écart entre pratiquants et non-pratiquants fluctue, mais il reste élevé, quel que soit le pays. L'Italie, avec 30%, présente l'écart maximal, ce qui s'explique très bien. Dans ce pays encore très marqué par le catholicisme et où l'on enregistre un haut niveau de pratique religieuse hebdomadaire, ne pas aller à la messe, c'est faire des choix de contestation — ecclésiale et politique — assez nets. Il n'est donc pas très surprenant que les catholiques non pratiquants soient beaucoup plus à gauche que les pratiquants. Le cas du Portugal, le pays où l'on relève le moins d'écart de positionnement politique entre les catholiques pratiquants et les catholiques non pratiquants, est plus complexe à analyser. Deux hypothèses peuvent être avancées pour expliquer ce phénomène. D'une part, l'influence de l'Église varie beaucoup selon les régions et il est possible que les variations régionales se traduisent par une moindre différenciation des attitudes politiques. D'autre part, la situation concordataire en vigueur au Portugal peut contribuer à amenuiser les différences entre catholiques pratiquants et non pratiquants.

L'autre observation notable dans ce tableau, c'est le cas des sans-religion. Quel que soit le pays étudié, les sans-religion sont toujours plus à gauche que les non-pratiquants. Que le pays soit de tradition orthodoxe, protestante ou catholique, cette tendance varie peu. Ainsi, en Grèce, pays orthodoxe, l'écart entre les sans-religion et les non-pratiquants est de 34%, alors qu'il est de 12% dans un pays protestant

---

[30] Le Luxembourg n'a pas été pris en compte à cause de sa faible population.

comme le Danemark et de 16% dans un pays catholique comme l'Italie.

Les hypothèses de départ — testées dans une perspective rétrospective — trouvent donc une relative confirmation. L'influence de la variable religieuse sur l'orientation politique demeure forte. Si ce résultat n'est pas une surprise dans le cas des catholiques ou des orthodoxes, il jette une nouvelle lumière sur le positionnement politique des protestants. L'idée d'un protestantisme éclairé et ayant mieux assimilé les valeurs de la modernité politique que le catholicisme plus à gauche ne fait pas recette.

Les sans-religion sont, dans tous les cas de figure, les moins conservateurs. Il est bon aussi de rappeler que l'écart — au chapitre de l'orientation politique — entre les pratiquants, les non-pratiquants et les sans-religion tend à s'amenuiser au fil des années, ce qui témoigne de la recomposition des systèmes de valeurs des Européens.

Un couple livré aux mutations: le point en 1998

La relation entre religion et politique ayant été mise en perspective, il convient à présent d'analyser la situation actuelle. À partir des données de l'Eurobaromètre 50 de 1998, c'est une actualisation de la réflexion que je propose. Comment, sous l'impact de la sécularisation et de la déchristianisation, et avec la perte d'influence des Églises, le couple religion et politique évolue-t-il? Que se passe-t-il au sein de l'Union européenne à la suite de l'arrivée d'un nombre grandissant de pays?

En 1998, dans l'Union européenne, les catholiques formaient plus de 50,7% de la population, loin devant les protestants (16,7%) et les orthodoxes (3,5%). Les autres religions ne représentaient que 4,4% de la population. La principale modification, ces dernières années, vient de la montée en puissance du groupe des sans-religion, qui a progressé régulièrement pour atteindre, en 1998, 24,6% de la population européenne. On a donc à la fois l'impression d'une grande stabilité, mais aussi d'une forme religieuse de *New Deal* avec la montée de l'indifférence religieuse.

Le premier élément qui ressort dans le tableau 4, c'est la grande convergence de ces données et de celles des années précédentes (*cf. tableau 1*). En ce qui concerne la moyenne européenne de ceux qui se placent à gauche de l'échiquier politique, on note une légère progression (3%), mais ce qui prédomine, c'est d'abord la permanence. Comme précédemment, lorsqu'on est pratiquant, on est toujours moins à gauche que lorsqu'on est non pratiquant. Par ailleurs, l'écart entre protestants et catholiques s'amenuise, si bien que la position politique des uns et des autres est assez proche. Ce que l'on affirme pour le protestantisme et le catholicisme n'est en revanche pas fondé pour l'orthodoxie. L'écart entre pratiquants et non-pratiquants demeure plus net que dans les autres religions. L'autre élément que met en évidence ce tableau, c'est le resserrement des écarts entre les non-pratiquants et les sans-religion. La tendance observable pour le catholicisme depuis plusieurs années devient décelable pour les autres religions. La proximité entre les sans-religion et les non-pratiquants s'accompagne d'une légère distanciation entre les pratiquants et les non-pratiquants.

Les résultats présentés dans le tableau 5 permettent de mesurer les écarts entre la tendance au cours des années 1975 à 1992 et la situation actuelle. Si l'on est attentif aux résultats globaux de ce tableau, le premier constat qui s'impose, c'est la permanence de la relation. Ici aussi, quel que soit le pays pris en considération, les pratiquants sont toujours moins à gauche que les non-pratiquants, eux-mêmes moins à gauche que les sans-religion. Toutefois, certaines nuances viennent relativiser cette vision d'ensemble. Ainsi, en Belgique, les non-pratiquants sont moins nombreux à gauche que les pratiquants. Mais ce phénomène s'explique peut-être par le contexte particulier de la Belgique au cours des quatre ou cinq dernières années. Les scandales sexuels, et surtout politiques, ont provoqué un sérieux traumatisme par rapport à la politique et il est possible que l'inversion de la relation soit liée à des facteurs plus conjoncturels que structurels.

Derrière la permanence de la relation, on voit se modifier sensiblement son intensité. Quelle que soit la religion considérée, chaque pays — à l'exception de l'Allemagne et du Portugal — voit les positions politiques des pratiquants et des non-pratiquants se rapprocher et l'écart varie de 1 % pour l'Espagne 17 % pour la Belgique. Le cas de l'Allemagne peut probablement s'expliquer par le processus de réunification qui a sans doute bousculé les cartes politiques et religieuses du pays. Quant au Portugal, on voit l'écart s'accroître entre pratiquants, non-pratiquants et sans-religion sans que des explications très claires apparaissent. Tout au plus peut-on émettre l'hypothèse que la montée régulière des forces de gauche depuis dix ans engendre des positions politiques plus tranchées entre catholiques pratiquants, catholiques non pratiquants et sans-religion.

Par ailleurs, dans deux des pays biconfessionnels — la Grande-Bretagne et l'Allemagne —, l'écart entre les sans-religion et les catholiques non pratiquants est négatif. Autrement dit, les sans-religion sont moins à gauche que les catholiques non pratiquants. Dans deux pays où le catholicisme ne compose pas le terreau culturel du pays, on peut supposer que le fait de se dire catholique est déjà un positionnement social plus affirmé que dans un pays où être catholique est la norme. Dans ces conditions sociétales, être catholique non pratiquant, c'est faire preuve d'une double autonomie. Autonomie d'une part par rapport à la société en se disant catholique, et d'autre part par rapport à l'Église catholique en s'affirmant non pratiquant. Il n'est donc pas très surprenant que les catholiques non pratiquants anglais ou allemands soient plus à gauche que les sans-religion.

Pourquoi la mariée n'est-elle pas en noir?

Dans l'étude du couple religion-politique, la question qui brûle les lèvres est souvent celle qui porte sur les situations extrêmes. Si un fort degré d'intégration religieuse augmente la probabilité d'avoir un univers politique conservateur, on peut penser qu'il existe une forte corrélation entre une intégration religieuse maximale et un univers extrémiste de droite. Or il n'en est rien. Des politologues ont observé que l'intégration à la religion catholique protège d'un attrait pour l'extrême droite[31] et les raisons qui l'expliquent sont assez claires. Une de ces raisons réside dans le fait que la position des évêques catholiques par rapport aux idées de l'extrême droite est sans ambiguïté. Ainsi, dès la naissance du Front national (FN), l'épiscopat a rappelé les exigences évangéliques et souligné leur incompatibilité avec les thèses du FN et l'on peut penser alors que la prise de position des évêques a porté ses fruits. Par ailleurs, si certains catholiques ont eu des tentations extrémistes, ils doivent être très minoritaires. Il ne s'agit pas de nier l'existence de groupes traditionalistes intégristes ayant choisi de voter pour Le Pen et d'adopter le rite de saint Pie V, mais simplement de souligner leur faible nombre. Enfin, on notera avec un certain soulagement qu'une étude temporelle montre qu'au fil des années la part des catholiques dans l'électorat d'extrême droite a tendance à diminuer. «De 1984 à 1997, le FN a perdu 7 points chez les catholiques pratiquants réguliers et en a gagné 12 chez les sans-religion[32].» On manque de recul à l'échelle européenne pour pouvoir être affirmatif, mais il est permis d'imaginer le même type d'antinomie entre extrême droite et degré élevé d'intégration religieuse. En tout cas, on peut affirmer que les enquêtes quantitatives ne montrent pas l'inverse. Dans une société européenne où se manifeste une montée des nationalismes, il était important de le souligner.

---

[31] P. Perrineau, *Le symptôme Le Pen. Radiographie des électeurs du Front National*, Paris, Fayard, 1997; N. Mayer, *Ces Français qui votent FN*, Paris, Flammarion, 1999.
[32] P. Perrineau, ouvr. cité, p 112.

Mais il semble indispensable de montrer, pour compléter ce panorama, comment le religieux et le politique peuvent se lier d'une manière particulière au sein de groupes politiquement ou religieusement bien identifiés. Les groupes qui sont présentés dans la suite doivent être considérés comme des idéaux-types de modes d'articulation bien spécifiques entre religion et politique.

Des couples aux mœurs particulières

Agnès Rochefort-Turquin s'intéresse à un mouvement de socialistes chrétiens[33]. Ces chrétiens, qui semblent appartenir au courant «intégral» et «intransigeant» du catholicisme, ont décidé, à la fin des années vingt, de s'engager en politique. Ils sont principalement issus de couches sociales populaires. Leur leader, Maurice Laudrain, cherche à rapprocher les idées chrétiennes et socialistes. En 1935, un mouvement voit le jour, le Front uni des chrétiens révolutionnaires. Les membres animent un journal, *Terre nouvelle*, qui affirme ouvertement le désir de conciliation entre socialistes et chrétiens. Il scandalisera l'opinion, car il fait référence explicitement au communisme[34]. Les réactions de la hiérarchie catholique face à *Terre nouvelle* sont très vives. En juillet 1936, le journal sera mis à l'Index par le Vatican. Le mouvement valorise l'action politique, qu'il conçoit comme un service à rendre à la collectivité. La ligne du mouvement est simple: tout chrétien sincère se doit d'être un révolutionnaire et de se dresser contre le capitalisme. À ses yeux, le christianisme est vécu de façon inconsciente par les travailleurs en lutte. L'adhésion de ces chrétiens au Front populaire sera massive. Ils comptent sur la présence des communistes dans le mouvement, tout en rappelant l'incompatibilité entre être chrétien et adhérer au Parti communiste. Ce mouvement n'est pas monolithique. Dès la création du Front populaire, des divergences apparaissent entre «pacifistes» et «révolutionnaires». Ces deux tendances donneront par la suite les «munichois» et les «anti-munichois». Les «munichois» refusent l'union nationale, alors que les «anti-munichois» sont prêts à l'accepter pour lutter contre le fascisme. L'auteure montre donc que l'affirmation chrétienne engendre parfois des attitudes politiques contestataires. Comme pour les études sur les itinéraires individuels, les liens entre les croyances religieuses et les attitudes politiques ne sont donc pas systématiques. Une forte intégration religieuse n'engendre pas nécessairement un comportement politique conservateur.

---

[33] A. Rochefort-Turquin, *Front Populaire: socialistes parce que chrétiens*, Paris, Cerf, 1986.
[34] Une faucille et un marteau sur fond de croix chrétienne illustrent la couverture du journal.

Dans un livre portant sur l'histoire des chrétiens dans le monde rural[35], les auteurs montrent comment les objectifs du mouvement ont évolué au fil des années. Le mouvement naît en 1939 sous le nom de Ligue agricole catholique (LAC). L'impulsion de départ est une rechristianisation de la France rurale. Pendant la guerre, le mouvement s'oriente essentiellement vers une pastorale familiale avec la diffusion du journal du mouvement, *Foyer rural*. À la fin de la guerre, la LAC devient le Mouvement familial rural (MFR) et garde, comme son nom l'indique, la famille comme axe prioritaire. Ce changement de nom témoigne d'une volonté du mouvement de se démarquer des mouvements de l'Action catholique. Dans l'après-guerre, un changement s'amorce. On veut toucher un large public rural, mais aussi inciter les membres du mouvement à adhérer aux organisations qui se développent dans le monde rural. On note donc, au cours de cette période, une volonté de quitter le giron ecclésial pour s'insérer dans le monde. Le mouvement, conscient de la diversification du monde rural, se structure en créant des réseaux socioprofessionnels. À partir du concile, le MFR, qui deviendra Chrétiens en monde rural en 1966, prend un tournant. En 1965, le Congrès de Chartres ébranle les certitudes fondatrices du mouvement. D'une part, à la suite du concile, l'Église n'a plus l'uniformité d'autrefois. Elle n'est plus détentrice d'une vérité inaliénable et dogmatique. D'autre part, le monde n'apparaît plus comme étranger. Dieu y est présent avec les hommes. «Construire le monde, c'est participer à la création par Dieu[36].» De plus, le mouvement redéfinit sa mission. La rechristianisation n'est plus évoquée, mais le mouvement insiste sur l'apport du monde pour les chrétiens et l'apport des chrétiens pour la transformation du monde. Enfin, en 1972, le mouvement rompt avec le passé. Deux orientations sont prises. La structuration en réseaux socioprofessionnels s'intensifie et chaque réseau bénéficie désormais d'une large autonomie. L'autre orientation concerne l'esprit du mouvement qui affirme une volonté de combattre, au nom de l'Évangile, pour les grands problèmes humains. Il s'agit là d'une volonté affirmée d'articuler le mouvement et la société. C'est donc l'évolution de l'éthique prêchée par le mouvement qui nous intéresse ici. Ce mouvement d'action catholique, bien qu'il soit spécialisé dans un milieu assez conservateur, est marqué par l'évolution du monde et de l'Église. On voit ainsi qu'une forte intégration religieuse, dans un milieu plutôt conservateur, n'engendre pas nécessairement des attitudes religieuses et sociales conservatrices.

André Grelon et Françoise Subileau établissent une comparaison entre les membres du Mouvement des cadres chrétiens (MCC) et ceux

---

[35] J.-L. Ducasse et autres, *Chrétiens dans le monde rural*, Paris, Éditions ouvrières, 1989.
[36] *Ibid.*, p. 147.

de La Vie nouvelle[37]. Les premiers se rapprochent du modèle de forte intégration religieuse et de conservatisme politique mis en évidence par Guy Michelat et Michel Simon. Les seconds, aussi fortement intégrés au catholicisme, ont des attitudes politiques plus progressistes. Ils sont donc proches du modèle minoritaire de Pierre Bréchon et Bernard Denni. Toutefois, les relations sont moins évidentes que prévu. Le MCC apparaît moins conservateur et La Vie nouvelle, moins ancrée à gauche. Des raisons historiques peuvent expliquer ce phénomène surprenant. L'Union sociale des ingénieurs catholiques (USIC), l'ancêtre du MCC, est, à sa création, une institution progressiste. Elle préconise un engagement dans le monde, a des revendications salariales et est parfois virulente envers le patronat, même s'il est catholique. Il semble que le MCC, malgré un changement d'objectif, soit marqué par cette optique «chrétienne-sociale[38]». Pour sa part, La Vie nouvelle a, lors de sa création, des positions politiques très ancrées à gauche. Mais elle doit, à présent, les relativiser, car elle est insérée à la fois dans le domaine politique et dans le domaine religieux. Or donner trop d'importance à la sphère du politique entraînerait une perte des objectifs religieux et, du coup, elle perdrait sa spécificité. Dans les deux mouvements, on assiste à un indispensable rééquilibrage entre les priorités religieuses et politiques. La dimension religieuse apparaît donc ici comme un facteur qui vient relativiser la dimension politique des mouvements.

Dans un autre ordre d'idée, il pouvait sembler audacieux de postuler l'existence, à l'intérieur d'un groupe religieux bien identifié et intégraliste, d'une diversité des comportements politiques. C'est pourtant l'hypothèse de base de l'article de Christine Pina sur le Renouveau charismatique[39]. À partir d'entretiens dans différentes communautés charismatiques, elle montre la diversité des univers religieux et politiques des membres. Prenant les membres les plus intégrés au Renouveau charismatique — les engagés —, l'auteure retrace leurs itinéraires individuels. Pour deux groupes différents — le Chemin Neuf et les Béatitudes —, elle suit la même démarche: l'exploration des itinéraires de vie. Au Chemin Neuf, la rencontre avec Dieu s'inscrit dans une logique historique et les enquêtés n'évoquent pas de rupture.

---

[37] A. Grelon et F. Subileau, «Le Mouvement des Cadres Chrétiens et La Vie Nouvelle: des cadres catholiques militants», *Revue française de science politique*, juin 1989, p. 314-340.

[38] Il s'agit aujourd'hui essentiellement d'un mouvement qui réfléchit sur l'insertion dans le travail. L'orientation syndicale a été abandonnée.

[39] C. Pina, «Religion et politique dans le «Renouveau charismatique». La cas de deux communautés françaises», *Religiologiques*, no 16, automne 1997, p. 113-133.

À l'opposé, les engagés des Béatitudes privilégient une vision bipolaire du monde où la rencontre avec Dieu devient le point de départ entre un avant et un après. L'attitude par rapport à la politique est alors tout autre. Au Chemin Neuf, la communauté peut devenir le lieu privilégié pour une expérimentation politique: «Le Chemin Neuf dit qu'un autre chemin d'ordre socio-politique peut être préféré, que le partage économique peut être un choix de société, loin des constructions communistes ou capitalistes.» Aux Béatitudes, le discours sur la politique est très critique. Pour ses membres, la société est malade et le système politique est devenu fou. Dès lors, le rapport à la politique est un tant soit peu délicat. Au sein d'un groupe de catholiques fortement intégralistes, la diversité des conceptions de la société et de la politique peut donc s'observer. Certes, Jean-Marie Donegani l'avait déjà montré, mais ce qui est novateur ici, c'est la spécificité du groupe. Alors que Donegani le montre pour des citoyens français, l'apport de Christine Pina valide ces formes de pluralisme au sein d'un même mouvement, le Renouveau charismatique. Même dans des groupes où le religieux — la dimension émotionnelle, le charisme et l'intuition du groupe, la vision globalisante de la vie — est fortement structurant, des visions différentes du et de la politique se font jour. Si de telles formes de pluralisme existent, on peut alors penser que le pluralisme politique touche tous les groupes, y compris les «virtuoses du religieux».

Conclusion

Au terme de cet article, force est de constater que le couple religion et politique est malmené. La sécularisation de la société et la sécularisation interne du christianisme ont eu raison d'une relation monolithique.

Un nouveau paradigme montrant le pluralisme politique des chrétiens est en place. Deux remarques me semblent nécessaires. D'une part, le paradigme du pluralisme n'invalide pas le paradigme précédent, il se substitue à lui en le complétant et en le faisant évoluer. D'autre part, il reste toutefois beaucoup à faire pour valider ce nouveau paradigme. Des études de terrain quantitatives — au moyen de nouveaux indicateurs religieux — en vue de mesurer ce pluralisme sont nécessaires. C'est la condition de base pour pouvoir notamment mesurer la force sociale des différents modèles établis par Jean-Marie Donegani et Guy Lescanne. Il serait aussi nécessaire de valider ces recherches au moyen d'études comparatives.

Il n'appartient pas au sociologue de prédire la manière dont évoluera le couple religion-politique durant le troisième millénaire. On peut toutefois souligner que la multiplication des groupes religieux —

charismatique, intégriste, action catholique, etc. —, que l'Église peut difficilement réguler, amène à envisager une multiplicité d'options politiques. De même, la venue de l'islam dans l'espace européen risque d'engendrer de nouvelles configurations du couple religion-politique. Dans une conjoncture où l'islam s'implante durablement et où les fondamentalismes religieux contestent l'autonomie du politique, on peut penser que le couple religion-politique est encore voué à de nombreuses transformations. Le travail du sociologue est donc loin d'être achevé...

Kristoff TALIN
Chargé de recherche au CNRS
CIDSP-IEP Grenoble

Résumé

Les liens entre religion et politique sont anciens et les études les concernant, relativement nombreuses. En France, le modèle dominant des années soixante — montrant l'intensité de la relation entre vote à droite et intégration au catholicisme — est aujourd'hui remis en question. Les modèles concurrents insistent sur le pluralisme du catholicisme et sur les conséquences politiques plurielles. L'article se propose, d'une part, d'examiner la pertinence de deux modèles, et, d'autre part, de les tester en les appliquant à divers pays d'Europe. Les résultats montrent que la relation entre religion et politique demeure intense et relativement stable, quel que soit le pays étudié ou la religion prise en considération. Ainsi, même si des aménagements au premier paradigme sont nécessaires, il n'en reste pas moins que celui-ci demeure valide pour analyser le couple religion et politique.

Mots-clés: religion, politique, catholicisme, France, Europe, pratique religieuse, vote, droite religieuse.

Summary

The links between religion and politics have a long history, and studies of them are relatively numerous. In France, the dominant model during the 1960s—which revealed the intensity of the relationship between right-wing voting and integration to Catholicism—is now being questioned. Concurrent models insist on the pluralism of Catholicism and the consequences of plural politics. This article examines the relevance of two models on the one hand, and tests them by applying them to various European countries on the other. It demonstrates that the relationship between religion and politics remains intense and relatively stable no matter which country is studied or which religion is considered. As such, despite the need for some adjustments to the first paradigm, it is no less true that this it is still valid for analyzing the religion-politics couplet.

Key-words: religion, politics, Catholicism, France, Europe, religious practice, voting, religious right.

Resumen

Los lazos entre religión y política son antiguos y los estudios que los conciernen, relativamente numerosos. En Francia, el modelo dominante de los años sesenta — mostrando la intensidad de la relación entre el voto de derecha y la integración al catolicismo — es hoy puesto en duda. Los modelos concurrentes insisten en la pluralidad del catolicismo y en las consecuencias políticas diversas. El artículo se propone, por un lado, examinar la pertinencia de dos modelos, y por el otro someterlos a un test, aplicándolos a distintos países de Europa. Se muestra que la relación entre religión y política se mantiene intensa y relativamente estable, cualquiera sea el país estudiado o la religión puesta en consideración. Así, aún cuando ciertos ajustes se hacen necesarios en el primer modelo, sigue siendo cierto que dicho paradigma es válido aún para analizar el duo religión-política.

Palabras claves: religión, política, catolicismo, Francia, Europa, práctica religiosa, votación, derecha religiosa.

Tableau 1

Positionnement à gauche sur l'échelle gauche-droite selon la pratique religieuse

	1973	1976	1977	1978	1980	1981	1988	1989	1990	1991	1992
Moyenne	33	31	31	32	31	31	35	35	34	33	33
Catholiques											
Pratiquants	31	26	27	27	27	26	30	31	29	30	30
Non pratiquants	52	53	49	51	45	47	45	50	49	47	41
Protestants											
Pratiquants	26	17	16	17	20	18	27	27	25	22	23
Non pratiquants	40	29	26	28	26	28	25	33	33	29	28
Orthodoxes											
Pratiquants						31	26	22	24	23	21
Non pratiquants						50	38	44	50	53	34
Sans-religion	48	49	51	53	48	48	54	52	47	46	47

Les résultats se lisent de la façon suivante: en 1992, 33 % des Européens se positionnent à gauche, mais c'est le cas de 30 % des catholiques pratiquants et de 41 % des non-pratiquants.

Tableau 2
Odds-ratios **droite-gauche entre catholiques pratiquants (CP),**
protestants pratiquants (PP) et orthodoxes pratiquants (OP)
par rapport aux sans-religion (SR)

Année	CP/SR	PP/SR	OP/SR
1976	3,9756	4,0732	
1977	4,3684	3,5263	
1978	4,3824	3,6765	
1980	4,7273	3,2424	
1981	5,4615	3,3462	
1988	2,6000	2,9250	2,8000
1989	2,5556	2,5111	2,6222
1990	3,3429	2,4286	3,4286
1991	2,4731	2,6237	2,3871
1992	2,1296	2,2963	1,8889

Ce tableau présente des rapports de pourcentage. Autrement dit, la première colonne présente les résultats des divisions suivantes: [(Pourcentage de catholiques pratiquants votant à droite divisé par le pourcentage de catholiques pratiquants votant à gauche) divisé par le (pourcentage de sans-religion votant à droite divisé par le pourcentage de sans-religion votant à gauche)]. Les colonnes deux et trois appliquent la même formule pour les protestants et pour les orthodoxes.

Tableau 3

Positionnement à gauche sur l'échelle gauche-droite selon la pratique religieuse et le pays.
Moyenne de la période 1975-1992

	Fr.	Belg.	Pays-B.	All.	Ital.	Dk	Irl.	G.-B.	Grèce	Esp.	Port.
Moyenne	39	25	34	26	44	26	19	24	28	52	26
Catholiques											
1. Pratiquants	27	15	20	18	36		18	28		42	22
2. Non pratiquants	44	30	33	37	66		37	30		63	31
Différence (2-1)	*17*	*15*	*13*	*19*	*30*		*19*	*12*		*21*	*9*
Protestants											
1. Pratiquants	29		19	25		19		18			
2. Non pratiquants	46		39	34		30		26			
Différence (2-1)	*17*		*20*	*9*		*11*		*8*			
Orthodoxes											
1. Pratiquants									25		
2. Non pratiquants									52		
Différence (2-1)									*27*		
Sans-religion	61	43	49	46	82	42	45	29	86	78	50

Les résultats se lisent de la façon suivante: en France, durant la période 1975-1992, 39 % des enquêtés se positionnent à gauche, alors que c'est le cas de 27 % des pratiquants et de 44 % des non-pratiquants, soit une différence de 17 %, alors que les sans-religion se positionnent à gauche dans une proportion de 61 %.

Tableau 4
Position à gauche en fonction de la
pratique religieuse en 1998

	1998
Moyenne européenne	36
Catholiques	
Pratiquants	31
Non pratiquants	44
Protestants	
Pratiquants	29
Non pratiquants	37
Orthodoxes	
Pratiquants	22
Non pratiquants	37
Sans-religion	45

Le tableau se lit de la façon suivante: 36% des Européens en 1998 se positionnent à gauche, alors que c'est le cas de 31% des catholiques pratiquants et de 44% des catholiques non pratiquants.

Tableau 5

Positionnement à gauche sur l'échelle gauche-droite selon la pratique en fonction des pays en 1998

	Fr.	Belg.	Pays-B.	All.	Ital.	Dk.	Irl.	G.-B.	Grèce	Esp.	Port.
Moyenne	42	35	32	35	38	27	19	30	23	42	36
Catholiques											
1. Pratiquants	34	31	27	25	33		18	30		33	31
2. Non pratiquants	40	29	27	48	47		33	39		53	52
Différence (2-1)	*6*	*-2*	*0*	*23*	*14*		*15*	*9*		*20*	*19*
Différence 98-(75-92)	*-11*	*-17*	*-13*	*4*	*-16*		*-4*	*-3*		*-1*	*10*
Protestants											
1. Pratiquants			24	31		25		26			
2. Non pratiquants			30	44		31		31			
Différence (2-1)			*6*	*13*		*6*		*5*			
Différence 98-(75-92)			*-14*	*4*		*-5*		*-3*			
Orthodoxes											
1. Pratiquants									23		
2. Non pratiquants									40		
Différence (2-1)									*17*		
Différence 98-(75-92)									*-10*		
Sans-religion	54	47	37	46	72	39	33	31	67	66	58

Les résultats se lisent de la façon suivante: en France, en 1998, 42 % des enquêtés se positionnent à gauche, alors que c'est le cas de 34 % des pratiquants et de 40 % des non-pratiquants, soit une différence de 6 %. La différence entre 1998 et la moyenne de la période 1975-1992 est de -11 %, ce qui signifie que l'écart entre pratiquants et non-pratiquants tend à diminuer dans le temps.

Cahiers de recherche sociologique, no 33, 1999

La construction de l'islamité et l'intégration sociale des musulmans selon la perspective des leaders musulmans au Québec

Ali DAHER

Cet article porte sur la construction de l'islamité et sur la conception de l'intégration que véhiculent les leaders de la communauté musulmane de Montréal. Il se centre sur le discours que les leaders religieux adressent aux musulmans et aux non-musulmans dans le but de cerner leur conception de l'intégration, les types d'influence qu'ils entendent exercer sur les musulmans et sur les institutions québécoises ainsi que l'interprétation qu'ils proposent à leurs coreligionnaires en ce qui a trait aux contradictions et aux problèmes que vivent les musulmans face aux valeurs de la société d'accueil.

Les leaders religieux jouent un rôle important en tant que guides et ressources à qui peuvent s'adresser les membres de leur communauté. Indépendamment de la pratique religieuse des musulmans, les leaders religieux remplissent une fonction importante, notamment parce qu'ils sont en mesure de se prononcer sur les différents problèmes que peuvent connaître les musulmans dans la vie quotidienne en matière d'application des préceptes islamiques (vêtement, nourriture halal, droit familial islamique, etc.). La situation d'immigration récente dans laquelle se trouvent les musulmans au Québec amène également les leaders de la communauté musulmane à servir de lien entre celle-ci et la société d'accueil. Dans ces circonstances, on ne peut que supposer que ces leaders ont une conception particulière de l'intégration de leurs coreligionnaires. On peut aussi supposer qu'ils essaient de donner une certaine visibilité à l'islam afin de construire une islamité québécoise. Cette islamité, comment la forgent-ils? Cette conception de l'intégration, que contient-elle? Répondent-elles aux attentes de la société d'accueil?

La construction sociale de l'islam au Québec (une islamité québécoise) présente des traits comme: la différenciation sociale fondée sur une catégorisation nette entre les musulmans et les non-musulmans;

la tendance à établir des rapports instrumentaux avec les non-musulmans; la valorisation d'une organisation communautaire des musulmans prévalant sur l'intégration des individus à la société d'accueil (communautarisme); la volonté de rendre plus visible l'islam sur la scène sociale québécoise. Mon intention ici est de cerner les conséquences de ce type de construction de l'islamité et ses nombreuses implications sociales observables notamment dans les relations intergroupes, dans la participation sociale et dans les requêtes d'accommodement adressées aux institutions publiques.

Je propose aussi un certain nombre de réflexions critiques sur les effets pervers, eu égard à la tendance communautariste des leaders, de l'attribution de droits particuliers de nature collective aux minorités. C'est que j'ai pu constater que les accommodements obtenus ont pour effet de consolider la communauté et d'y retenir les membres, entre autres ceux qui sont en position plus fragile ou défavorisés.

Pour réaliser cette étude, j'ai entrepris un travail de collecte d'informations qui s'est fait par: a) une observation participante qui m'a amené à assister à différents types d'événements (fêtes religieuses, prêches, discours publics, communications orales, interventions et conférences faites par les leaders, rencontres et meetings de soutien des causes islamiques); b) des entrevues avec des personnes qui jouent un rôle au sein des organisations islamiques (13 leaders dont 3 femmes); et c) des articles écrits par des leaders et publiés dans les journaux. Au total, les données réunies proviennent de plus de 72 leaders d'importance diverse dont 18 imams (9 sunnites et 9 chiites) et 54 leaders non imams (44 hommes et 10 femmes). La plupart de ces leaders sont nés à l'extérieur du Québec. Ils sont originaires des pays suivants: Algérie, Égypte, Inde, Iran, Iraq, Liban, Pakistan, Syrie, Soudan, Tunisie, Turquie, ex-Yougoslavie, et certains étaient des Québécois convertis à l'islam. Il y avait au total 52 leaders sunnites et 20 leaders chiites.

1   Quelques caractéristiques de la population musulmane à Montréal

La population islamique au Québec se compose principalement de deux contingents: les immigrants originaires des pays arabes (Liban, Algérie, Tunisie, Maroc) majoritairement francophones et ceux qui sont originaires de l'aire indo-pakistanaise (Pakistan, Inde) principalement anglophones. Les pays francophones qui reçoivent des immigrants attirent plus les immigrants francophones, tandis que les pays anglophones attirent surtout les immigrants anglophones. Pour cette raison, le Québec accueille des musulmans francophones pour la plupart et le Canada anglais accueille des musulmans en majorité anglophones.

La spécificité de la société québécoise où vit, bien sûr, une forte majorité francophone, mais aussi une minorité anglophone établie de longue date et disposant d'institutions économiques et culturelles, fait qu'elle attire une immigration plus diversifiée que ne le ferait une société monolingue. Ainsi, la population musulmane du Québec est plus diversifiée, de point de vue linguistique et ethnique, que celles que l'on rencontre dans les autres pays occidentaux ou même dans d'autres provinces canadiennes. La population musulmane de Grande-Bretagne est surtout d'origine sud-asiatique[1], alors que celle de la France est surtout d'origine maghrébine. Quant à la population musulmane immigrante en République allemande, elle est formée par un grand pourcentage de musulmans d'origine turque[2]. En ce qui concerne le Québec, et plus particulièrement sa métropole, et compte tenu du bilinguisme qui n'existe réellement au Canada qu'à Montréal, l'immigration islamique provient de divers pays. Ainsi, on peut dire que la population musulmane au Québec est divisée en deux groupes: francophone et anglophone. Si l'on considère l'origine nationale, on peut aussi diviser la population musulmane du Québec en deux grandes parties qui correspondent à la division linguistique. La première se compose des musulmans arabes (d'origine maghrébine — une proportion des musulmans maghrébins est berbère —, libanaise, égyptienne, etc.). La deuxième partie, la plus anciennement installée, est indo-pakistanaise[3]. En plus, compte tenu d'un taux important d'immigration en provenance de certains pays comme le Liban et l'Iran, le pourcentage des musulmans chiites dans la population musulmane montréalaise est plus élevé que dans les autres pays du monde[4].

Pour certains auteurs, les origines nationales ou doctrinales et, conséquemment, l'histoire particulière des sous-groupes influent sur la

---

[1] W. Menski, «Nationalité, citoyenneté et musulmans en Grande-Bretagne», dans R. Bistolfi et F. Zabbal (dir.), *Islams d'Europe. Intégration ou insertion communautaire?*, Paris, Aube, 1995, p. 133-140.

[2] En République fédérale allemande, on compte 1,6 million de musulmans d'origine turque (A. Uçar, «Pratiques sociales et références religieuses», dans R. Bistolfi et F. Zabbal (dir.), ouvr. cité, p. 226-230, 1995).

[3] D'après le recensement de 1991, Statistique Canada avance les nombres suivants: musulmans d'origine maghrébine (Maroc, Tunisie et Algérie), 8030; libanaise, 6715; indo-pakistanaise (Pakistan, Inde et Bangladesh), 7645.

[4] Le pourcentage des chiites à Montréal dépasse, selon les estimations des leaders de cette communauté, 30%, alors que dans le monde il ne dépasse pas 15%.

conception de l'intégration[5]. D'après les chercheurs qui ont étudié cette question, les musulmans originaires du Maghreb qui sont installés en France, étant donné leur expérience historique négative avec les Français dans le contexte de la domination coloniale, sont plus enclins à prendre leurs distances par rapport à la société française en affirmant leur identité islamique[6].

La diversification liée à l'origine nationale, à la langue et à la tradition doctrinale des musulmans au Québec fait que la situation s'y présente différemment, par comparaison aux autres pays du monde où il y a immigration islamique. Ainsi, le Québec n'a pas un passé de nation colonisatrice et les musulmans québécois n'ont pas l'expérience historique coloniale de leurs coreligionnaires à l'égard de la société d'accueil, comme c'est le cas de ceux qui sont établis en France ou en Grande-Bretagne. Et bien qu'on relève une diversité quant à l'origine et à l'expérience historique de la population islamique de Montréal, mes observations montrent toutefois qu'en contexte d'immigration au Québec l'origine ethnique et l'expérience historique des leaders ne sont pas des variables déterminantes de la conception de l'intégration. La diversité de la communauté musulmane de Montréal ne semble pas avoir une forte incidence sur le discours des leaders, tout comme l'origine ethnique de ces derniers ne détermine pas de façon significative leur conception de l'intégration. Le discours des leaders musulmans au Québec, relativement à l'intégration, est plus influencé, comme nous le verrons, par l'expérience des autres collègues musulmans œuvrant dans les pays occidentaux d'immigration que par leur origine ethnique.

Par ailleurs, on constate une certaine faiblesse du leadership de la communauté musulmane au Québec, due à l'immigration récente des musulmans, à leur diversité ethnique, nationale et doctrinale, à une organisation encore plus structurée et à certaines caractéristiques de l'islam lui-même, par exemple l'inexistence d'une hiérarchie islamique et le principe de la relation directe entre le croyant et Dieu. Il semble que ces divers éléments se répercutent sur la définition du concept d'intégration véhiculée dans le discours des leaders musulmans.

Ainsi, pour résoudre les difficultés auxquelles fait face la communauté, les leaders musulmans du Québec sont toujours en quête d'une aide de l'extérieur. Cette aide de l'extérieur devient extrêmement importante pour eux. Les liens se tissent de plus en plus avec des leaders

---

[5] J. Cesari, «Les modes d'action collective des musulmans en France: le cas particulier de Marseille», dans B. Étienne (dir.), *L'islam en France*, Paris, CNRS, 1990, p. 281-293; W. Menski, art. cité.
[6] J. Cesari, art. cité.

islamiques d'autres pays, de sorte que le discours des leaders musulmans au Québec n'est pas tout à fait indépendant du discours islamique général tenu dans les communautés musulmanes des pays occidentaux. D'ailleurs, certains organismes islamiques internationaux, comme la Ligue islamique mondiale, semblent chercher à influencer les groupes musulmans dans les pays d'immigration et vouloir créer un organisme mondial qui veillerait à l'établissement d'un islam le plus unifié possible partout dans le monde.

2 La conception de l'intégration chez les leaders musulmans à Montréal

La conception de l'intégration chez les leaders musulmans à Montréal est grandement influencée par les expériences des musulmans français et britanniques ainsi que par leur perception des politiques d'intégration canadienne et québécoise.

2.1 L'influence des expériences britannique et française

La définition du concept d'intégration véhiculée actuellement par les leaders dans les pays occidentaux peut être située sur un continuum dont le point minimal est bien défini, tandis que le point maximal est insaisissable et dépend des circonstances. Le point minimal est l'intégration communautaire des musulmans «en tant que collectivité religieuse[7]» et non pas une intégration sur une base individuelle. Quant au point maximal du spectre des attitudes, il est ouvert sur toutes les possibilités dont celle-là même d'islamiser la société tout entière, ce qui constitue, aux yeux de certains leaders, une option à ne pas éliminer. Le chercheur Bassam Tibi traite de cette option en analysant l'islam en Europe. Il divise l'islam européen en deux catégories: l'«euro-islam» et l'«islam-ghetto». Selon lui, si l'«euro-islam», qui désigne l'adaptation de l'islam à la vie dans une société démocratique libérale, échoue, on se dirige vers un «islam-ghetto», qui traduit «le refus de l'intégration, l'incapacité de s'insérer dans un cadre pluraliste et de se considérer comme une communauté religieuse parmi d'autres[8]».

Actuellement, la stratégie des leaders musulmans consiste de plus en plus dans la création d'institutions islamiques dans les pays occidentaux. Les leaders musulmans de Grande-Bretagne sont les

---

[7] F. Dassetto, «En débat: les modalités d'insertion de l'islam dans l'espace public», dans R. Bistolfi et F. Zabbal (dir.), ouvr. cité, p. 124.

[8] B. Tibi, «Les conditions d'un euro-islam», dans R. Bistolfi et F. Zabbal (dir.), ouvr. cité, p. 231.

meneurs à ce chapitre. En Grande-Bretagne, certains leaders préconisent même la création d'un parlement proprement islamique qui s'occuperait des affaires des musulmans britanniques.

Compte tenu de leur origine nationale et du fait qu'ils se divisent en deux groupes — leaders arabes qui viennent essentiellement des pays de la francophonie et leaders pakistanais originaires des pays anglophones —, les leaders musulmans au Québec entretiennent des relations étroites avec leurs confrères de France et de Grande-Bretagne. Les leaders arabes connaissent l'expérience des musulmans en France et ont des liens avec ceux-ci, tandis que les leaders pakistanais connaissent l'expérience de leurs confrères actifs en Angleterre et sont en contact avec eux.

J'ai constaté que l'influence des leaders actifs en Grande-Bretagne sur leurs confrères du Québec est plus forte que celle des leaders musulmans français. Les premiers ont une conception de la société fondée sur un modèle communautaire qui divise la société en communautés religieuses habilitées à gérer les affaires de leurs membres comme elles le désirent. Selon Menski, les musulmans britanniques «ont développé et façonné une stratégie de contact minimal avec l'État. Ils vivent en Grande-Bretagne, mais dans leur propre monde, sur lequel ils ont une bien plus grande emprise[9]».

Cette «stratégie de contact minimal» avec une société non islamique semble valorisée par les leaders musulmans, quel que soit le contexte national et politique dans lequel ils se trouvent. Une telle attitude est plus répandue parmi les leaders musulmans établis dans les pays occidentaux où les communautés musulmanes sont minoritaires. D'ailleurs, cette conception est plus proche de la vision islamique traditionnelle de la société suivant laquelle le monde est divisé selon l'appartenance religieuse. Les leaders indo-pakistanais qui connaissent plus que les autres l'expérience de l'islam en Grande-Bretagne en profitent donc pour mener une campagne d'incitation à adopter ce modèle pour les autres communautés musulmanes. Ce sont d'ailleurs les leaders musulmans québécois d'origine indo-pakistanaise qui sont les artisans de la fondation des organismes islamiques tels le tribunal de la *charia*, les écoles islamiques, le village islamique, etc.

Plusieurs variables interviennent pour donner une telle prépondérance au discours des leaders musulmans pakistanais par rapport à l'ensemble du discours du leadership islamique au Québec. Premièrement, l'ancienneté de l'implantation au Québec de la

---

[9] W. Menski, art. cité, p. 139.

communauté musulmane d'origine pakistanaise confère à ses leaders une certaine notoriété historique (les musulmans d'origine indo-pakistanaise ont constitué la première vague migratoire. Elle a été suivie par des vagues libanaise, iranienne et irakienne. On assiste actuellement à une vague algérienne). Deuxièmement, les leaders d'origine pakistanaise ont des connaissances plus avancées de l'expérience migratoire des musulmans dans les pays occidentaux, qu'ils ont acquises par le biais de l'expérience des musulmans en Grande-Bretagne (la langue anglaise et l'origine indo-pakistanaise sont communes, ce qui crée des relations très étroites entre eux). Enfin, les ressemblances entre les politiques canadiennes et celles des Britanniques en matière d'intégration favorisent chez les leaders musulmans d'origine pakistanaise la tendance à reproduire au Québec ce qui passe en Grande-Bretagne (les politiques tant anglaises que canadiennes et québécoises sont permissives envers l'institutionnalisation des groupes dans la société, ce qui joue en faveur de la vision communautaire de l'intégration qu'ont les leaders musulmans).

Pour leur part, les leaders musulmans québécois d'origine arabe sont principalement francophones (surtout les Libanais et les Maghrébins). Ils ont plus de connaissances au sujet de l'expérience française, qu'ils considèrent comme désagréable (la question du voile et son interdiction, par exemple). Les lois françaises en matière d'immigration, de citoyenneté et d'intégration sont différentes de celles qui ont cours au Canada et au Québec. La politique française est assimilationniste, ce qui est mal vu par les musulmans. Les leaders musulmans d'origine arabe dénoncent cette conception de l'intégration de type assimilationniste à la française. C'est pourquoi ils préfèrent nettement aligner leur discours sur celui de leurs confrères pakistanais qui sont plus aptes et plus expérimentés dans ce domaine.

La situation nationale Québec-Canada n'est pas sans influer sur la perception des acteurs sociaux que sont les leaders. La controverse permanente autour de la question nationale et les revendications d'une large partie de la population québécoise qui espère l'indépendance ne peuvent qu'influencer les groupes minoritaires dans la société québécoise, dans le sens d'une certaine indépendance communautaire.

Les leaders musulmans semblent donc profiter avec aisance d'une perspective répandue au Québec, différente certes dans ses fondements, mais transposée au profit d'une vision communautariste. Cette situation n'est pas exclusive au Québec. Elle est proche de celle qui existe en Belgique où la question de séparation est omniprésente sur la scène politique. En Belgique, selon F. Dassetto, «il serait difficile de dénoncer les musulmans qui voudraient penser leur propre séparation[10]» tant que la question de la séparation est toujours présente dans la société belge.

2.2 La perception des politiques d'intégration canadiennes et québécoises

Un des indicateurs susceptibles de nous renseigner sur la conception de l'intégration qu'ont les leaders musulmans est leur perception des politiques d'intégration adoptées par les gouvernements canadien et québécois ainsi que leur appréciation des chartes des droits et des libertés de la personne, tant canadienne que québécoise. Pour comprendre comment cette perception peut orienter leur conception de l'intégration, il s'agit notamment de voir ce qu'ils pensent de ces chartes et des politiques qu'appliquent les institutions gouvernementales qui encadrent les rapports sociaux entre les groupes dans la société. Signalons d'entrée de jeu que les leaders musulmans valorisent largement la Loi sur le multiculturalisme canadien et la Charte canadienne des droits et des libertés. Examinons les principales caractéristiques de ces politiques en ce qui concerne l'intégration.

Les politiques d'immigration et d'intégration au Canada et au Québec

En dépit d'une certaine limitation du taux d'immigration et des restrictions apportées aux conditions d'entrée, le Canada et le Québec demeurent jusqu'à aujourd'hui des endroits ouverts aux immigrants. L'immigration au Canada et au Québec est généralement une immigration «permanente». Elle ne consiste que rarement en un déplacement temporaire à des fins de travail, touchant les hommes seulement, comme ce fut souvent le cas en Europe. En grande partie, les immigrants qui viennent au Canada et au Québec ont l'intention d'y demeurer assez longtemps, si ce n'est définitivement.

En ce qui touche les politiques d'immigration, le Canada et le Québec convergent sur la majorité des questions. La principale différence dans ce domaine concerne la langue française. Pour la sélection des immigrants, le Québec, à la différence du Canada, donne un avantage aux candidats qui connaissent la langue française. En matière d'immigration, le gouvernement québécois vise à une «sélection des immigrants contribuant au développement d'une société francophone[11]».

---

[10] F. Dassetto, art. cité, p. 124.

[11] Ministère des Communautés culturelles et de l'Immigration, *Au Québec pour bâtir ensemble*, Québec, Direction des communications du MCCI, 1990, p. 19.

Le nombre annuel d'immigrants au Canada est estimé à 200 000, dont un peu plus de 25 000 au Québec[12]. Tant pour le Canada que pour le Québec, l'immigration a joué et joue toujours un rôle important dans la croissance de la population. Le *Rapport sur les consultations sur l'immigration pour 1991-1995*, consultations qui ont été tenues dans huit villes du Canada, fait l'éloge de l'apport de l'immigration[13]. La plupart des intervenants ont souligné que l'immigration est un levier de développement économique et démographique et qu'elle apporte une solution aux problèmes humanitaires internationaux. Pour le Québec, l'immigration est devenue, selon les représentants officiels du gouvernement, un enjeu majeur. Elle est associée à quatre défis: le redressement démographique, la prospérité économique, la pérennité du fait français et l'ouverture sur le monde[14].

La définition de la citoyenneté, semblable au Québec et au Canada, repose sur le droit du sol — la personne doit avoir vécu au Canada pendant au moins trois des quatre dernières années — ou du sang. Par exemple, à la question «Qui est citoyen canadien?», une feuille de renseignement, datée de 1996, sur la citoyenneté canadienne répond en énumérant les cas suivants: une personne née au Canada, une personne née à l'extérieur du Canada après le 15 février 1977 dont un des parents était citoyen canadien au moment de sa naissance, une personne naturalisée ou qui a obtenu la citoyenneté canadienne. Une personne peut aussi être considérée comme citoyenne canadienne si elle est née à l'extérieur du Canada avant le 15 février 1977 et que l'un de ses parents était canadien au moment de sa naissance ou si elle était sujet britannique résidant au Canada avant le 1er janvier 1947[15].

Les lois canadiennes et québécoises qui traitent de l'immigration et de la citoyenneté se recoupent ainsi sur plusieurs aspects, mais les politiques respectives concernant l'intégration des immigrants divergent. Je présenterai, dans un premier temps, les politiques canadiennes et, dans un deuxième temps, les politiques québécoises.

---

[12] Le ministère de la Citoyenneté et Immigration Canada estime que le nombre de nouveaux immigrants au Canada en 1997 varie entre 195000 et 220000 dont 27000 se sont installés au Québec.

[13] Immigration Canada, *Rapport sur les consultations sur l'immigration pour 1991-1995*, Ottawa, Affaires publiques et Direction générale du développement des politiques et du Programme d'immigration, 1990.

[14] Ministère des Communautés culturelles et de l'Immigration, ouvr. cité.

[15] Citoyenneté et Immigration Canada, *Feuille de renseignement n1: Citoyenneté canadienne*. Internet, adresse: http://cicnet.ingenia.com/french/pub/ontario/cat.1f.html.

Le multiculturalisme canadien

La politique canadienne en matière d'intégration des nouveaux immigrants repose sur la Loi sur le multiculturalisme canadien qui, votée en 1971, constitue la politique officielle du gouvernement du Canada. Sitôt en vigueur, ce modeste programme, qui prévoyait l'allocation de subventions aux associations communautaires des minorités ethniques, ne cesse de se transformer. En 1972, un ministère spécialement désigné, placé sous la direction du ministre d'État au multiculturalisme, entre en fonction. Enfin, en 1982, le multiculturalisme et les droits à l'égalité seront insérés dans la Charte canadienne des droits et libertés pour devenir une partie essentielle de la Constitution canadienne.

La politique canadienne en matière de multiculturalisme consiste à:

a. reconnaître le fait que le multiculturalisme reflète la diversité culturelle et raciale de la société canadienne et se traduit par la liberté, pour tous ses membres, de maintenir, de valoriser et de partager leur patrimoine culturel, ainsi qu'à sensibiliser la population à ce fait;

b. reconnaître le fait que le multiculturalisme est une caractéristique fondamentale de l'identité et du patrimoine canadiens et constitue une ressource inestimable pour l'avenir du pays, ainsi qu'à sensibiliser la population à ce fait;

c. promouvoir la participation entière et équitable des individus et des collectivités de toutes origines à l'évolution de la nation et au façonnement de tous les secteurs de la société, et à les aider à éliminer tout obstacle à une telle participation;

d. reconnaître l'existence de collectivités dont les membres partagent la même origine et leur contribution à l'histoire du pays, et à favoriser leur développement[16].

Le multiculturalisme canadien repose donc sur les principes suivants: prendre en considération les aspects communautaire et individuel; encourager les communautés à se maintenir, à se distinguer et à se développer; aider, tant sur le plan financier que sur le plan moral, les minorités ethniques à se structurer et à créer leurs propres institutions; reconnaître un rôle égal à toutes les cultures au Canada. Cette politique d'intégration permet à l'individu de travailler à promouvoir la culture de son propre groupe. Elle aide, selon certains

---

[16] *Loi sur le multiculturalisme canadien*, 21 juillet 1988. Internet, adresse: http://www.pch.gc.ca/mult/html/loi.html.

auteurs tel Neil Bissoondath[17], à la création d'une société composée de plusieurs groupes culturels, voire de ghettos culturels, et encourage l'individu à choisir sa propre identité, à lui donner le sens qu'il veut et à la valoriser aux yeux des autres[18]. La politique du multiculturalisme a été illustrée par l'image de la «mosaïque canadienne, c'est-à-dire d'un tout cohérent et signifiant formé d'un agencement de parcelles fort différentes[19]».

La politique québécoise en matière d'intégration

Le Québec, quelle que soit l'étiquette de son gouvernement (péquiste ou libéral), refuse de jouer le jeu du multiculturalisme canadien. En matière d'intégration, au moins dans la lettre du texte, le Québec se distingue du fédéral. Depuis vingt ans, l'action du gouvernement québécois est axée sur des éléments fondamentalement différents. D'abord, le Québec soutient le pluralisme en s'engageant à aider les minorités, en vertu de la Charte québécoise des droits et libertés de la personne qui reconnaît à chacun la «possibilité de choisir librement [son] style de vie, [ses] opinions, [ses] valeurs et [son] appartenance à des groupes d'intérêts particuliers[20]». Ensuite, comme le signale un énoncé de politique en matière d'immigration et d'intégration, la politique du Québec à cet égard définit deux priorités; avoir la haute main sur la sélection des immigrants à la lumière des besoins spécifiques, tant économiques que culturels, de la société et assurer l'intégration harmonieuse des nouveaux arrivants, quelle que soit leur origine, à la communauté francophone.

---

[17] N. Bissoondath, *Le marché aux illusions: la méprise du multiculturalisme*, Montréal, Boréal, 1995.

[18] Cette politique a certaines affinités avec la conception de la division sociale chez les musulmans. En terre islamique, l'espace social est divisé sur une base religieuse. L'individu appartient d'abord et avant tout à sa communauté religieuse. L'appartenance à la société tout entière vient au deuxième rang. La division de la société en fonction des religions et des sectes est fondée sur le Coran qui proclame la séparation de la société des croyants d'avec les juifs et les chrétiens. Autrement dit, le musulman accepte le morcellement de la société en petites communautés qui se forment en vertu de la religion. Ces communautés, après avoir été séparées selon l'appartenance religieuse, se séparent par la suite dans l'espace géographique pour y former un habitat physique propre. Dans cet habitat, presque «purifié», le groupe exerce son autonomie dans sa vie sociale. C'est le fameux principe ottoman de *milliyat* ou *melliyat* (équivalent turc et persan de la notion de nation) qui se résume par la répartition des gens d'une même société selon leur appartenance religieuse.

[19] C. Sabatier et J. Berry, «Immigration et acculturation», dans R. Y. Bourhis, et J.-P. Leyens (dir.), *Stéréotypes, discrimination et relations intergroupes*, Liège, Mardaga, 1994, p. 277.

[20] Ministère des Communautés culturelles et de l'Immigration, ouvr. cité, p. 17.

Dans ce même énoncé, le gouvernement québécois affiche une position différente de celle que défend le gouvernement canadien. Il considère comme légitime de faire «connaître ses attentes aux immigrants, si possible dès l'amorce du projet migratoire, afin que ceux-ci apprennent graduellement à les partager[21]».

Les attentes du Québec à l'égard des immigrants se résument dans les trois éléments suivants: «l'apprentissage du français et son adoption comme langue commune de la vie publique», ce qui constitue «des conditions nécessaires à l'intégration[22]»; l'ouverture des immigrants et de leurs descendants au fait français et à la culture française; le respect des lois et des valeurs qui gouvernent la collectivité d'accueil et l'acquisition de connaissances sur leur nouvelle société, son histoire et sa culture[23].

Une comparaison entre les politiques canadienne et québécoise en matière d'intégration permet de dégager une similitude et une différence. La similitude est que la politique québécoise, comme celle du fédéral, reconnaît aux immigrants le droit d'appartenir à une communauté culturelle ainsi que celui «de maintenir et de faire progresser leur propre vie culturelle avec les autres membres de leur groupe[24]». La différence est que le modèle de l'intégration au Québec vise à l'affirmation du fait français par la «convergence vers la culture francophone de la part des immigrants[25]». Il s'agit d'une culture commune francophone qui est à la base de la construction d'un projet commun de société québécoise dans laquelle les nouveaux arrivants sont fortement appelés à s'impliquer et à participer pour répondre aux attentes du Québec. La pratique québécoise s'éloigne, en principe, de la perspective multiculturaliste fédérale.

Pour sa part, la politique fédérale ne fait pas apparaître une culture commune vers laquelle convergeraient les citoyens et surtout les nouveaux arrivants. Selon la politique multiculturaliste canadienne, toutes les cultures sont reconnues égales. La société n'a pas une culture de base commune. Chaque groupe a son propre projet pour une même société, projet qui est fondé sur sa culture particulière, tout en participant à la vie de la société canadienne.

---

[21] *Ibid.*, p. 15.

[22] *Ibid.*, p. 16.

[23] *Ibid.*, p. 18.

[24] *Ibid.*, p. 17.

[25] M. Labelle et J. Lévy, *Ethnicité et enjeux sociaux*, Montréal, Liber, 1995, p. 10.

Une certaine confusion chez les leaders

L'analyse de la compréhension de la politique québécoise par les leaders musulmans met en évidence une certaine confusion entre la politique d'intégration du Québec et celle du Canada. Dans la pratique, le Québec aide les minorités à faire valoir leurs spécificités et subventionne parfois des activités ethniques. Cela pousse les leaders à interpréter la politique officielle québécoise en matière d'intégration comme une valorisation de la mosaïque multiculturelle. Il y a deux niveaux d'appréciation de la situation au Québec par les leaders musulmans: premièrement, une conception idéale découlant de leur propre interprétation des politiques québécoises, et, deuxièmement, une évaluation négative en ce qui a trait à la mise en œuvre, par les responsables québécois, de celles-ci.

Les leaders musulmans acceptent les organisations de la société d'accueil qui coïncident avec la visée fédérale multiculturaliste. Cela touche les institutions gouvernementales, les partis politiques et même les communautés et les individus de tendance fédéraliste. Les appréciations des leaders de la communauté musulmane portent principalement sur la Loi sur le multiculturalisme canadien plutôt que sur les lois québécoises. Si certaines lois québécoises en matière d'intégration sont acceptées, c'est notamment parce qu'elles s'accordent avec la Loi sur le multiculturalisme canadien.

La politique québécoise d'intégration est perçue comme potentiellement limitative par rapport à l'orientation communautariste valorisée par les leaders musulmans. L'attitude des leaders musulmans à l'égard du référendum sur la souveraineté du Québec est révélatrice de leur position relativement aux politiques québécoises officielles. Ainsi, la majorité des leaders s'est rangée derrière les forces du NON lors du dernier référendum sur la souveraineté du Québec.

L'adhésion des leaders musulmans québécois aux lois fédérales multiculturalistes, avant d'être influencée par un contexte politique particulier découlant du référendum ou de problèmes ponctuels comme la question du voile, par exemple, repose sur des principes fondamentaux et sur le leadership islamique québécois lui-même.

D'abord, le multiculturalisme semble, selon leur perception, plus susceptible de permettre à la communauté musulmane de maintenir son identité religieuse. Il répond à leurs attentes et correspond à une conception de la société civile en tant qu'entité divisée selon la religion, où chaque collectivité peut diriger elle-même ses affaires et ses membres. D'ailleurs, Neil Bissoondath a montré en quoi le multiculturalisme canadien encourage la création des ghettos ethniques, culturels et religieux[26].

La perception du Canada par les leaders musulmans ne se fonde pas sur une expérience ou une connaissance de la réalité canadienne. Dans le reste du Canada, les musulmans n'ont pas plus d'institutions et d'organismes islamiques qu'au Québec. Les droits et les libertés reconnus dans les autres provinces canadiennes ne sont pas différents de ceux qu'ils ont au Québec. Mais, malgré cela, et parce que les leaders perçoivent le Québec comme potentiellement limitatif, ils s'associent aux courants fédéralistes. Ils collaborent parfois avec d'autres organisations religieuses, bien que, sur le plan idéologique, ils considèrent celles-ci non pas comme des alliées, mais plutôt comme des ennemies des musulmans (je pense ici aux organisations juives de Montréal), et ce pour faire obstacle aux courants souverainistes.

Un autre élément qui pousse les leaders musulmans à défendre le multiculturalisme face à la politique québécoise a trait aux caractéristiques du leadership islamique au Québec, qui est animé par des leaders pakistanais immigrés depuis plus longtemps et qui, étant anglophones, s'inspirent de l'expérience des leaders musulmans en Grande-Bretagne. Ce leadership est influencé aussi par le discours anglophone au Québec qui se porte à la défense des minorités non francophones, ainsi que par l'expérience des musulmans en France jugée décourageante et par le rapprochement établi entre la France et le Québec.

Tous ces éléments font que l'imaginaire islamique des leaders musulmans au Québec est imprégné de l'idée que la politique du Québec et les points de vue des Québécois, tant au gouvernement que dans la population, sont, en ce qui concerne l'intégration, grandement inspirés par la France et les Français. Or la politique française en matière d'intégration n'est pas appréciée par les leaders musulmans, puisqu'elle vise, selon eux, l'assimilation de leurs coreligionnaires musulmans français.

2.3 La participation dans les organismes de la société d'accueil

Un mode néo-communautariste

La participation dans les organismes de la société d'accueil est généralement considérée, par les analystes, comme propre à favoriser

---

[26] N. Bissoondath, ouvr. cité.

l'intégration des immigrants à la vie publique et sociale, comme le souligne Kymlicka, qui a traité de la question de la participation des communautés culturelles dans les institutions de la société d'accueil. Cet auteur, qui a analysé la situation au Canada, soutient que la revendication en faveur d'une présence dans les institutions canadiennes (par exemple, la Gendarmerie royale du Canada) constitue «la preuve que les membres des groupes minoritaires souhaitent s'intégrer au sein du courant dominant de la société[27]».

Dans le discours des leaders musulmans au Québec, j'ai noté un désir de participer dans les institutions de la société d'accueil. Les leaders invitent leurs coreligionnaires à participer, notamment sur le plan politique. Toutefois, mes données semblent indiquer que l'intégration n'est pas le premier motif qui pousse les leaders des minorités à revendiquer une participation dans les institutions de la société d'accueil. Entre autres choses, il ressort que la participation dans les organismes de la société d'accueil est vue, par les leaders, comme étant profitable pour la communauté musulmane. Pour eux, ce n'est pas l'intégration qui est visée, mais bien le profit de la communauté, en tant que communauté qui pourrait de la sorte acquérir un poids et une force supplémentaires, car elle disposerait ainsi d'un réseau de lobby plus étendu.

L'objectif principal qui sous-tend l'appel de certains leaders musulmans à un engagement actif dans les institutions de la société d'accueil n'est pas l'intégration au sens couramment admis. Les droits collectifs qu'ils revendiquent ne visent pas d'abord l'intégration, mais plutôt la construction et le renforcement de la communauté musulmane et de ses institutions pour que ses revendications soient satisfaites. Ce renforcement permettrait la régulation de l'image qu'il faut projeter, la défense, la promotion et la transmission de l'islam et, finalement, la création d'un environnement favorable à la pratique de la *charia*. Toute la société d'accueil ne pourrait que profiter, selon eux, de cette affirmation des valeurs islamiques si elles étaient adoptées par les Québécois, car elles amélioreraient la vie sociale dans son ensemble.

L'idéal que poursuivent les leaders est la construction d'un espace purement islamique possédant, s'il est possible, des institutions totalement autonomes. Mais ils savent bien que cet idéal, dans le contexte actuel et compte tenu de l'équilibre des forces entre eux et la société d'accueil, ne peut pas être atteint. Aussi font-ils, comme l'ont fait les musulmans tout au long de l'histoire, des transactions avec la

---

[27] W. Kymlicka, «Démocratie libérale et droits des cultures minoritaires», dans F. Gagnon, M. McAndrew et M. Pagé (dir.), *Pluralisme, citoyenneté et éducation*, Montréal, L'Harmattan, 1996, p. 44.

société dans laquelle ils vivent. Ils optent alors pour certaines adaptations. Ces adaptations et ces transactions avec la société québécoise laissent entendre que les leaders organisent la communauté selon un mode néo-communautariste. Par exemple, au moment de la controverse soulevée par la question du port du voile, les leaders n'ont pas exigé le repli. Ils n'ont pas demandé à leurs coreligionnaires de retirer leurs filles et leurs enfants des écoles québécoises. Cependant, ils ont brandi la Charte des droits et ont dénoncé la discrimination et les mesures interdisant le port du voile. Ils ont insisté sur l'obligation religieuse du port du voile pour obtenir des concessions de la part des autorités concernant l'acceptation du voile. Certes, les leaders savent bien qu'ils sont des musulmans parmi des non-musulmans et pour eux, en tant que musulmans, le voile et les autres signes de l'islam représentent un rempart pour différencier et séparer leurs enfants et leurs coreligionnaires des autres. Ils craignent la «contamination» (selon leur vocabulaire) qui pourrait toucher les musulmans qui sont en contact avec les Québécois non musulmans. Pourtant, l'influence qu'exercent sur les musulmans de tels contacts, que les leaders encouragent par ailleurs, est réelle. Ces contacts peuvent ouvrir des brèches dans les remparts qu'ils s'efforcent d'ériger entre leurs coreligionnaires et les autres citoyens. La valorisation du communautarisme sera donc concomitante de cette incitation à la participation sociale et elle devient le seul but valable de celle-ci. Les leaders lient ainsi la survie de la communauté musulmane et de l'islam au Québec à la force de cette communauté, à son unité et à son organisation.

Les liens avec les non-musulmans

L'intégration et la participation citoyenne des musulmans dans la société québécoise supposent des liens positifs entre les musulmans et les autres, les non-musulmans. Or les leaders tendent à réduire au minimum les relations avec la société d'accueil et à ne leur reconnaître qu'une valeur instrumentale. Les liens qu'ils encouragent servent essentiellement la défense de l'islam et ses causes, la propagande islamique et le prosélytisme.

Si les leaders incitent leurs coreligionnaires à entretenir des relations «stratégiques» avec les non-musulmans, ils multiplient en même temps les mises en garde et les intimidations à l'égard des liens durables avec eux. L'appel à la distanciation par rapport à la société d'accueil et à l'autre non musulman constitue un élément essentiel de leur discours, structuré selon une image fortement négative de l'environnement non islamique.

Les comportements de non-musulmans sont considérés comme incompatibles avec les prescriptions de l'islam et avec les comportements des musulmans tels qu'ils ont été interprétés par les leaders musulmans. Ceux-ci construisent une image de l'environnement non islamique selon une stratégie d'opposition manichéenne. Les éléments essentiels de cette image sont axés sur les valeurs morales. Il se dégage deux systèmes moraux des discours des leaders: le premier, valorisé, est islamique, le second, qu'ils assimilent à celui des non-musulmans dans la société d'accueil, est fondamentalement mauvais.

Ils construisent donc une opposition entre l'islam et l'Occident qui sert de toile de fond à la mise en place de l'islam immigré. Ce phénomène a été noté par de nombreux auteurs dans différents contextes sociaux. La référence à la famille et à ses membres, surtout les femmes et les enfants, sont les éléments les plus exploités par les leaders musulmans pour élaborer cette opposition, et ce que les leaders soient hommes, femmes, pakistanais, maghrébins ou autre. Ils insistent plus particulièrement sur ce qu'ils considèrent comme la perte des enfants, la dégradation de la famille et la liberté excessive de la femme.

3 La construction d'une islamité québécoise

3.1 Traits distinctifs du Québec par rapport à l'Europe

Après la Seconde Guerre mondiale, le nombre des musulmans au Québec était infime[28]. Ce n'est que dans les années soixante que leur nombre commence à augmenter. On voit alors apparaître les premières institutions islamiques. Ainsi, la première mosquée au Québec, celle du Centre islamique du Québec, fut fondée en 1965. Elle était située rue Laval, à Saint-Laurent.

À partir des années soixante-dix, l'immigration islamique monte en flèche, le nombre des musulmans devient significatif, leurs institutions, diversifiées, se multiplient[29] et leur présence est remarquée. Ces changements, qualitatifs et quantitatifs, dans la présence des musulmans m'incitent à affirmer que le Québec actuel assiste à la construction d'une islamité québécoise. Cette affirmation se fonde sur certains

---

[28] En 1951, le nombre de musulmans dans tout le Canada ne dépassait pas 3 000 et, en 1970, on n'y recensait que 33 370 musulmans (Q. Husaini, *Muslims in the Canadian Mosaic*, Edmonton, Muslim Research Foundation, 1990). Les musulmans québécois représentaient alors à peine 15 % de ce nombre, c'est-à-dire 450 musulmans québécois en 1951 et 5000 en 1970.

[29] On dénombrerait 40 mosquées, selon *Le Forum*, bulletin de liaison du Forum musulman canadien, vol. 1 no 0, printemps 1996.

critères, décrits par F. Dassetto concernant la construction du fait islamique dans les sociétés européennes, que j'ai exposée plus haut.

Rappelons brièvement que pour Dassetto[30], qui s'est intéressé à l'islam en Europe, la construction du fait islamique commence quand les musulmans s'organisent et affichent les symboles islamiques. On note alors une forte tendance à l'institutionnalisation de l'islam et des efforts pour rendre plus visibles les signes islamiques sur la scène publique. En appliquant ces éléments à la réalité islamique au Québec, on peut dire qu'effectivement l'islam québécois s'organise et que les leaders musulmans sont en train de construire une islamité québécoise. La construction de cette islamité n'est pas définitivement accomplie. Mes données me permettent d'affirmer qu'un travail est en cours pour la construction d'une islamité québécoise et que les leaders musulmans, qui sont très actifs dans ce domaine, jouent un rôle important dans cette construction, un rôle qui va définir les modalités de cette islamité québécoise ainsi que la conception de l'intégration des musulmans dans la société québécoise.

Sous certains aspects, la construction de l'islamité québécoise ne diffère pas beaucoup de ce qui se fait en Europe, c'est-à-dire que, comme dans les pays européens, les leaders musulmans demandent à leurs coreligionnaires de mettre en pratique les prescriptions islamiques dans leur vie quotidienne, de travailler à mettre sur pied des organismes et des institutions islamiques dans tous les domaines et de rendre l'islam visible sur la scène publique québécoise, par la multiplication des signes et des symboles islamiques tels que le voile, la barbe, les noms et les vocables islamiques.

Toutefois, la construction de l'islamité québécoise se distingue par un certain nombre d'éléments particuliers à la communauté musulmane au Québec. L'implantation très récente des musulmans dans cette province, l'absence de prédominance d'une communauté ethnique par rapport aux autres groupes (comme c'est le cas des Maghrébins en France, des Turcs en Allemagne, des Indo-Pakistanais en Grande-Bretagne), la faiblesse et la dépendance du leadership, tous ces éléments, ainsi que le contexte québécois qui donne plus de latitude aux groupes ethnoculturels, expliquent cette différence qui se manifeste essentiellement sur trois points.

1. Malgré une grande diversité des leaders et une forte concurrence entre eux, la référence à l'islam et à sa doctrine est très uniforme et de type traditionnel. La construction de l'islamité québécoise s'accomplit à

---

[30] F. Dassetto, *La construction de l'islam européen*, Paris, L'Harmattan, 1996.

la faveur d'une extension et d'une intensification des références islamiques qui se traduisent par le recours très fréquent aux textes coraniques comme source de légitimation. En outre, la situation canado-québécoise, qui fait que les politiciens se préoccupent grandement du pouls de l'électorat que constituent les minorités, donne à ces minorités une bonne marge de manœuvre dans la négociation de droits collectifs et de revendications. Elles ont plus de latitude pour défendre leurs particularités et se cantonnent davantage dans leur identité collective. On assiste alors à une surenchère, dans le discours des leaders, de conceptions plus traditionalistes, et à la valorisation d'une politique de la différence, une surenchère qui risque de mener à une cristallisation identitaire.

2. Dans la construction de l'islamité européenne, l'accent est mis sur le social et le vécu quotidien, par exemple la famille, la sexualité, l'éducation, l'habit, plus que sur l'idéologie et le politique[31]. La construction de l'islamité québécoise s'appuie simultanément sur ces deux volets. Ainsi, les leaders musulmans jouent un rôle politique en exhortant les membres de leurs organisations à devenir actifs dans les rangs des partis politiques au Québec, en leur recommandant de voter pour les candidats qui sympathisent avec les musulmans, en organisant des rencontres politiques avec les partis québécois. Cette tendance est aussi encouragée par les partis politiques au Québec.

3. En contexte québécois, les adaptations que les leaders font de l'islam sont qualitativement et quantitativement moins importantes, parce qu'ils ne sont pas dans l'obligation de procéder à de telles adaptations. L'islam québécois se construit plus sur un fond traditionnel de repli que sur un mode d'affrontement ouvert.

Ces éléments spécifiques engendrent un modèle particulier d'intégration. C'est une intégration «communautaire» plutôt qu'indivi-duelle, une intégration par insertion qui peut favoriser le repli communautaire.

3.2 Différenciation et visibilité

F. Dassetto, en décrivant la construction de l'islam européen, avance que «les populations qui activent leur référence à l'islam n'acceptent pas dans les pratiques et dans le quotidien ainsi que dans les discours, l'inclusion pure et simple comme l'ont fait pratiquement toutes les

---

[31] *Ibid.*

168 Religions et sociétés... après le désenchantement du monde

autres migrations[32]». Dans ces conditions, les leaders, qui sont les musulmans les plus hardis pour ce qui est d'activer leur référence à l'islam, ne favorisent pas une participation citoyenne des musulmans. Dans la société québécoise, les leaders sont portés à soutenir la cohésion interne de la communauté musulmane, sur les plans tant intellectuel, spatial qu'institutionnel. Ils développent une identité culturelle islamique fondée sur leur propre schéma culturel islamique, puisé dans le Coran, la sunna et la tradition, mais qu'ils nourrissent aussi de l'existence de l'autre sur la place publique — surtout l'autre majoritaire qu'est le groupe québécois. Le contexte politique québécois, malgré la définition de l'intégration adoptée par le gouvernement, favorise, sans le vouloir, les efforts faits par les leaders pour consolider la communauté musulmane.

Les leaders tiennent à l'égard des musulmans un discours centré sur la différenciation, la distinction, la visibilité et la distanciation des musulmans par rapport aux autres membres de la société québécoise. En même temps, ils exhortent leurs coreligionnaires à une participation dans l'espace public commun. Mais, dans le discours des leaders, le but de cette participation est le renforcement et l'expansion de l'espace social islamique et l'affirmation des différents aspects de l'islamité. Or les leaders ont entrepris un grand travail pour la construction et l'institutionnalisation d'une communauté musulmane au Québec, un espace qu'ils veulent créer pour qu'il englobe tous les aspects de la vie de leurs coreligionnaires. Un processus semblable a été observé ailleurs par des chercheurs britanniques[33], belges[34] français[35] et hollandais[36].

Dans une telle perspective de différenciation, l'intégration comprend, pour la majorité des leaders, les traits suivants:

a) nourrir un sentiment d'appartenance à une communauté islamique mondiale, la *umma*, ce qui confère une identité selon laquelle l'individu

---

[32] *Ibid.*, p. 298.

[33] W. Menski, art. cité; D. Joly, «Les musulmans dans les écoles de Birmingham», *Revue européenne des migrations internationales*, vol. 5, no 1, 1989, p. 127-135; J. Nielson, «En débat: quelles valeurs en partage», dans R. Bistolfi et F. Zabbal (dir.), ouvr. cité, p. 154-170.

[34] F. Dasseto, art. cité; F. Dassato, ouvr. cité.

[35] G. Kepel, *Les banlieues de l'islam*, Paris, Seuil, 1997; R. Leveau, C. Withol De Wenden et G. Kepel, «Introduction», *Revue française de science politique*, vol. 37, no 6, p. 765-781; D. Schnapper, «Conclusion: communautés, minorités ethniques et citoyens musulmans», dans B. Lewis et D. Schnapper (dir.), *Musulmans en Europe*, Paris, Actes Sud, 1992, p. 181-198.

[36] R. Peters, «Statut juridique de l'Islam», dans R. Bistolfi et F. Zabbal (dir.), ouvr. cité.

se considère d'abord et avant tout comme musulman avant d'être citoyen de l'État dans lequel il vit;

b) donner la primauté aux lois islamiques, considérées comme immuables et éternelles, se soumettre d'abord et avant tout à ces lois et refuser les lois qui ne correspondent pas aux exigences de l'islam, en vertu de l'interprétation que font les leaders de cette tradition;

c) déstabiliser le processus d'un établissement définitif des musulmans en gardant vivant le mythe du retour au pays d'origine dans les esprits des musulmans québécois;

d) créer des réseaux d'insertion islamiques à travers lesquels les musulmans puissent s'impliquer dans la société en organisant et en institutionnalisant l'islam sur la scène québécoise, tant publique que privée, par la multiplication des organisations, des institutions ainsi que des signes considérés comme islamiques;

e) multiplier les activités et les événements proprement islamiques en vue d'attirer les musulmans, de les regrouper et de les attacher à des symboles islamiques.

Les conséquences logiques de ces traits sont d'isoler les musulmans du reste de la société et de réduire au minimum les relations entre eux et la société d'accueil, de les amener à s'impliquer dans la société seulement par leurs propres réseaux, mais s'ils le font autrement, leurs buts doivent toujours être la défense et la promotion de l'islam et des intérêts des musulmans.

L'affirmation publique de l'appartenance à l'islam et l'appui des musulmans permettent de «positionner» les musulmans et de leur donner un rôle particulier sur la scène sociale québécoise, de manière à augmenter les chances d'obtenir des réponses favorables aux demandes qui jugées comme nécessaires à la survie de la communauté musulmane au Québec (malgré la faiblesse et la division qui règnent au sein de leur groupe). Un tel processus a cours dans plusieurs pays. Il est animé par les leaders dans la plupart des sociétés occidentales où l'islam s'implante. Mais ce processus peut se trouver favorisé par un contexte social particulier. Et c'est dans des sociétés comme la société québécoise démocratique et pluraliste, qui permettent et encouragent l'organisation sur une base religieuse ou ethnique, que les leaders des communautés minoritaires intensifient leurs revendications et tendent, plus que les autres, à définir leur identité en fonction de la variable religieuse ou ethnique. Mes données sur les leaders musulmans, ainsi que les données des chercheurs britanniques, soulignent cette attitude, plus marquée dans les sociétés multiculturelles[37].

Ces éléments, qui entrent dans la conception de l'intégration qu'ont les leaders, signifient que ces derniers appliquent une stratégie défensive à l'égard de toute tentative d'acculturation et d'assimilation de l'islam dans la société globale au Québec.

4   La politique de l'accommodement raisonnable et les risques d'effets pervers

L'accommodement raisonnable est, selon plusieurs auteurs, une manière indiquée d'intégrer les groupes minoritaires dans les sociétés multiculturelles. Au Québec, l'accommodement raisonnable est même une obligation, comme le stipule la Commission des droits de la personne:

> L'obligation d'accommodement signifie l'obligation de prendre des mesures en faveur de certaines personnes présentant des besoins spécifiques en raison d'une caractéristique liée à l'un ou l'autre des motifs de discrimination prohibée par la Charte québécoise des droits et libertés de la personne (l'état civil, les convictions politiques, la religion, le sexe, la race, la couleur, l'orientation sexuelle, etc.). Ces mesures visent à éviter que des règles en apparence neutres n'aient pour effet de compromettre, pour elles, l'exercice d'un droit en toute égalité. Il ne s'agit toutefois pas d'une obligation illimitée de se plier inconditionnellement à tous les particularismes, et encore moins à toutes les intransigeances, puisque selon l'ensemble de la jurisprudence en vigueur, l'accommodement doit être «raisonnable», en ce sens qu'il ne doit pas représenter une contrainte excessive pour l'organisation qui en a l'obligation[38].

Les sociétés démocratiques libérales ne peuvent contraindre les libertés fondamentales de conscience et de religion sans ébranler les principes sur lesquels elles se fondent. Cependant, ne peut-il pas y avoir des effets pervers à l'accommodement raisonnable? L'accommodement raisonnable peut-il nourrir le communautarisme, même si cela n'est pas son objectif?

---

[37] J. Rex, «L'islam dans les dynamiques multiraciales et multiculturelles», dans R. Bistolfi et F. Zabbal (dir.), ouvr. cité, p. 142-146; W. Menski, art. cité; J. Nielson, art. cité.
[38] Commission des droits de la personne du Québec, *Le pluralisme religieux au Québec: un défi d'éthique sociale*, Montréal, 1995, p. 12-13.

Je reprendrai ici quelques thèses qui me semblent intéressantes par leur qualité et leur pertinence et, en les appliquant à mon étude, je montrerai certaines limites de l'accommodement raisonnable et mettrai en lumière un certain nombre d'effets pervers qu'il est susceptible d'entraîner.

La protection des minorités, par la reconnaissance de droits spécifiques, peut favoriser, sans que cela soit le but visé, le communautarisme. F. Dassetto cite un cas qui révèle les effets pervers d'une politique d'accommodement. Il mentionne que les immigrants musulmans en Belgique ont réussi à amener les autorités belges à abandonner leur neutralité en matière religieuse[39]. Des textes relatifs au droit familial ont été soumis pour ratification au Parlement belge. L'un d'eux, qui concerne le mariage, «implique dans une certaine mesure la reconnaissance de la répudiation[40]». Cette situation, selon Dassetto[41], soulève la question suivante: «Introduit-on dans notre conception du droit, jusqu'ici fondée sur un principe individuel, un principe de droit communautaire?»

Si la situation que Dassetto mentionne est avalisée par une instance gouvernementale, nous rencontrons quotidiennement d'autres cas non officiels d'accommodement qui peuvent soulever les mêmes questions. Je citerai à mon tour un cas qui s'est produit au Québec. Il s'agit d'un procès pour divorce entre deux personnes musulmanes. Le juge qui a présidé ce procès a demandé l'avis d'un imam de la communauté musulmane au Québec pour trancher la question de la distribution des biens. Finalement, les biens ont été distribués selon la *charia* islamique qui désavantage la femme. Ainsi, et bien que la communauté musulmane au Québec n'ait pas obtenu un droit semblable à celui qui est reconnu aux musulmans de Belgique, la «compréhension» qu'ont certains responsables donne lieu à des pratiques dont les effets convergent. L'intégration des musulmans dans la société québécoise et leur implication dans le projet commun à construire doivent-elles se faire suivant une différence sur le plan des droits[42]?

---

[39] F. Dassetto, art. cité, p. 118.

[40] B. Vinikis, «En débat: les modalités d'insertion de l'islam dans l'espace public», dans R. Bistolfi et F. Zabbal (dir.), ouvr. cité, p. 122.

[41] F. Dassetto, art. cité, p. 123.

[42] Je suppose que ce questionnement pourrait s'étendre à d'autres groupes, mais les données dont je dispose ne permettent pas de le démontrer.

4.1 Le renforcement potentiel du communautarisme

Carens traite de la problématique des minorités culturelles dans les pays pluralistes de démocratie libérale. Cet auteur conseille, par exemple, de maintenir un équilibre entre ce que revendiquent les minorités culturelles et ce qu'accorde la société d'accueil. Il semble, selon lui, qu'il est «soutenable et souhaitable d'offrir un soutien financier aux journaux des diverses communautés et aux activités culturelles, d'offrir certains services essentiels [...] dans la langue d'origine des immigrants[43]» et d'accorder, dans certains cas, des exemptions aux immigrants. Il lui semble aussi acceptable «d'établir plusieurs formes de pluralisme institutionnel[44]». Il accepterait même certaines formes de représentation spéciale des minorités ethniques, quoiqu'il estime que «chaque forme de représentation spéciale risque de cristalliser les identités sociales en ignorant les conflits au sein des groupes[45]». Je pense, d'après le discours des leaders musulmans au Québec, que les services, le soutien, les droits et les exemptions que Carens préconise d'attribuer aux immigrants tout en maintenant l'équilibre ne sont pas sans avoir un effet pervers, car ces services et ces soutiens sont susceptibles de renforcer chez les immigrants le communautarisme, de neutraliser le processus d'intégration et de favoriser la cristallisation des identités sociales, ce que Carens appréhende par ailleurs.

La volonté de renforcer le communautarisme est manifeste dans les demandes que formulent les leaders musulmans pour obtenir le type de services que Carens conseille d'attribuer aux minorités culturelles. Il semble que les leaders des communautés culturelles dans les pays démocratiques — le discours des leaders musulmans au Québec nous en donne un exemple — comptent beaucoup sur ce genre de services. Dans mon étude, j'ai constaté que ce type de services figure dans le répertoire de revendications des leaders musulmans qui, grâce aux soutiens accordés par l'État, arrivent exactement à créer leur propre monde et à donner à leurs coreligionnaires le sentiment qu'ils sont plus forts et obtiennent plus s'ils sont liés à la communauté musulmane. Par la même occasion, les leaders raffermissent leur position et exercent ainsi une influence sur ceux qui n'ont pas de liens très forts avec la communauté musulmane en prouvant que la réussite dans la société d'accueil repose sur leur appartenance à la communauté.

---

[43] J. Carens, «Immigration et démocratie libérale», dans F. Gagnon, M. Mc Andrew et M. Pagé (dir.), ouvr. cité, p. 111.

[44] *Ibid.*, p. 117.

[45] *Ibid.*, p. 118.

Pour construire l'islamité au Québec, les leaders de la communauté musulmane prennent appui sur des politiques qui fondent l'obligation d'accommodement raisonnable ainsi que sur le soutien et l'aide que certains chercheurs et les gouvernements apportent aux minorités culturelles. Par l'accommodement raisonnable et le soutien aux communautés, les gouvernements et les chercheurs visent sans doute l'intégration des communautés culturelles à la société globale et non pas leur renforcement et le cantonnement dans celles-ci. Mais la conception de l'intégration des leaders fait qu'ils exploitent ces accommodements et le soutien de façon à concrétiser leur conception de l'intégration.

Mes observations rejoignent certaines conclusions d'enquêtes européennes selon lesquelles les services et le soutien accordés aux communautés culturelles ont amené les leaders à en demander encore plus et à renforcer les rangs de leurs communautés. Ainsi, selon J. Rex[46], les organisations islamiques en Grande-Bretagne, encouragées par les droits que l'État leur reconnaît, ont choisi de doter la communauté musulmane des organisations politiques et juridiques nécessaires à l'institutionnalisation d'une société parallèle et capables d'inciter les musulmans à pratiquer un mode de vie islamique.

4.2 L'attribution de droits collectifs et le contrôle interne

La question de l'attribution de droits collectifs aux groupes minoritaires prend de plus en plus d'ampleur dans les sociétés multiculturelles. Pour résoudre les problèmes que posent les groupes minoritaires et favoriser leur intégration dans les sociétés multiculturelles, certains auteurs préconisent l'attribution de droits collectifs. Par exemple, selon W. Kymlicka, une des grandes préoccupations des groupes minoritaires en Occident est de se protéger contre les «pressions externes» plutôt que de «contrôler le degré jusqu'où leurs propres membres adoptent des pratiques non traditionnelles ou non orthodoxes[47]». L'auteur divise les droits collectifs en «restrictions internes», qui servent à «protéger le groupe contre l'impact déstabilisant de la dissension interne[48]», et en «protections externes», qui servent à «protéger le groupe de l'impact des pressions externes[49]». Il recommande d'aider les groupes minoritaires à se

---

[46] J. Rex, art. cité.
[47] W. Kymlicka, art. cité, p. 40.
[48] *Ibid.*, p. 39.
[49] *Ibid.*

protéger contre «l'impact des pressions externes» en leur accordant des droits collectifs. Il soutient qu'«aucune de ces protections externes n'entre en conflit avec les droits individuels[50]» et que les protections externes n'influent pas sur l'autorité qu'exerce le groupe sur ses membres. Selon lui, les protections externes règlent uniquement les relations qui existent entre les groupes dans la société.

Il est possible que les protections externes accordées aux groupes minoritaires règlent les relations entre ceux-ci et qu'ils utilisent les protections externes pour faire face aux pressions externes. Mais n'est-il pas possible que les groupes minoritaires utilisent les protections externes qu'on leur accorde pour prévenir la dissension interne et contraindre les droits individuels de leurs membres? Je pense que plus les groupes et leurs leaders se sentent protégés de l'extérieur, plus ils peuvent exercer sans risque leur autorité et plus sont grands l'influence et le pouvoir de contrainte qu'ils ont sur leurs membres. L'analyse du discours de leaders musulmans au Québec montre que leurs principaux soucis concernent la rétention de leurs membres au sein du groupe et les dissensions internes. Les protections externes que Kymlicka suggère d'accorder aux minorités, et que les leaders eux-mêmes revendiquent, sont utilisées en réalité pour régler ces dissension internes.

Le cas des divorcés musulmans que j'ai rapporté plus haut illustre comment les protections externes, les droits additionnels ou même certains accommodements raisonnables que les groupes minoritaires demandent peuvent contribuer à la rétention des membres et accroître le pouvoir des leaders. Dans le cas de ce divorce, le juge «civil» a invité, à titre d'expert, un imam de la communauté musulmane à lui donner son point de vue sur les prescriptions religieuses concernant la distribution des biens des époux. Ce juge, en se référant à l'opinion de l'imam qui est fondée sur la *charia*, a prononcé un jugement favorisant le mari. La femme, furieuse, a regretté d'avoir payé un avocat pour se voir, en fin de compte, obligée de revenir à la case départ et de se soumettre à la *charia*, interprétée par cet imam! Un tel précédent peut décourager les autres femmes musulmanes de recourir aux tribunaux civils. Dans ce cas-ci, le message envoyé aux musulmans est que les prescriptions islamiques sont normatives, même s'ils se trouvent dans une démocratie où les chartes ont la primauté. L'attribution de droits collectifs ne devient-elle pas un argument convaincant sur lequel peuvent s'appuyer les leaders des groupes minoritaires pour démontrer aux membres de leurs communautés l'inutilité de recourir à l'aide de l'extérieur? La reconnaissance de droits différents à un groupe peut favoriser la pression communautaire sur les membres.

---

[50] *Ibid.*, p. 40.

Plusieurs autres exemples peuvent être donnés pour démontrer comment les groupes minoritaires et leurs leaders tirent profit des droits collectifs pour retenir les membres. Qu'on pense à l'*affirmative action* ou la «discrimination positive» dans les universités, dans les milieux de travail et dans les autres domaines où l'on accorde un certain nombre de postes aux membres des groupes minoritaires. Certes, ces politiques visent à rendre justice aux groupes minoritaires en général sous-représentés. Mais, à côté de l'équité qu'elles visent à réaliser, ces politiques ne peuvent-elles avoir des effets sur l'attachement au groupe, sa cohésion et, par conséquent, renforce son leadership et d'accroître sa capacité à retenir les membres?

Lorsque, par le biais de l'accommodement raisonnable, de l'attribution de droits collectifs ou de n'importe quel autre arrangement entre le groupe minoritaire et la société globale, cette société permet à ce groupe de faire valoir ses normes et ses règles particulières dans le groupe et ailleurs, lorsqu'elle assujettit une personne — qui désire abandonner le groupe pour se débarrasser de l'emprise de ses normes et règles — à ces mêmes normes et règles, cette société crée une situation antinomique. Par le soutien et l'acceptation du particularisme, la société, d'une part, gratifie, élargit et consolide les assises sociales et les emprises idéologiques du groupe minoritaire et de son leadership sur les membres. D'autre part, elle réduit la marge de liberté et les possibilités d'action de la personne.

Il faut comprendre qu'il est généralement difficile pour un immigrant d'accéder aux institutions de la société d'accueil et d'y participer. Dans un tel contexte, les mécanismes d'accommodement et de soutien peuvent avoir pour effet pervers de repousser les individus nouvellement immigrés dans leur communauté.

En avançant qu'en Occident les groupes minoritaires s'emploient surtout à se protéger contre les pressions externes, plutôt que de surveiller les pratiques de leurs membres, W. Kymlicka[51] insiste sur un aspect et néglige l'autre. Il identifie les remparts que les leaders des groupes minoritaires tentent d'ériger autour de ceux-ci, mais il évacue la question de ce qui se passe à l'intérieur de ces remparts et, surtout, il ne relève pas le lien entre la protection externe et le contrôle interne. En cela, il suit une tendance selon laquelle il convient de laisser les groupes faire tout ce qu'ils désirent à l'intérieur de leur communauté à condition que ce qu'ils font ne déborde pas à l'extérieur. Les leaders musulmans, dans le discours que j'ai analysé, veillent à la protection de leurs coreligionnaires contre les pressions externes. Plus encore, ils

---

[51] W. Kymlicka, art. cité, p. 40.

cherchent à les effrayer en leur décrivant ce qui se passe à l'extérieur et, s'ils le pouvaient, ils les empêcheraient même d'avoir quelque contact avec l'extérieur afin de mieux les protéger de ce qui s'y passe. Ils agissent comme leurs protecteurs et nourrissent, par tous les moyens dont ils disposent, leur appartenance à l'islam. La protection contre l'extérieur se transforme donc en une capacité de pression sur les membres de la communauté.

Il est faux, à mon avis, de croire que d'accorder de nouveaux droits collectifs et spéciaux à une minorité n'augmente pas son influence sur la rétention de membres, surtout les plus démunis, les moins instruits, ceux qui ne maîtrisent pas la langue officielle et ceux qui sont entièrement soumis à l'autorité familiale, comme les femmes et les enfants, par exemple. En effet, l'attribution de droits et de ressources supplémentaires au groupe peut fortement favoriser la rétention des individus qui s'y identifient.

Conclusion

Le Québec connaît une immigration islamique sans précédent. Ce mouvement s'inscrit dans un contexte politique et économique, local et mondial, très complexe, où il faut composer avec les politiques d'assainissement budgétaire qui touchent les organisations et les programmes voués aux immigrants et à leur intégration. En outre, dans les événements rapportés par les médias sur la guerre du Golfe, la politique israélienne, l'Iran, l'Occident, selon les musulmans, a pris et prend position contre le fait islamique. Ces événements ne sont pas sans influer sur les représentations en jeu dans le processus d'intégration, et ce de part et d'autre. La perception qu'ont les Québécois des musulmans peut parfois porter la marque de ces développements[52].

Le fait d'activer l'islam et de souligner la présence des musulmans sur la scène publique peut aboutir à deux résultats. Le premier est la mise en place d'un communautarisme souple et transitoire qui permet à l'immigrant de s'insérer d'abord dans un groupe qui le reconnaît et qui lui donne la possibilité de renforcer son estime de soi avant de participer pleinement à la société civile. L'autre résultat est la création d'un communautarisme fort et permanent, ce que semblent désirer les

---

[52] En 1997, le ministre des Communautés culturelles et de l'Immigration André Boisclair a dévoilé les résultats d'un sondage qui montraient que, parmi les minorités culturelles au Québec, les Québécois ne se sentent pas à l'aise avec les Arabes et les Pakistanais. Il est à noter que plusieurs Québécois ne font pas de différence entre Arabe, Pakistanais et musulman.

leaders. Rien ne permet de croire, cependant, que les musulmans vont, pour leur part, favoriser cette deuxième forme.

Il reste à voir jusqu'à quel point le processus de promotion du communautarisme islamique, dans lequel sont fortement engagés les leaders de la communauté musulmane, peut influencer les membres de cette communauté et dans quel sens. Autrement dit, jusqu'à quel point le communautarisme islamique, que les leaders véhiculent et sont en train de construire, peut-il être un obstacle à l'intégration des musulmans dans une société pluraliste, démocratique, libérale et égalitaire? Pour répondre à cette question, on doit prendre en considération un élément essentiel: l'intégration est un processus complexe qui s'étend sur de nombreuses années (tandis que mon analyse porte sur une période limitée de ce long processus, une période du début de l'implantation islamique au Québec) et sur lequel influe le contexte dans lequel il s'inscrit, et plus particulièrement les politiques d'intégration de la société d'accueil qui peut être, elle aussi, dans une période critique de son devenir identitaire.

Il n'y a pas d'unanimité chez les chercheurs et les intervenants en ce qui concerne le traitement des minorités dans une société multiculturelle: jusqu'où les gouvernements peuvent-ils et doivent-ils aller dans l'accommodement? Certains auteurs, défenseurs d'un multiculturalisme qu'on peut qualifier de «mosaïque», préconisent de donner aux minorités plus de droits pour essayer de les intégrer dans la société. D'autres, défenseurs d'un multiculturalisme plus restrictif, sont en faveur d'une limitation des droits collectifs accordés aux minorités. Enfin, les défenseurs des valeurs républicaines et universalistes veulent qu'on fasse oublier aux minorités leurs spécificités par le refoulement de leurs particularismes et de leur identité culturelle.

Au Québec et au Canada, l'islamité se construit et se déploie dans une situation pluraliste où les associations à caractère religieux sont acceptées et même parfois encouragées. Les gouvernements, tant fédéral que provincial, reconnaissent l'islam et les communautés musulmanes. Ils acceptent que les musulmans s'activent dans le champ religieux, qu'ils se réfèrent à l'islam, qu'ils se donnent une visibilité sociale et une identité fondée sur la tradition islamique.

Le gouvernement québécois, par les réseaux de socialisation qu'il possède, vise à promouvoir la création d'un espace public commun, mais contribue en même temps à la multiplication de réseaux parallèles et permet aux communautés minoritaires de s'affirmer collectivement dans l'espace public par le biais de leurs propres organisations culturelles. Cela n'est pas en soi mauvais, mais peut avoir un effet pervers. Les réseaux des communautés minoritaires sont aussi soutenus et encouragés par le Canada. Ainsi, trois groupes se disputent en permanence la sympathie des nouveaux arrivants: les Canadiens (dont la communauté anglophone québécoise joue, à côté des forces fédérales, un rôle de soutien fort intéressant), les Québécois et les leaders des minorités «visibles» ou culturelles. Il va de soi que les leaders de la communauté musulmane profitent de la situation politique canado-québécoise, de la tension au cours des campagnes référendaires ou électorales et de la politique d'accommodement raisonnable en vigueur pour organiser l'islam sur la scène publique. Ces leaders profitent également du soutien que l'islam international leur accorde.

Le discours des leaders devra par ailleurs tenir compte de l'appartenance ethnique et citoyenne des musulmans. Certes, plusieurs musulmans s'identifient avant tout par la variable religieuse. Mais il y a beaucoup de musulmans qui ne s'identifient pas en premier lieu comme étant des musulmans. Les musulmans québécois ont des origines ethniques et nationales différentes. Plusieurs sont impliqués dans des organisations ethniques ou nationales et luttent pour promouvoir leur propre culture. Les leaders de ces organismes, quoique musulmans, ne donnent pas priorité à la promotion de l'islam dans leur discours. Ainsi, plusieurs organismes libanais, syriens, pakistanais ou algériens ont dans leurs rangs des musulmans et sont influencés par des leaders qui ne véhiculent pas les principes de l'islam. Ces leaders ont une conception de l'intégration et une vision du monde différentes de celles que professent les autres leaders islamiques.

Dans l'orientation du discours des leaders musulmans, la structure interne de l'islam peut jouer un rôle non négligeable. L'islam est caractérisé par un leadership non hiérarchisé, non structuré et fragile, ce qui favorise la concurrence, le changement et la division en son sein. En plus, l'islam peut encourager la relation directe du musulman avec Allah et avec les textes islamiques, sans qu'il soit nécessaire de passer par un chef religieux. Cette structure interne instable peut contribuer à la formation d'un individualisme plus accentué chez le croyant, qui puisse l'amener à se considérer d'abord comme citoyen à part entière et non comme un membre d'une communauté.

Je pense que, dans les conditions actuelles au Québec, il se développe principalement un communautarisme islamique qui refuse le ghetto et l'exclusion sociale, ce qui semble aller à l'encontre de ce que les leaders musulmans tentent de promouvoir. Par exemple, la plupart des musulmans ont rejeté l'appel d'un leader en vue de la création d'un village islamique. Il est donc important que la société d'accueil offre à tous les immigrants, y compris les musulmans, des voies de socialisation qui respectent leur différence et la valorisent, afin que le communautarisme ne constitue qu'une étape intermédiaire dans le processus de socialisation et d'intégration des nouveaux arrivants. Sinon, le discours des leaders musulmans prêchant un communautarisme plus sectaire peut certainement conduire au renforcement d'une communauté repliée sur elle-même; ce même discours peut également, en prêchant l'engagement actif dans la vie sociopolitique de la société, donner naissance à une communauté ouverte sur les non-musulmans et favoriser la participation citoyenne dans l'égalité des droits.

Ali DAHER
Sociologue
Chercheur autonome

Résumé

L'auteur s'intéresse aux processus de construction d'une islamité québécoise. Dans cet article, il analyse tout d'abord la conception de l'intégration à la société québécoise dans le discours que les leaders musulmans adressent à leurs coreligionnaires. Cette conception de l'intégration prend appui sur une interprétation de ce que doivent être les relations entre musulmans et non-musulmans, sur une perception particulière des politiques d'intégration canadienne et québécoise et sur une volonté de consolider le plus possible la communauté musulmane. L'auteur examine par la suite les effets de la politique d'«accommodement raisonnable» en vigueur au Québec et s'interroge sur les effets pervers potentiels de celle-ci, eu égard à la tendance au repli communautaire.

Mots-clés: islam, Québec, intégration sociale, accommodement raisonnable, leadership, identité, communauté.

Summary

The author focuses on the process of constructing a Québecois Islamity. In this article, he begins by analyzing how integration into Québec society is conceived in the discourse addressed by Muslim leaders to fellow members of their religion. This conception of integration is based on an interpretation what the relationship between Muslims and non-Muslims ought to be, on a particular view of Canadian and Québec integration policies, and on a desire for the greatest possible consolidation of the Muslim community. The author then examines the effects of the prevailing «reasonable accommodation» policy in Québec, and reflects on its potentially perverse effects with regard to the trend towards community withdrawal.

Key-words: Islam, Québec, social integration, reasonable accommodation, leadership, identity, community.

Resumen

El autor se interesa en los procesos de construcción de una islamidad quebequense. En este artículo, analiza en un comienzo la concepción de la integración a la sociedad quebequense en el discurso que los líderes musulmanes dirigen a sus correligionarios. Esta concepción de la integración se apoya sobre una interpretación de lo que deben ser las relaciones entre musulmanes y no-musulmanes, sobre una percepción particular de las políticas de integración canadiense y quebequense y sobre una voluntad de consolidar todo lo posible a la comunidad musulmana. Tras ésto, el autor examina los efectos de la política de «acomodamiento razonable» en vigor en Quebec y se interroga sobre sus efectos perversos potenciales, debida cuenta de la tendencia al repliegue comunitario.

Palabras claves: Islam, Quebec, integración social, acomodamiento razonable, liderazgo, identidad, comunidad.

La dissolution postmoderne de la référence transcendantale

Perspectives théoriques

Michel FREITAG

Cet article[1] aborde, selon une perspective sociologique, la reconnaissance critique de l'existence d'une dimension transcendantale non seulement dans l'expérience humaine subjective, mais aussi au «fondement[2]» de la vie sociale. Il est possible de distinguer différentes formes historiques qui ont été données à la reconnaissance de cette

---

[1] Je dois à Micheline Milot non seulement l'idée d'écrire ce texte, mais aussi sa structure. C'est elle, en effet, qui en a rassemblé les éléments à partir de trois manuscrits plus extensifs mais inachevés qui étaient consacrés respectivement à la question des droits, à celle de l'identité et, enfin, à une réflexion sur la signification contemporaine de la religion et, particulièrement, du discours théologique. Le texte qu'on va lire comporte donc certaines discontinuités et de nombreuses ellipses, et toute tentative que j'aurais pu faire pour en intégrer mieux le sujet et en resserrer l'argumentation aurait conduit à un essai beaucoup plus long, au centre duquel il m'aurait fallu placer une ontologie de la normativité immanente à la reproduction de toute réalité d'ordre subjectif et, par conséquent, de nature contingente. Je remercie très amicalement Micheline Milot pour l'aide qu'elle m'a ainsi apportée, et qui seule m'a convaincu de l'utilité de présenter aux lecteurs ce qu'il faut considérer seulement comme l'ébauche d'une réflexion sur la nature transcendantale de la normativité, ou encore comme l'ouverture de quelques pistes en vue d'une exploration plus approfondie de ce nouveau «continent historique» qui a été si souvent décrit négativement par la «perte de la transcendance», la «dissolution des finalités de la vie commune», l'«éclatement du sujet», la «fin des grands récits», la «mort des idéologies»: bref, il s'agit ici de présenter quelques repères permettant de saisir *un peu* le *sens* de la «perte du sens», quelque chose qui conduirait la réflexion au-delà d'un simple constat de perte, et l'action, au-delà des stratégies d'adaptation auxquelles l'idéologie présentement (encore) dominante veut l'accoutumer par tous les moyens.

[2] Je voudrais montrer plus bas, en esquisse, que le «fondement» n'est pas vraiment «dessous» ou encore «au-dessus» de ce qui possède un fondement, mais qu'il représente le centre ou le cœur ontologique de sa réalité la plus concrète en tant que réalité d'ordre subjectif (et plus précisément intersubjectif, puisqu'il n'y a de subjectivité qu'à l'intérieur d'une intersubjectivité constituante), telle qu'elle existe elle-même ici et maintenant, et cela parce qu'elle porte son essence dans la forme de son acte existentiel.

dimension transcendantale certes dans les idéologies, mais encore au cœur des institutions sociales et dans leur dynamique de reproduction et de transformation. Les formes spécifiquement religieuses d'objectivation de la transcendance y prennent une place qui reste particulière. Celles-ci, dans une vue très large, doivent être associées aux sociétés de type traditionnel. Dans la modernité, la religion, qui demeure encore largement institutionnalisée et vécue comme telle, s'engage dans une mutation où un *moment transcendantal* subjectif, à caractère *éthique* et *rationnel*, va être substitué à une *transcendance substantielle extériorisée*, de forme proprement religieuse. La *foi* intérieure s'est substituée au principe d'une *fidélité* encore extérieure, en même temps que les obligations concrètes impliquées dans la participation sociale et religieuse trouvaient leur origine transcendantale dans un *devoir* assumé entièrement dans l'intériorité libre du sujet, devoir qui, comme tel, tendra à se fondre dans le principe de la raison. Mais cette référence transcendantale formelle et abstraite — qui fut reprise non seulement dans l'éthique, mais aussi dans le politique et l'économique, ainsi que dans la science et dans l'art — tend maintenant à disparaître dans la mutation postmoderne de la société, où nous sommes confrontés au déploiement de nouvelles modalités organisationnelles et systémiques de régulation à caractère autoréférentiel et pragmatique qui se substituent aux régulations politiques et institutionnelles caractéristiques de la modernité, et dont l'universalisme formel renvoyait à une idéalité fondatrice saisie de manière critique sous la forme de «principes[3]» (Kant). Or on peut considérer qu'il est déterminant, sur le plan formel, que ces nouvelles modalités de régulation, de nature opérationnelle-pragmatique, ne correspondent plus à aucune idéalité transcendantale, tirant toute leur justification de leur immédiate «opérativité» technique ou stratégique.

Partant ainsi de l'hypothèse selon laquelle la dissolution de toute référence transcendantale (ontologique) apparaît comme inhérente aux conditions formelles du fonctionnement des systèmes qui, de plus en plus souverainement, régissent le monde contemporain «postmoderne», la question se pose donc de savoir par quel chemin peut encore y être réassumée la reconnaissance de cette dimension transcendantale de la

---

[3] Il me semble que personne n'a exprimé cette mutation de manière plus claire et aussi, normativement ou politiquement, plus arrogante, que Richard Rorty. Voir en particulier, comme illustration de cette arrogance postmoderne, son article intitulé «The priority of democracy to philosophy», réédité dans *Objectivity, Relativism and Truth. Philosophical Papers*, vol. 1, Cambridge University Press, 1991. Ce texte a été traduit en français sous le titre «Y a-t-il un universel démocratique? Priorité de la démocratie sur la philosophie», dans *L'interrogation démocratique*, Paris, Centre G. Pompidou, coll. «Philosophie», 1987.

vie humaine, dont chaque civilisation avait été porteuse, notamment à travers les élaborations religieuses particulières qu'elle lui avait données.

1   La dimension transcendantale de l'expérience humaine

J'ai fait référence, dans la présentation, à une dimension transcendantale de la vie et de l'expérience humaines, mais de quoi s'agit-il? En philosophie moderne, le «transcendantal» s'inscrit simplement dans une opposition à l'empirique, et il désigne l'*a priori*. À partir de là, on peut donner à l'*a priori* un sens seulement formel et subjectif, purement épistémologique — comme chez Kant —, ou encore aussi substantiel et concret, ontologique — comme chez Hegel et, bien sûr, en théologie. Dans la première perspective, la dimension ontologique n'est cependant pas absente, elle est seulement postulée comme un invariant qui définit la nature même, universelle, de l'être humain, postulat qui, chez Kant, renvoie encore à la doctrine religieuse de la création. La question se pose donc maintenant d'exhumer, si l'on peut dire, ce moment ontologique transcendantal pour en rendre compte en restant dans le champ d'une réflexion ontologique profane. C'est ce que je vais commencer par tenter ici, sous forme d'esquisse, en me plaçant successivement dans la perspective d'une ontologie générale, puis d'une sociologie générale.

Une ontologie générale de la normativité et
de son caractère transcendant

Ce qui est transcendant, pour tout étant subjectif, c'est ce qui est par lui reçu inconditionnellement comme la condition d'existence interne et externe de son être, compris selon sa nature propre qui est toujours particulière. Pour tout existant subjectif, cet inconditionnel ontologique comprend le mode de constitution de sa subjectivité (la réflexivité, l'expérience sensible, puis, chez l'être humain, l'expérience symbolique), son mode de dépendance et d'appartenance à l'égard de son genre, ainsi que la présence d'un monde objectif commun à lui et à tous les autres êtres subjectifs avec lesquels il entre en interaction et en «communication» sensible et symbolique dans l'accomplissement de sa vie propre. Ainsi, on peut déjà parler d'une dimension transcendantale habitant la sensibilité animale et de son déploiement dans la multitude des formes de vie particulières qui constituent le monde du vivant. Dans la subjectivité de l'étant animal, cette normativité transcendantale prend la forme non réflexive de ce qu'on a appelé de manière très générale l'«instinct», lequel peut être enrichi par les acquis de l'expérience empirique qui viennent se greffer sur lui. Inversement, cet engagement instinctif dans lequel s'accomplissent aussi bien la vie de chaque animal singulier que la reproduction de son genre spécifique doit être compris comme la synthèse des expériences passées accumulées tout au long de l'ontogenèse, et c'est la totalité de ce procès (engagé, dans l'ordre du vivant, «depuis la nuit des temps») qui porte ontologiquement le poids de la transcendance, l'héritage ontologique qui constitue l'essence même de chaque être vivant individuel, tel qu'il est toujours lié à la particularité de son genre. En l'absence de réflexivité symbolique commune, les animaux, cependant, ne font qu'habiter immédiatement leur être propre à caractère transcendantal, ainsi que le monde tel qu'il leur est donné de manière aussi transcendantale, apriorique, à travers cet être (leur sensiblité, etc.), sans pouvoir l'objectiver comme tel et donc, aussi, sans exercer à son égard aucune liberté — hormis celle de participer involontairement à sa transmission et à son accroissement. Mais je ne m'engagerai pas plus avant ici dans cette extension du concept au monde de la vie tout entier, dont les implications sont pourtant fondamentales[4]. J'énoncerai simplement la thèse suivante, à portée générale, à savoir que c'est en raison du caractère normatif, et donc subjectivement assumé, de son existence advenue à travers le procès d'auto-affirmation d'un être, dans son «être pour-soi», que la transcendance du devoir-être est immanente à tout exister subjectif, qu'elle y est l'envers de la précarité même de son existence. Cette dimension transcendantale, assumée subjectivement, s'attache donc à la contingence même des étants qui doivent réaliser eux-mêmes, à travers leurs propres activités vitales, leur «essence» particulière, la forme de celle-ci n'étant justement soutenue dans l'existence par aucune nécessité en soi, n'étant pas l'effet d'un déterminisme universel[5]. Et cette transcendance est alors toujours double: celle d'une «volonté d'être» propre et celle du monde où un tel être, dans lequel est actualisée une telle volonté d'être particulière, se présente pour être accueilli, y prendre ou du moins y trouver place[6].

---

[4] Je me contente de renvoyer à une importante littérature qui a déjà très clairement préparé le terrain à une telle réflexion ontologique sur la nature du vivant: Goldstein, Strauss, Huexküll, Portmann, Jonas, Merleau-Ponty, Cangilhem, Pichot, Dewitte, etc., ainsi qu'à mes propres analyses dans *Dialectique et société*, vol. 1., *Introduction à une théorie générale du symbolique*, Montréal, Éditions Saint-Martin, et Lausanne, L'Âge d'Homme, 1986.

[5] La conception déterministe universaliste n'a eu d'autre recours que de rapporter au «hasard» la genèse de toutes les formes particulières qui constituent le monde de la vie, ce qui impliquait en dernière instance le déni de toute subjectivité synthétique. Sur la nécessité d'un rejet de cette conception déterministe et ontologiquement réductrice, voir tout le courant phénoménologique en biologie, auquel j'ai fait référence plus haut.

[6] Pour approfondir cela, il faudrait revenir sur la distinction qu'il s'impose de faire entre «être» et «exister», ou plus précisément sur l'exigence, associée à une ontologie dialectique et non essentialiste, de passer d'une problématique ontologique qui s'interroge sur «l'être de l'exister» à une problématique dynamique qui veut saisir «l'exister de l'être». Il s'agit alors de passer de l'être comme socle commun de tous les

C'est cependant seulement dans le cadre, lui-même ontologique et donc transcendantal, de l'existence symboliquement médiatisée que ce rapport à l'essence propre et au monde extérieur se trouve réflexivement objectivé et qu'il doit par conséquent être lui aussi pris en charge subjectivement de manière également réflexive, à travers la dimension normative-expressive qui est inhérente à l'action humaine, mais qui est aussi toujours déjà construite socialement en réponse au rapport de dépendance pratique et symbolique de l'individu à l'égard de la société à laquelle il appartient, et, réciproquement, à la médiation du procès de reproduction de la société par les pratiques individuelles de ses membres.

Point de vue sociologique sur l'ontologie transcendantale

Pour préciser la conception ontologique qui vient d'être esquissée, je m'en tiendrai ici à l'axiome sociologique selon lequel la religion au sens large est une réalité sociale qui remplit une fonction de miroir — et non d'illusion — par rapport à la dimension transcendantale fondamentale de la vie humaine. La religion est présentation de cette dimension, celle du lien social originel tel qu'il est incarné dans chaque société particulière et dont elle se veut aussi être la représentation objective. Pour Durkheim[7], que je suivrai ici, la société possède en effet, en tant que dimension collective englobant toute la vie sociale, une valeur transcendante pour les individus qui en sont les membres, et cette valeur appartient également à l'ensemble des institutions qui encadrent normativement et expressivement toutes leurs pratiques en leur conférant un sens symbolique qui est *a priori* accepté ou reconnu par tous comme référence intelligible, même dans sa transgression et sa contestation éventuelles. Mais à cette transcendance de la société — cet *a priori* de la société que la modernité a eu tendance à nier comme on le sait, notamment dans les théories du contrat social — on doit ajouter aussi, comme formant une détermination essentielle de la vie humaine, l'expérience de la transcendance du monde que nous habitons. Cette affirmation veut simplement signifier que nous n'avons pas fait ce monde (ni seulement halluciné, quoique nous ayons toujours à affronter la possibilité de l'illusion). Or ce monde nous englobe et nous

étants et comme horizon commun de leur expérience à l'être compris comme distance et lien, comme champ de toutes les relations entre les étants. Mais ces relations ne sont pas alors seulement celles qu'ils déploient entre eux dans leur exister empirique, actuel, elles sont toujours déjà incarnées en eux, dans la particularité même de leur ipséité; penser l'être, donc, non plus comme le commun dénominateur entre tous les exister particuliers, mais comme la forme même de leur exister, telle qu'elle se manifeste dans le déploiement de leurs différences et telle qu'elle soutient toutes leurs interactions.

[7] É. Durkheim, *Les formes élémentaires de la vie religieuse*, Paris, PUF, 1912.

comprend et il est toujours déjà aussi inscrit dans les déterminations de notre être propre, comme forme et limite. Et peut-être faut-il finalement encore faire référence, cette fois-ci en «modernes», à la transcendance de l'individu compris comme *personne* dans l'absolue identité de sa conscience[8] et dans la reconnaissance que nous nous accordons les uns aux autres, comme cela se manifeste par le nom et dans l'unicité absolue du visage ou du regard.

Durkheim soutient que c'est la société comprise en son unité *a priori* qui est désignée sous les figures de la transcendance. Cela peut évidemment être interprété de différentes façons, dont la plus réductrice renverrait simplement à une conception positiviste de la société, considérée comme l'ensemble du contrôle social, du déterminisme social. La dimension transcendantale ne serait alors finalement qu'un leurre, une simple stratégie inconsciente du collectif pour se saisir des individus. Mais on peut aussi comprendre cela autrement, en reconnaissant que l'être humain tient son être le plus essentiel et le plus spécifique de son mode symbolique d'existence, et que ce mode symbolique n'est pas seulement une «faculté» psychologique ou naturelle que des «contenus sociaux» divers viendraient seulement «remplir» empiriquement de l'extérieur. Il est lui-même d'essence sociale, une essence dont l'origine ou la création coïncide avec le procès même de l'humanisation, qui, de mon point de vue au moins, vient couronner tout le développement de la vie dans le monde. C'est tout ce procès, entièrement concret et qui par là engage des formes et des contenus toujours particuliers, qui est donc inclus dans le concept de société.

La première expérience d'une réalité transcendantale dans les sciences humaines, l'expérience matricielle, est celle du langage dans lequel se tiennent toujours déjà, comme condition de leur existence et de leur sens, non seulement toute parole dite, mais toute expérience significative, symbolique, du monde, de soi et d'autrui. Mais il faut dès maintenant relever que cette forme universellement humaine du langage est, comme dimension symbolique de l'expérience humaine, *inséparable de ses contenus sémantiques*, qui sont toujours structurés de manière déterminée et dans lesquels est déposée et fixée de manière toujours transitoire une expérience collective particulière. Ainsi, le langage ne saurait être réduit, dans sa dimension transcendantale, à une simple faculté humaine universelle ni, inversement, à un simple médium de communication[9]. Il n'existe et ne s'accomplit que dans des langues

---

[8] Celle-ci est principielle, non pas empirique, mais ce principe comporte la négation du principe inverse d'une entière hétéronomie.

[9] Il faut donc rejeter, comme sociologiquement et ontologiquement inepte, la conception actuellement dominante du langage appréhendé comme un code purement

historiques dont le caractère contingent possède lui aussi, en tant que tel, une portée ou une emprise métaphysique, et donc une valeur transcendantale de synthèse *a priori*, ayant un caractère irréductiblement concret et substantiel. C'est précisément par là qu'il informe toute expérience humaine effective et qu'il l'institue comme expérience sociale et symbolique, qui peut être partagée à travers la reconnaissance d'une appartenance, quelle que soit par ailleurs l'ouverture de celle-ci[10]. Toute formalisation universaliste d'un langage «opératoire» (comme le langage des mathématiques et celui de la logique) ne peut être réalisée que par un procédé d'abstraction constructive qui déjà opère nécessairement dans le champ d'un langage symbolique concret à caractère synthétique.

Dans la mesure où elle est toujours contingente, cette synthèse peut — et sans doute doit — être rapportée à la *temporalité intrinsèque* d'un *développement à portée ontologique* et, par là, à la temporalité (ou historicité, au sens large) constitutive de tout rapport subjectif à l'existant. Dès lors, la dimension transcendantale peut aussi être comprise comme cette présence de la durée dans tout acte, en l'occurrence ici la durée d'une «culture» dans laquelle l'acte s'inscrit comme en son essence propre. Il s'agit alors d'une durée inhérente à l'élaboration des formes dont l'analyse rétrospective se révèle être, par principe, interminable, inépuisable, puisqu'elle peut logiquement se poursuivre jusqu'à l'horizon non plus extérieur mais intérieur de l'Unité Première Absolue, indifférenciée et in-ex-istante, de l'origine. Cette origine, tout être différencié y reste intimement attaché par le procès même de la différenciation qu'il porte en soi, dans la forme de son genre particulier, mais qu'il exprime ou met en œuvre également dans la forme déterminée des rapports qu'il entretient avec tous les autres êtres avec lesquels il entre en relation dans l'accomplissement de sa vie. Si l'on fixe de manière substantive ce moment inatteignable, alors on l'appellera Dieu créateur et l'on introduit ainsi une séparation ontologique entre l'Être intemporel et le commencement du temps propre à l'étant. Si l'on refuse de le faire, on pourra l'appeler atman et alors, dans ce cas, l'être temporel de l'existant devient lui-même l'infini en soi, aussi bien dans son extension que dans la diversité de ses

---

formel de la *communication intersubjective*. Il n'y a de langage que symbolique, et tout système symbolique intègre une structure de représentation du monde, d'autrui et de soi qui, comme langue et comme culture, est *a priori* commune aux interlocuteurs, quelle que soit par ailleurs la liberté énonciative dont ils jouissent.

[10] Voir B. L. Whorf, *Language, Thought and Reality*, Cambridge, MIT Press, 1956 (*Linguistique et anthropologie*, Paris, Denoël-Gonthier, 1969 dans la version française). Voir aussi mon article «Pour un dépassement de l'opposition entre holisme et individualisme dans les sciences sociales», *Revue européenne des sciences sociales*, vol. 29, 1993.

manifestations. Cette infinité ne se déploie plus alors que dans l'«illusion existentielle» de l'étant, l'immuabilité de l'être devenant toute négative. Entre ces deux objectivations substantives extrêmes, l'une positive, l'autre négative, peut se déployer une ontologie dialectique qui seule parvient à les concilier.

À partir de ces premiers constats, de nombreuses mises en forme concrètes de ce caractère transcendantal de la communauté d'appartenance sociosymbolique, puis sociopolitique se laissent directement entrevoir. C'est non seulement la société qui possède ainsi une valeur transcendantale objective et objectivée réflexivement, mais l'ensemble des institutions à travers lesquelles son ordre propre se manifeste et s'impose de manière différenciée, et qui régissent de façon normative la pratique humaine tout en l'orientant et en l'informant (au sens de *bilden*, de «donner une forme») dans ses engagements expressifs. La tension vers une idéalité est ainsi constitutive de leur réalité, quel que soit le mode historique ou formel sous lequel ce pôle idéal puisse être fixé et représenté[11]. Il en va de même si l'on regarde non plus du côté de la constitution sociale et historique du sujet et des normes qui régissent ses rapports avec autrui, mais du côté des modalités de la présence du monde pour lui. Partout, le moment empirique de l'expérience subjective et objective, de l'identité et de la communication, est médiatisé non seulement par des formes *a priori* de la sensibilité (que Kant ne reconnaissait que sous le mode formel-abstrait des catégories de temps et d'espace) et des catégories de la raison pure, ou encore des axiomes ou impératifs régissant l'exercice de la libre volonté, mais aussi par des structures ou des formes concrètes à caractère synthétique, dans lesquelles s'exprime une solidarité concrète, déterminée. Ces formes, en leur développement temporel contingent, ne se dérobent aucunement à l'analyse critique, comme l'a si bien montré l'école néokantienne de Marburg; mais cette analyse ne fait alors que mettre à jour, non pas, comme chez Kant, des principes immuables, mais une succession ininterrompue et évolutive de formes synthétiques nous renvoyant à une origine de plus en plus reculée, dont seul le concept de Totalité forme l'horizon. Cet horizon, comme tel, est inatteignable, puisque, où que nous soyons, quelque exercice que nous fassions de notre raison, de notre liberté, de notre désir, il nous englobe ontologiquement, nous et tous les objets que nous pouvons nous représenter.

On peut, théologiquement, nommer «Dieu» cet horizon «in-fini», mais c'est alors en le plaçant d'une certaine manière directement face à

---

[11] C'est à cette tension entre empirie et idéalité que peut être rattachée la distinction entre les concepts tous deux également concrets de société et de civilisation, à laquelle je me référerai plus loin.

nous et en lui conférant, fût-ce par une pure analogie consciente de sa radicale insuffisance, une figure identitaire et subjective qui nous rappelle la nôtre et qui comporte un moment indépassable de projection effectuée précisément depuis ce que nous sommes, là où nous sommes, non pas nous-mêmes dans l'absolu, contemplant le tout qui nous comprend, mais dans la contingence de notre position advenue dans le tout. On peut se contenter de constater que nous sommes toujours «inscrits dans la totalité» par ce qu'il y a de plus profond dans notre être propre et que nous ne saurions donc d'aucune manière la dominer, la maîtriser, nous l'approprier. On voit donc comment le regard sociologique et philosophique non positiviste mais spéculatif rencontre lui aussi nécessairement, par-delà toute empirie particulière, la transcendance comprise comme totalité, une totalité qui ne saurait nous faire face puisqu'elle nous contient dans la particularité même de notre existence subjective[12]. Cette réalité transcendante représente, dans toutes les traditions religieuses, l'objet même de la croyance, des rituels et de la réflexion théologique, et cela quelle que soit la dimension dans laquelle nous nous placions pour nous en approcher. Je ne fais que montrer que, pour la réflexion critique elle-même, comme dans toute expérience religieuse, les dimensions de la vérité, de la justice et de la beauté ne peuvent pas être ultimement dissociées épistémologiquement et ontologiquement. Or la théologie comme telle n'existe déjà que dans la mesure où, précisément, elle s'engage dans une interprétation, et de manière alors toute humaine, au-delà de la positivité conférée à un dogme religieux par une autorité ecclésiale déterminée; et c'est là, dans cette marge critique et spéculative, qu'elle a un rôle essentiel à jouer dans le «dialogue entre les civilisations». Ce dialogue est à la mesure de la place que les religions ont assumée dans la formation, l'expression et la transmission des représentations ontologiques, cognitives, normatives et expressives qui les caractérisent précisément comme civilisations. Et c'est là aussi que la théologie peut être rejointe, tant dans sa démarche que dans son objet, par une recherche ontologique qui se veut profane. C'est là encore que son importance, sa valeur cognitive, normative et expressive peut être reconnue de manière également profane, et cela avec d'autant plus de force et d'assurance que la philosophie ou la science positive auraient elles-mêmes plus radicalement délaissé toute interrogation proprement métaphysique, et donc refoulé plus profondément cette dimension transcendantale de l'être et de l'existence que je viens d'évoquer.

---

[12] Cette conception ontologique dialectique de la totalité abolit les paradoxes auxquels conduit sa conception purement logique, celle notamment qui est mise en œuvre dans la théorie des ensembles, paradoxes sur lesquels on a si souvent insisté avec tant de complaisance dans la théorie analytique — ainsi, par exemple, Bertrand Russell.

Il restera certes une différence entre le regard du théologien et celui du profane, qu'il soit philosophe, anthropologue ou sociologue, puisque le théologien se tiendra sous l'inspiration proche d'une tradition religieuse particulière, d'une foi déterminée. Mais cette différence elle non plus n'est pas radicale, puisque aucun regard profane n'est culturellement désincarné et qu'il se rattache toujours lui aussi à une tradition «civilisationnelle» ou à la confluence de telles traditions, dont les sources plongent dans l'univers religieux.

Je résumerai maintenant de manière extrêmement schématique les modalités selon lesquelles cette dimension transcendantale de la société, qui intègre en elle le rapport au monde et le rapport du sujet à soi et aux autres (la constitution de l'identité), s'est trouvée *représentée* dans la vie sociale, dans les sociétés primitives et traditionnelles, puis dans la modernité et dans la postmodernité.

2 Les formes sociohistoriques de la référence transcendantale

Une société est donc un ordre normatif[13] en même temps contingent (historique) et intégré (solidaire) qui régit significativement l'ensemble des pratiques sociales particulières qui entrent dans son procès global de reproduction. Par la référence significative intériorisée qui les guide de l'intérieur, au niveau du «sens», les pratiques sociales s'inscrivent donc dans cet ordre d'ensemble et participent à sa reproduction. Cet ordre comme tel *transcende* manifestement les multiples évidences particulières qu'il produit, intègre et régit, et chaque forme de société s'est donné une manière particulière de se représenter

---

[13] Je mets de l'avant ici la dimension normative de l'existence en société, mais cet ordre normatif se soutient lui-même sur des références cognitives (parfois empiriques, mais en dernière instance toujours transcendantales) grâce auxquelles il ne se présente pas comme simple arbitraire, mais comme réponse justifiée à une nécessité extérieure; de même, il comporte toujours une dimension expressive en s'exhibant comme forme visée par la volonté d'être du sujet collectif dans lequel le sujet individuel trouve place et identité. C'est en raison de ce rattachement de la dimension normative à un argument cognitif et à un idéal expressif que le concept d'«ordre social» ne peut être rabattu seulement sur le moment particulier de la normativité individuelle et des interactions sociales dans lesquelles elle s'engage de façon plus ou moins discrétionnaire. L'ordre social ne se confond pas davantage avec l'exigence objective d'une intégration fonctionnelle des divers moments autonomisés de la vie collective, mais il renvoie nécessairement à un *ordre expressif de la société* (ce que Durkheim désigne comme la conscience collective) à caractère global et virtuellement unitaire et intégrateur. De toute façon, ces trois dimensions de la référence symbolique restent étroitement reliées dans l'expérience religieuse comme dans l'expérience commune et elles ne sont que faussement séparées de manière catégorique et institutionnelle dans la modernité.

elle-même dans cette transcendance, ou encore de manifester sa transcendance à ses membres.

La sacralité immédiate et immanente du monde dans les sociétés primitives

Ce qui va être présenté ici sous le nom de *société primitive* est simplement l'idéal-type d'une société dans laquelle aucune instance stable, permanente, de pouvoir n'a encore émergé par-dessus les pratiques sociales «quotidiennes», pour s'y fixer dans une différence principielle. Par conséquent, c'est la structure même du système symbolique commun, intériorisé par tous, qui assume l'essentiel de la régulation cognitive, normative et expressive[14] des pratiques sociales. Le système symbolique, entendu au sens large (il intègre dans son unité non seulement la réalité proprement linguistique, mais l'ensemble des dispositifs à valeur symbolique, comme les outils, les procédés, les habitudes, les œuvres matérielles, toute la symbolique esthétique des formes, du corps, etc.), prend ainsi valeur d'une culture commune au sens anthropologique ou ethnologique. Cette condition établit en principe une réciprocité immédiate entre le sens immanent des «êtres», des «choses» et des «actes», la signification des expressions qui les désignent et l'ensemble différencié des «obligations comporte-mentales» subjectives qui les concernent. Une structure commune de «sens» est ainsi projetée sur le monde social et le monde naturel qui ne sont pas alors différenciés de manière catégorique sur le plan ontologique et épistémologique. Cette même structure est projetée également sur l'ensemble des «circonstances» qui déterminent les conditions, les modalités et l'opportunité de l'agir humain et auxquelles celui-ci doit «répondre» en se conformant à un «sens» qui apparaît toujours appartenir déjà ontologiquement à la réalité extérieure comme un *logos* propre et immanent. Pour les êtres humains, le sens se pose donc comme une présence et un appel objectifs; il n'est pas tant élaboré

---

[14] Ces trois dimensions ne sont d'ailleurs pas différenciées, puisque tout être se soutient dans l'existence en se présentant comme le terme objectif d'un devoir-faire différencié, correspondant à son propre «être» ou «devoir-être» spécifique, et que sa réalité empirique reste ainsi toujours tendue de l'intérieur vers l'accomplissement d'une forme idéale, dans laquelle seule sa nature ou son essence s'exprime pleinement, existentiellement. Cette indifférenciation relative, ou du moins cette solidarité ontologique des dimensions «épistémiques», est encore bien perceptible dans la philosophie grecque jusque chez Aristote (avec l'exception de certains sophistes), et c'est donc essentiellement la modernité qui va différencier catégoriquement, épistémologiquement mais aussi institutionnellement, les dimensions du vrai (la science), du juste (l'éthique, le politique et l'économique) et du beau (l'art), comme chez Kant, par exemple.

et attribué par l'homme qu'il ne surgit devant lui ou se déploie tout autour de lui, au cœur même du monde. Le dialogue dans ces conditions s'instaure non seulement entre les humains, mais directement et d'abord entre eux et le monde, un monde qui se présente lui aussi comme entièrement habité d'êtres particuliers dotés de subjectivité, d'intentionnalité, de valeur, d'expressivité, de volonté, de *puissances* propres et particulières. C'est ce qu'on a désigné sous le nom d'«animisme», une forme d'objectivation pour laquelle les dimensions matérielles et spirituelles restent indissolublement liées dans la réalité elle-même. Dans ces conditions, l'unité de la structure d'interaction symbolique n'est pas «représentée» comme telle, elle est elle aussi projetée sur l'ensemble des êtres, des actes, des situations types et des circonstances, fixant normativement chaque chose, chaque acte et chaque événement «à sa place propre», dans sa puissance propre et dans ses «relations nécessaires» avec tout le reste, à l'intérieur d'un même tout («terre», «monde», «cosmos») appréhendé comme la structure générale des «correspondances» qui rattachent ontologiquement tous les êtres entre eux. La place de chaque chose, la «puissance» qui lui est attribuée et reconnue dans la reproduction d'ensemble de la structure et l'exigence de son respect par l'action humaine, tout cela prend alors la forme phénoménologique du «sacré». Cette sacralité est donc elle aussi diffuse dans le monde, qu'elle marque ontologiquement d'un relief qui se déploie sur toute sa surface, en y manifestant partout les puissances ontologiques cachées. C'est cela qui est appréhendé à travers les catégories complémentaires du *sacré* et du *profane*, du *faste* et du *néfaste*, de l'*obligatoire*, du *permis* et du *tabou*.

Un tel monde entièrement pénétré de forces symboliques adhérant aux personnes, aux actes et aux «choses» n'est cependant pas à l'abri de perturbations, de déviations, de contestations et de conflits, mais ceux-ci n'y surgissent que selon le mode du non-sens, auquel la société répond par différents procédés de réinterprétation, à caractère plus herméneutique et esthétique que politique, juridique ou théologique. De telles interrogations[15] et interprétations (la palabre, la répétition des rituels de passage ou de restauration, de compensation, etc.) se fixent, un peu à la manière d'une jurisprudence, dans toutes sortes de «récits», d'«histoires» et de «dictons», de «cas mémorables et exemplaires» dans lesquels s'est condensée ce qu'on peut déjà désigner comme une objectivation réflexive du sens: en somme, les idéaux-types normatifs, cognitifs et expressifs qui éclairent, imprègnent et orientent l'expérience. Cela s'opère à travers un effort sans cesse renouvelé qui cherche à rapporter le sens incertain de la réalité empirique changeante à la permanence d'une origine fondatrice, avec l'effet de réinscrire la

---

[15] Interroger, c'est adresser une demande, une «rogation» à un être pour qu'il se manifeste.

réalité empirique dans l'ordre originel et d'y renouveler la puissance ordonnatrice qui est propre à celle-ci. Les ethnologues, à la suite des anciens Grecs, ont nommé «mythe» l'ensemble de ces discours de deuxième degré dans lesquels se sont condensés, de manière éparpillée et apparemment disparate, les fruits d'une première réflexion critique ou «théorique» sur le «sens du sens» ou l'«origine du sens», impliquant déjà sa mise à distance. Mais, comme je l'ai dit, ces discours ne portent pas encore sur un «autre monde», mais seulement sur le sens enfoui dans ce monde-ci depuis l'origine, un sens qui l'habite toujours dans la profondeur de sa permanence sacrée. Ses manifestations paraissent se dérober aux regards et à l'écoute des hommes, et il leur appartient de faire effort pour le redécouvrir, le reconnaître à travers les indices dispersés dont les récits mythiques contiennent une interprétation déjà distancée de toute appréhension immédiate. La structure ontologique fondamentale tend donc déjà vers une polarisation, mais ce n'est pas encore selon un axe vertical, mais selon une dimension de profondeur qui relie plus qu'elle ne les sépare le *manifeste* et le *caché* qui le soutient, ces deux moments restant encore inséparablement attachés à la même réalité[16].

Pour résumer cela, disons que, dans la compréhension du monde primitive, le sacré n'est pas séparé du monde sensible, il l'habite et s'y manifeste, et dans ce sens, c'est donc le monde lui-même qui porte, en miroir, la valeur de la transcendance dont est investie la société, parce que celle-ci ne se conçoit pas encore comme détachée du monde et encore moins opposée à lui, mais perçoit son existence en communion et en participation avec lui. On voit ainsi se déployer, dans les sociétés primitives, une conception ontologique qui assure comme telle directement, immédiatement, la régulation des pratiques sociales. Cette conception ontologique est non seulement naïve et touchante, poétique et souvent exubérante, elle est aussi et surtout profonde, au sens qu'elle exprime le lien le plus effectif qui nous rattache au monde en notre origine humaine immémoriale. Or il s'agit là d'un lien ontologique dans lequel notre être même est constitué et auquel renvoient toujours encore, même si nous l'avons «oublié», les racines de notre existence particulière qui reste plongée dans l'être universel dont elle est issue (au sens concret de l'*universum* qui, dans un contact retrouvé avec la conception antique du *cosmos* et de la *physis*, sera encore exalté à la Renaissance). Une telle conception est à l'opposé de celle qui va affirmer, dans la modernité, la *toute-puissance de l'homme sur le monde «matériel» à travers la possession et la maîtrise exclusive de la raison* et la *légitimation unidimensionnelle de l'intérêt* et qui, parallèlement,

---

16 Voir ici encore l'analyse que Whorf fait du langage hopi, et en particulier de la construction «nominale» de la temporalité qu'il comporte, dans l'ouvrage cité précédemment.

considérera l'individu selon une autonomie virtuellement absolue par rapport à la société. Or, face aux problèmes que nous affrontons maintenant sur ces deux plans fondamentaux de notre existence, celui de notre appartenance au monde et celui de notre solidarité sociale, la manière primitive de comprendre notre existence en son lieu et en son mode ontologiques témoigne encore d'une vérité essentielle et elle ne saurait être considérée comme simplement «dépassée» ou «abolie» une fois pour toutes. Ainsi en est-il aussi bien de l'expérience d'une «sacralité du monde» devant la toute-puissance technique et de celle d'une sacralité du langage et de la parole face à l'arbitraire débridé du «signe» réduit à la puissance opérationnelle des nouveaux systèmes de communication et d'information. À nous de traduire cette sacralité, une fois qu'est reconnue à nouveau, en état d'urgence, sa vérité ontologique: toutes les versions antérieures ne furent elles-mêmes jamais qu'autant d'efforts particuliers de traduction. Mais, désormais, quelques gestuelles de magie ou quelques rituels propitiatoires ou sacrificiels ne suffiront plus à traduire en actes de respect suffisants cette reconnaissance. Comme toutes les «vérités éternelles» de la philosophie, cette vérité immanente au «monde primitif» elle aussi ne nous est accessible qu'à travers un effort radical de transposition.

L'«invention des dieux» comme support transcendantal
d'une volonté ordonnatrice extériorisée

Le modèle des *sociétés traditionnelles* peut être reconstruit à partir d'une analyse phénoménologique du long procès historique qui a conduit à la constitution d'un *pouvoir séparé dans la société*[17], un pouvoir dont l'attribut structurel fondamental (qui surplombe toutes ses autres caractéristiques plus empiriques) sera l'acquisition d'un monopole de la capacité socialement reconnue de dire le droit et de le sanctionner. C'est donc en insistant sur leur complémentarité que je définirai ici, du point de vue de leur genèse et de leur signification sociétale catégorique, la nature du *pouvoir* et la nature du *droit*, pour voir comment une transformation radicale de la constitution de la référence transcendantale s'y articule nécessairement: il s'agit de la

---

[17] Ce procès s'amorce avec ce qu'on a désigné comme la «révolution néolithique»: développement de l'agriculture et appropriation «productive» du sol, séparation entre ville et campagne, formation d'artisanats spécialisés, écriture, et il s'étend sur plusieurs millénaires vers la formation de vastes royautés et empires, jusqu'à la modernité et à ses prodromes (la *polis* grecque). Je ne parlerai ici que de sa dimension politique (de la chefferie à la royauté) et idéologique (cette dernière coïncidant avec la formation de la religion proprement dite: sacerdoce, révélation ésotérique, etc.). Je renvoie à ce sujet à mon article «La genèse du politique dans les sociétés traditionnelles», *Société*, no 6, automne 1989, p. 41-122.

formation de la *religion proprement dite*, celle-ci étant sociologiquement distinguée du mythe, des pratiques magiques et des croyances animistes, comme le démontra Weber.

Dans les sociétés primitives et archaïques, chaque être a en partage (sa part, *ratio*[18]) une ou des *puissances* propres, qui constituent son essence en même temps qu'elles établissent normativement et expressivement ses rapports avec les autres, sa «place légitime» dans le monde. Ces puissances appartiennent donc à chaque être de manière originelle, elles se manifestent dans sa présence et dans ses «actes», tels qu'ils sont reconnus par l'ensemble des autres êtres à travers leurs interrelations. À chacun selon sa nature, tel est le principe de la justice distributive. Dans les sociétés fondées sur une culture symbolique commune, la reconnaissance et le respect de la justice ainsi définie et rendue concrètement visible sont de la responsabilité de tous. Ainsi, ce que nous appellerions l'autorité juridictionnelle y est principiellement assumée par tous, et son exercice reste diffus dans le cours même de la vie[19].

La constitution d'une instance séparée du pouvoir, telle qu'elle s'est manifestée en particulier dans le passage de la chefferie archaïque à la royauté traditionnelle, implique d'abord la «monopolisation» (réalisée au détriment de la communauté comprise comme un tout culturellement intégré) de la capacité de reconnaissance des puissances d'agir détenues par chacun dans la société, allant de pair avec le monopole de la capacité légitime de sanctionnement positif ou négatif. Ainsi, une simple puissance d'agir ne devient un *droit*, au sens formel du terme, que lorsqu'elle est reconnue «envers et contre tous» par la médiation du pouvoir qui en impose précisément la reconnaissance à tous, *volens nolens.* Pour être effective, une telle prétention au monopole juridictionnel doit évidemment s'appuyer sur la détention d'un

---

[18] *Ratio* signifie originellement en même temps la «part» qui revient à chaque être et la «raison d'agir», la justification de l'action; cette raison ou cette justification consiste en effet précisément dans le respect de la juste part qui revient à chaque être en tant que puissance propre d'être et d'agir. On retrouve cette conception non seulement à l'origine du terme *ratio* en latin (d'où: *rationem didere*, dire ou donner la raison en accordant la juste part), mais également dans la pensée grecque, telle qu'elle s'exprime notamment dans le mythe de Prométhée et Épiméthée (voir le rappel qu'en fait Platon dans *La République*). Voir à ce sujet mon article «La raison contre les raisons», *Société*, no 2, hiver 1988, p. 181-230.

[19] Il ne s'agit, bien sûr, que d'un idéal-type un peu forcé, puisque différentes lignes de démarcation s'ébauchent déjà: le privilège des Anciens, la réserve de certaines questions importantes aux hommes, l'émergence de la chefferie — dont l'autorité cependant n'est généralement pas encore associée à la disposition d'une puissance sociale particulière, qui préfigurerait ce que Weber a nommé «le monopole du recours légitime à la violence», laquelle prend du même coup un caractère «conditionnel».

monopole principiellement analogue concernant la capacité de recourir, de manière légitime, à la violence conditionnelle. Cela revient à dire que l'instance exerçant le pouvoir dispose d'un corps exécutif et répressif qui lui doit une allégeance inconditionnelle et dont la «puissance» excède, du moins en principe, toutes celles dont peuvent légitimement disposer individuellement ou collectivement les sujets sociaux. Je ne m'attarderai ici que sur un seul aspect de cette nouvelle structure: les droits, compris en leur origine comme des «puissances d'agir définies ou déterminées», continuent à appartenir originellement aux sujets, seule la capacité de les «déclarer» et de les «sanctionner» étant médiatisée par le pouvoir. Le pouvoir traditionnel ne comporte donc qu'une capacité juridictionnelle, et non pas proprement législative. Mais à l'inverse, aucune puissance d'agir ne saurait plus, en principe, s'imposer socialement à la reconnaissance et au respect d'autrui si elle n'est d'abord reconnue par le pouvoir qui, à cet égard au moins, s'est élevé au-dessus de tous et exerce souverainement la puissance originellement commune et diffuse.

Je viens de faire référence au concept de la légitimité du pouvoir, par quoi celui-ci se distingue catégoriquement de la simple capacité empirique d'exercer la contrainte par l'usage de la violence. À un premier degré, cette légitimité est associée au fait que le pouvoir traditionnel ne comporte encore que la capacité d'imposer à tous la reconnaissance des puissances d'agir qui appartiennent originellement aux divers membres de la société, et telles que chacun les a lui-même reçues conformément aux règles coutumières qui régissent la transmission des possessions, des statuts, capacités et privilèges. Cependant, en tant que ces possessions ne sont plus reconnues socialement que par la médiation du pouvoir qui monopolise la capacité de les reconnaître aux yeux de tous, le principe même de leur attribution originelle ne réside plus immédiatement dans l'évidence phénoménale de leur distribution, telle qu'elle était reconnue avec suffisamment de force par la culture commune des sociétés archaïques; ce principe découle désormais d'un décret supérieur qui renvoie lui-même à une volonté d'ordre supérieur, et dont l'instance qui exerce le pouvoir juridictionnel (ou déclaratif) apparaît comme le représentant. Cette instance supérieure est la divinité, cette nouvelle forme personnalisée sous laquelle se présentent maintenant les anciennes «forces» ou «puissances» en accord avec lesquelles toute puissance humaine devait déjà s'exercer.

Ainsi, avec la formation du pouvoir, le principe d'ordonnancement de la société, comportant sa mise en accord ontologique avec le monde, s'élève au-dessus de la vie sociale ordinaire. Dans la figure du pouvoir, la puissance sociale s'objective et se personnalise, et, du même coup, s'opère une personnalisation parallèle non seulement des droits que le pouvoir reconnaît, mais également du principe d'ordre auquel il se réfère dans l'exercice même de l'autorité qu'il détient, un principe auquel, par définition, les membres de la société n'ont plus accès maintenant que par sa médiation. Les «forces» dont chacun, dans la culture animiste, pouvait encore appréhender et comprendre directement les manifestations objectives acquièrent ainsi un caractère personnel en même temps que leurs manifestations prennent la forme désormais discursive de l'expression d'une *volonté*, qui se tient en surplomb au-dessus de toutes les manifestations phénoménales soumises à sa juridiction. C'est ainsi que ces «forces» ou «principes d'action» deviennent des «divinités» à caractère personnel, dont la subjectivité transcendante se détache, comme volonté efficiente, de l'immanence propre au monde empirique, qui tend de son côté à perdre partiellement la dimension spirituelle de la sacralité qui l'habitait en propre jusqu'alors. Il se produit alors une *scission ontologique verticale* entre un au-delà dans lequel se condense le moment originel de cette dimension spirituelle et transcendante et un ici-bas dont la dimension «matérielle» et «empirique» se trouve accentuée en proportion de la perte d'autonomie signifiante qu'il subit à travers sa subordination. Entre les deux, c'est l'instance du pouvoir qui assure la médiation, dans son double caractère «politique» et «religieux», ces deux aspects ayant d'ailleurs tendance à se dissocier fonctionnellement quand bien même ils restent unis structurellement[20].

Je m'arrête encore un instant pour relever les caractéristiques structurelles inédites de la nouvelle médiation proprement religieuse qui se forme ainsi, et qu'il convient bien sûr de qualifier par le contraste qu'elle offre par rapport à l'ancien univers de la culture animiste, magique et mythique. Le mythe était un ensemble de récits sur les origines, connus de tous, servant pour la communauté entière d'interprétants privilégiés. Il fonctionnait donc un peu à la manière de proverbes qui permettent à tous de discerner circonstanciellement le sens commun de situations particulières. La volonté ordonnatrice des divinités proprement subjectives ne s'exprime plus directement dans le monde phénoménal, elle va prendre la forme nouvelle d'une *révélation* dont la réception, la conservation, l'interprétation et la transmission

---

[20] Cette division fonctionnelle se comprend d'abord pour des raisons «techniques» ou «professionnelles». L'aspect juridique et politique de l'«autorité politique» exige en son exercice des compétences militaires et organisationnelles qui ne sont pas les mêmes que celles, herméneutiques et littéraires, que requièrent de la part du médiateur religieux l'«interprétation de la volonté des dieux» et l'ordonnancement fidèle des rituels collectifs. La première se déploie dans un espace exotérique, la seconde dans un espace ésotérique — puisque, par définition, la volonté des dieux ne se manifeste plus directement à tous, dans un langage ou selon des signes immédiatement intelligibles à tous au sein d'une culture commune symboliquement intégrée.

relèvent des conditions humaines subjectives qui seront monopolisées par un ordre social spécialisé. Cet ordre spécialisé constitue une confrérie ou caste *sacerdotale*, investie de pouvoirs particuliers acquis et transmis eux-mêmes de manière particulière, généralement fortement ésotérique. Dans ce procès d'un savoir spécialisé, la révélation prendra la forme d'un «dépôt sacré» souvent consigné dans des «livres sacrés» à accès minutieusement réservé. La lecture et l'interprétation exigeront une technique herméneutique à caractère linguistique et littéraire dont le développement et la transmission exigeront un effort d'objectivation et de systématisation de nature «théorique» et «rationnelle». Ainsi se constitue un savoir d'ordre proprement *théologique* qui se sépare, tant dans son objet que dans sa forme et sa détention, de tous les savoirs «profanes» inhérents à la culture commune et à son symbolisme exotérique. Inversement, les divinités étant désormais personnifiées, la communication humaine avec elles perdra progressivement son caractère archaïque d'action magique contraignante pour prendre celui de l'adresse propitiatoire, du *sacrifice*, de la *prière*, du rituel compris comme un langage symbolique sacré, un «langage des dieux» à valeur *sacramentelle* dont la connaissance ou la maîtrise sera elle aussi monopolisée par les prêtres, en vertu d'un acte de transmission impliquant lui-même l'intervention ou l'accord de la divinité. Je voudrais enfin souligner la structure *polythéiste* de la religion traditionnelle, qui correspond strictement à l'absence d'une capacité proprement législative du pouvoir et à l'obligation que lui impose son principe de légitimité de se référer à des droits substantiels détenus par les sujets eux-mêmes en possession propre. Ces droits originels sont par nature divers en leur concrétude, comme restent diverses les circonstances sociales qu'ils régissent. D'un côté, qui est celui de leur origine ou de leur fondement, ils restent donc attachés à l'ancienne structure distributive des diverses puissances d'agir constitutives de l'ordre social et ils renvoient donc sociologiquement à la contingence du procès historique de développement propre à chaque communauté culturelle particulière. De l'autre, la puissance déclarative investie du monopole de leur reconnaissance sociale tend à se concentrer dans une instance qu'unifie la distance à travers laquelle cette puissance s'élève au-dessus de la société. La puissance divine dont se réclame le pouvoir va donc se présenter elle aussi comme une puissance simplement ordonnatrice et non pas créatrice. On retrouvera en son sein une pluralité hiérarchiquement ordonnée de divinités particulières dans la personnalité desquelles se reflétera encore la particularité originelle des anciennes forces cosmologiques désormais subsumées sous le principe de la volonté subjective. À cela il faut ajouter que, par contraste avec l'unité communautaire caractéristique des communautés archaïques, les sociétés traditionnelles vont se différencier socialement en ordres et statuts dont les droits seront eux aussi principiellement différenciés fonctionnellement, pour être réintégrés dans la totalité sociétale à travers leur ordonnance hiérarchique. Il en ira de même aussi pour leurs divinités tutélaires respectives et leur organisation en un panthéon. Dans cette perspective, toute tendance au monothéisme exprimera une tendance analogue à l'universalisation du statut juridique des membres de la société, ou du moins de la catégorie sociale qui soutient un tel développement tout en affirmant son autonomie dans la société.

La signification protomoderne du *monothéisme* dans le contexte sociétal traditionnel

Dans ces conditions, les tendances vers le monothéisme qui apparaissent dans toutes les sociétés traditionnelles peuvent sociologiquement être mises en relation avec la formulation d'une nouvelle exigence d'universalisation du droit (associée à son individualisation), et donc aussi avec l'autonomisation relative, dans la société, de certaines catégories sociales qui tendent à émanciper leurs pratiques de la tutelle directe du pouvoir traditionnel et présentent même, virtuellement, leur consentement comme une condition nouvelle de la légitimité de ce pouvoir.

Cela vaut pour le monothéisme judaïque si l'on admet ici, pour des raisons non seulement linguistiques et psychologiques, mais aussi sociologiques, la thèse développée par Freud dans *Moïse et le monothéisme*. Le peuple hébreu, durant sa captivité, possédait dans la société égyptienne un statut «hors caste» et ses membres jouissaient d'une autonomie relative dans les professions artisanales et administratives dans lesquelles ils étaient spécialisés. L'adoption d'une religion monothéiste qui affirme la «toute-puissance» d'un Dieu créateur — et pas seulement responsable de la pérennité de l'ordre établi — correspond alors à l'égalité des membres de la communauté en condition de captivité, dans laquelle ils ne possèdent pas de droits propres et différenciés, mais cultivent au contraire un fort sentiment d'appartenance ethnique, d'origine commune. J'adopterai donc ici la thèse freudienne concernant le caractère rétrospectif du monothéisme d'Abraham[21] et admettrai comme plausible la naissance égyptienne de Moïse lui-même (au sujet de qui est repris le mythe d'Osiris). Moïse, rejeté de la société égyptienne à sa naissance, aurait ainsi favorisé le transfert au peuple hébreu de la croyance au monothéisme dans laquelle Akhenaton avait déjà engagé l'Égypte. Quant à la Grèce, le mouvement vers le monothéisme n'y a pas pris une forme religieuse, mais philosophique, chez Platon notamment, mais aussi chez Aristote (le *Primum Movens* de sa *Physique*). Mais on sait que, par ailleurs, les Grecs

---

[21] De manière plus nuancée, c'est aussi celle que Weber expose dans *Le judaïsme ancien*.

ont en quelque sorte «court-circuité» l'essor de la religion proprement dite au cours du développement de la cité politique, comme ils ont court-circuité cette forme paradigmatique du pouvoir traditionnel qu'est la royauté. Le statut du «prêtre» est défini chez eux par une fonction «administrative» exercée au service de la Cité et il n'existe pas pour eux de «révélation» ni de corps sacerdotal monopolisant la réception, la conservation et l'interprétation de la volonté divine. Ce sont plutôt les poètes, comme Homère et Hésiode, qui ont élaboré le discours canonique concernant le panthéon classique et l'ensemble des figures divines, et ils l'ont fait dans une libre interprétation et réélaboration des sources mythologiques archaïques. De toute manière, les dieux de la Grèce sont des figures essentiellement allégoriques et leur rapport avec la Cité est d'abord marqué par le silence et le désintérêt. Lorsqu'on les interroge, ils ne répondent que par des oracles «sybillins», comme ceux que donne la Pithie dans le temple d'Apollon à Delphes, et leur compréhension a un caractère divinatoire, et donc archaïque.

L'abstraction moderne de la transcendance ou la «transcendantalisation» radicale du sujet

Si l'on considère la modernité dans ce qui la caractérise historiquement de la manière la plus forte et la plus large, la figure dominante qui s'y présente est celle d'une «transcendantalisation» radicale du sujet, de sa conscience, de sa volonté et de sa liberté, dans laquelle vient ultimement se résumer toute l'exigence d'une référence à un moment transcendantal, à une origine première et à une justification ultime[22]. Il s'opère ainsi, dans la pensée la plus profonde de l'Occident

---

[22] Cette «transcendantalisation» du sujet accompagne la révolution politico-économique et moderne, accomplie par la bourgeoisie. Elle avait cependant été préparée par l'évolution antérieure du monothéisme judéo-chrétien, ainsi que par la philosophie grecque, par la séparation romaine du *dominium* et de l'*imperium*, et par le droit civil justinien. Dans le domaine religieux, le prophétisme judaïque rend chaque individu responsable du peuple devant Dieu, mais comme il s'agit d'un peuple particulier, c'est seulement à travers son appartenance au peuple que l'individu se voit reconnaître (ou attribuer) une responsabilité et une liberté transcendantales. Dans le christianismne primitif, cette reconnaissance divine et cette responsabilité transcendantale sont principiellement étendues à tout être humain, mais comme les premiers chrétiens se recrutent d'abord parmi les déracinés de l'Empire (et qu'à travers leur adhésion au christianisme ils s'y déracinent eux-mêmes en répudiant toute autre allégeance religieuse traditionnelle), elles ne valent que dans la perspective de l'au-delà («donnez à César ce qui est à César...»). Plus tard, l'Église cessera d'être uniquement la «communauté des croyants» en héritant des pouvoirs temporels en concurrence avec la puissance impériale, et le christianisme médiéval prendra de nouveau, sociologiquement et pour

moderne, non pas tant un mouvement de dissolution progressif et continu de tout rapport transcendantal[23] qu'un renversement du lieu et du mode ontologiques ultimes de sa fixation. Ce renversement comporte l'intériorisation de la transcendance divine extérieure de la théologie chrétienne médiévale dans le noyau le plus intime de la conscience et de l'identité subjectives. C'est alors, du point de vue théologique, le protestantisme qui sert de moment de transition, en mettant directement en rapport, sans autre médiation que celle de la grâce divine, la volonté individuelle du croyant et la volonté du Dieu tout-puissant. Cela s'accomplit à travers une immédiate intériorisation du *devoir*, inaugurant ainsi l'éthique subjective moderne (alors que Descartes, qui était influencé par le jansénisme, représente la figure emblématique de ce même renversement en philosophie[24] où, sur le fond de la propédeutique ascétique du doute systématique, la raison humaine *devra* s'ériger sur sa propre certitude intime[25]). L'un comme

---

l'essentiel, la forme d'une religion traditionnelle, cela jusqu'à la révolution bourgeoise et protestante qui s'est opérée entre les XIIIe et XVIe siècles.

[23] Selon le modèle développé par M. Gauchet dans *Le désenchantement du monde, une histoire politique de la religion*, Paris, Gallimard, 1985.

[24] Descartes tire ainsi les conclusions philosophiques de la révolution galiléenne dans la science physique, qui rompt formellement avec la philosophie de la nature aristotélicienne, à caractère «substantialiste», et postule déjà l'autonomie de la *méthode*, en tant que méthode mathématique, dans la construction des concepts et des images ou représentations de la réalité objective. Cette révolution sera parachevée avec l'«invention» de la géométrie analytique et du calcul infinitésimal et intégral qui en est, sur le plan formel, la conséquence, puisque l'espace se détache de la perception des formes synthétiques pour devenir un espace opératoire illimité dans lequel toute forme, virtuellement, peut être soumise à l'analyse et recomposée à partir d'elle, avec, comme conséquence, la perte de toute sa dimension ontologique propre, de toute sa consistance en tant qu'être particulier. Ainsi, de la définition des êtres par le *genus proximus* et la *differencia specifica*: d'Aristote et de saint Thomas d'Aquin, on ne retient plus que la différence, en tant qu'elle peut être reproduite formellement sans référence à aucun *genre synthétique a priori*, à aucune *essence substantielle*, à aucun *être* qui se tient lui-même dans son être propre. Tout cela a été maintes fois repris pour décrire ce moment crucial de la «conscience de soi» de la science moderne, qui la caractérise dès le moment de sa naissance.

[25] Le parallèle entre la révolution éthique protestante et la révolution rationaliste cartésienne est saisissant, puisque toutes deux posent l'incertitude comme point de départ d'une reconstruction autonome et volontariste de la certitude. Le «doute méthodologique» de Descartes est ainsi l'équivalent, en philosophie, de ce que représentent en théologie le postulat protestant du caractère insondable de la volonté divine et l'«absolutisation» de la «foi intérieure» qu'impose l'idée de la prédestination. Tous deux résultent directement du rejet de la «tradition» dans laquelle s'était fixée, autoritairement, toute la consistance ontologique des médiations collectives historiques et *contingentes* de l'existence humaine comprise comme existence sociale. À l'absolutisme dogmatique de la tradition répond alors, de manière quasi mécanique, l'«absolutisation» du moment individuel de la liberté du sujet solipsiste.

l'autre comportent alors une aporie, qui formera la matière de toutes les réflexions théologiques et philosophiques ultérieures... du moins jusqu'aux diverses formes contemporaines de rejet nihiliste de toute ontologie et de toute métaphysique, dont l'«opérationnalisme» représente maintenant la réalisation pratique immédiatement effective et non réflexive.

Cette *aporie inhérente à la «transcendantalisation» moderne du moment subjectif* se présente sous deux formes complémentaires, l'une sur le côté subjectif du rapport d'objet et l'autre sur son versant objectif. Du côté subjectif, le moment transcendantal de la subjectivité (qui n'a jamais été affirmé avec tant de force face au monde) va en effet d'emblée se présenter comme une division *interne* du sujet. Cette division apparaît d'abord entre sa raison et tout ce qui en lui doit désormais être rapporté à l'objectivité du déterminisme, c'est-à-dire à la passivité de la passion, puis, à l'intérieur de cette raison même devenue autonome, entre la raison théorique et la raison pratique, devenues l'une et l'autre catégoriquement autonomes relativement au jugement synthétique à caractère expressif-esthétique. Cela va de pair avec la séparation concrète, institutionnelle, de la science et de l'art et avec le maintien, au milieu, d'un champ normatif qui se diversifie lui aussi selon les formes du droit, de l'économie, du politique et de l'éthique et qui renvoie désormais à des principes régulateurs distincts et autonomisés.

La pensée proprement moderne n'est plus capable alors de penser l'unité *a priori* du sujet, tant individuel que collectif, et c'est en sous-main, en quelque sorte, toujours encore une théologie implicitement reservie sous le mode nouveau d'un naturalisme a-critique qui devra en assumer l'évidence, jusqu'au moment où cette évidence, craquant de partout, s'effacera dans le discours savant au profit des nouvelles apories de la «mort du sujet», d'un côté, et de la «perte de sens» accompagnant la dissolution systémique de la société, de l'autre. Ces discours savants ont toutefois aussi leur contrepartie dans toutes les manifestations de crise des identités individuelles et collectives et surtout dans la fragilisation effective du monde face au libre déploiement de nos capacités d'intervention technologique.

Cette même aporie avait, nécessairement, aussi une face objective. Le monde ou le cosmos prend, dans la science moderne, la forme d'une nature abstraite, celle des lois et du déterminisme universels, dans laquelle se dissout toute la consistance ontologique des êtres particuliers qui sont pourtant l'objet de notre expérience et le terme objectif irremplaçable de notre fréquentation pratique du monde. Or ce n'est pas dans la *nature* universalisée de la science moderne (les «lois cachées» qui en constituent ontologiquement l'objet) que nous vivons, c'est uniquement dans le *monde* des «apparences» toujours particulières que nous pouvons nous orienter pratiquement et c'est là que nous habitons effectivement de manière réelle et concrète, sensible et intelligente! Il y a ainsi une impasse existentielle au plus profond de la compréhension ontologique du monde objectif qui a été forgée par les sciences modernes de la nature, en même temps qu'elles imposaient leur prétention au monopole — virtuellement absolu — de tout accès à la vérité objective. D'où alors la tendance vers une pure opérationnalisation et instrumentalisation des mathématiques, dans lesquelles s'énonce pourtant tout ce qui, pour la science moderne, prend ontologiquement la valeur de la réalité ultime des choses et du monde[26]. En d'autres termes, la nature objective n'est plus concevable que dans l'abstraction formelle, alors que l'empirie ne nous est jamais accessible que par des êtres concrets singuliers et synthétiques, classables esthétiquement en genres et en espèces au sein d'un tout. C'est à une précompréhension d'ordre théologique qu'est laissé le soin de rendre compte de l'appartenance des êtres particuliers à l'unité ontologique d'un monde intégrant hiérarchiquement leur multiplicité ainsi que notre propre appartenance à ce monde-là. Mais, à vrai dire, la science elle-même, pour autant qu'elle se tenait encore de manière spontanée dans l'évidence de cette unité transcendantale du sujet pour lui-même, du monde en lui-même et du rapport d'appartenance du sujet au monde, habitait encore naïvement dans cet espace ontologique que la théologie s'était efforcée d'interroger de manière réflexive et critique. On verra qu'avec la mutation de la science moderne en technosciences opérationnelles cela fait aussi déjà partie du passé.

En définitive, dans les trois ordres de l'autocompréhension éthique du sujet, de l'autoconstruction politique de la société (la praxis) et de l'autorégulation critique de la visée de vérité scientifique (la théorie, régulée épistémologiquement), l'époque moderne va se réapproprier la référence transcendantale en la transformant radicalement, puisqu'elle l'intériorise directement au cœur ou à la source de la légitimation des pratiques cognitives, normatives et expressives. Du même coup, elle se donnera aussi le sentiment d'avoir définitivement dépassé (dans une

---

[26] À cette tendance «opérationnaliste», à caractère nominaliste, s'est cependant toujours opposée, dans la science proprement moderne, une tendance réaliste inverse pour laquelle les mathématiques possédaient un caractère expressif à l'égard du monde (dans la lignée des harmonies mathématiques de Platon et de Pythagore ou de la *mathesis universalis* de Leibniz); la raison humaine pouvait alors y participer intuitivement. Mais cette opposition, qui a traversé les mathématiques classiques, a été effacée par le triomphe pratique, non critique, de l'«opérationnalisme» pragmatique qui a présidé à l'énoncé de la théorie des ensembles, puis dans la conception algorithmique propre à la cybernétique. Il ne s'agit plus désormais que d'élaborer des procédés opératoires autorégulés.

perspective historiciste) les anciennes conceptions et représentations religieuses et théologiques qui renvoyaient à une transcendance extérieure. C'est ce qu'exprimera finalement la fameuse «loi des trois états» d'Auguste Comte (bien que celui-ci eût reconnu encore indirectement l'héritage de la religion en le reconduisant dans la nouvelle forme prophétique d'une religion de l'humanité).

3 La dissolution postmoderne de la raison transcendantale dans les nouvelles modalités organisationnelles et systémiques de régulation

Dans le point précédent, j'ai évoqué le procès historique caractéristique de la modernité dans lequel la philosophie, puis la science se réappropriaient la «référence transcendantale» inhérente à la conception religieuse et à son élaboration théologique, tout en la déplaçant, de manière essentielle, d'un côté vers le fondement synthétique de la subjectivité individuelle, identifiée au principe de la liberté et aux *a priori* transcendantaux de la raison, et de l'autre vers un légalisme ou déterminisme universel régissant la totalité du monde objectif (ces deux aspects ayant l'un comme l'autre un caractère métaphysique ou transcendantal). C'est ainsi que la science moderne va soumettre, jusqu'à Kuhn, sa prétention à la vérité au jugement d'une épistémologie critique, d'une part, et à celui d'une nécessité logique purement formelle ou tautologique, d'autre part (pour assurer à travers leur intégration déductive l'unité logique des propositions théoriques de la science, exprimées mathématiquement). Dans le domaine de la société — dont le concept émerge alors et se définit comme un ordre ontologique autonome —, on assiste parallèlement à une critique et à un rejet de la conception traditionnelle qui soumettait directement l'ordre social à la volonté divine[27]. Cette critique s'adresse donc également à l'autorité de ses représentants légitimes tant dans l'ordre religieux que dans l'ordre civil et à la mise en marche d'un projet radical de reconstruction de l'ensemble des cadres normatifs et des formes expressives de la vie collective à partir de la création d'institutions universalistes «fondées en raison».

Cette tension entre la réalité et l'idéalité tend maintenant à se dissoudre dans tous les champs de la pratique sociohistorique. Sur le

---

[27] Dans la conception religieuse traditionnelle, l'ordre naturel et l'ordre social participaient d'un même ordre global qui résultait lui-même de la création et donc de la volonté divine. La différence ontologique n'était donc pas conçue à travers une mise en opposition «horizontale» de la société et de la nature, mais dans un rapport vertical entre la nature matérielle et la dimension spirituelle et morale de l'être humain, par laquelle celui-ci participait par délégation à la liberté divine.

plan éthique, il y a   passage de la personnalité *inner-directed* à l'individu *other-directed*[28], d'où la multiplication pragmatique des problèmes éthiques, envisagés dans une perspective adaptative. Sur le plan social et sociétal, on observe le déclin des régulations politiques et institutionnelles au profit des régulations décisionnelles-opérationnelles, pragmatiques, etc. On passe ainsi de l'«institution» à l'«organisation», du droit régissant des activités autonomes au contrôle direct, puis à la production du social. Tout cela implique, en dernière instance, l'effacement de toute la régulation verticale (*a priori*) de la société, au profit de l'établissement de divers systèmes autorégulés en *feed-back*, qui viennent se greffer sur les anciens domaines institutionnalisés de la vie collective pour les absorber, hors de toute référence liée à une finalité, dans leur mode de fonctionnement autoréférentiel et immédiatement opérationnel. C'est ainsi, par exemple, que, dans le domaine scientifique, la recherche de la vérité est délaissée au profit de celle de l'efficience technique et que la visée de connaissance de la réalité est remplacée par la production «prévisionnelle» d'effets techniques statistiquement contrôlables (selon une conception probabiliste et non plus déterministe). On passe ainsi des diverses sciences objectives classiques, virtuellement intégrées dans un système général du savoir, à une prolifération des programmes de recherches, définis seulement par les objectifs particuliers qui y sont poursuivis de manière pragmatique. C'est un mouvement qui va de Kant à Popper, puis de Popper à Kuhn, à Lakatos, Sneed, Bloor... Mais il en est de même dans tous les domaines de la vie collective et de la régulation sociale, puisque partout les anciennes formes modernes de régulation juridico-institutionnelles, instituées politiquement, cèdent le terrain aux interventions régulatrices d'une multitude d'organismes, d'agences, de services de gestion directe, technocratique, des problèmes par voie d'expertise toujours particulière[29].

Il y a donc, si l'on suit cette analyse, dissolution de la différenciation catégorique des sphères éthico-politique et techno-scientifique, et cela à travers la technocratisation de la société et la socialisation contextuelle (budgétaire entre autres) des programmes d'intervention visant à réguler le social. On évolue alors vers la confusion de toute réalité naturelle, humaine et formelle, dans un unique domaine virtuel produit et régi selon les nouvelles technologies de la communication, de l'information, de la cybernétique, etc.

---

[28] Voir à ce sujet D. Riesman, *Individualism Reconsidered, and Other Essays*, New York, Free Press, 1954.

[29] Pour une analyse théorique et formelle de cette mutation organisationnelle, systémique et technocratique de la société, voir les nos 18-19 de *Société*, 1998, ainsi que mon essai «La métamorphose. Genèse et développement d'une société postmoderne en Amérique», *Société*, nos 12-13, 1994, p. 1-137.

Ce que nous nommons maintenant le «virtuel» comprend l'ensemble des modalités de contrôle-production de la réalité «environnante» à laquelle nous faisons face quotidiennement dans le domaine de l'économie comme dans celui de la culture ou des services sociaux. Le rapport même entre le monde de l'expérience sensible et celui de la symbolisation est virtuellement anéanti dans la confusion des termes ou des moments qui le constituent, puisque le référent lui-même perd toute *altérité ontologique*. Il tombe unilatéralement dans le champ de la productivité «arbitraire» qui caractérise les codes opérationnels qui se sont substitués au symbolique, prenant ainsi la place du moment subjectif de synthèse qu'il comportait. Le moment de l'objectivité transcendantale qui était propre au représenté est alors remplacé par les effets propres aux codes opérationnels[30]. Le symbolique se dissout ainsi dans l'imaginaire, et le sujet (individuel et surtout ici collectif) ne se tient plus à distance du monde, mais seulement au centre de sa propre bulle dont les limites — ou l'horizon — deviennent pour lui une sorte d'écran sur lequel il assiste ou participe interactivement à la projection d'un «cinéma permanent». Son propre cinéma finit alors par se confondre avec celui qui vient de partout et de n'importe où, d'immédiatement maintenant ou de n'importe quand. Il n'en va pas autrement, d'ailleurs, dans le monde de l'économie mondialisée, où la virtualité prend la forme précise des «opérations à terme», à caractère formellement spéculatif, et où les cours boursiers deviennent les indices ultimes de la réalité économique objective à laquelle tous, individus comme organisations et sociétés, doivent s'adapter. Or c'est précisément autour de cette nouvelle modalité spéculative qui commande l'ensemble dcs activités d'investissement et, par là, de production que gravitent des projets de «libéralisation» globale comme ceux de l'Accord multilatéral sur l'investissement (AMI), ou, maintenant, le programme du Millenium Round qui s'est amorcé à Seattle dans le cadre du dernier congrès de l'Organisation mondiale du commerce (OMC). Tous ces problèmes concernant la création d'un nouvel environnement virtuel comme cadre «objectif» de l'activité humaine peuvent être très clairement mis en relation avec les nouvelles conditions globales de reproduction qui caractérisent les sociétés postmodernes à mesure qu'elles se convertissent en systèmes opérationnels-décisionnels, et cela au cœur même des modalités et des conditions formelles (informatique, cybernétique, cyberespace, etc.) d'autorégulation et de d'autoreproduction qui y existent.

---

[30] Les théories philosophiques de la «mort du sujet», de la «fin de la représentation» et de la «déconstruction», laissant toute la place à la philosophie analytique, n'ont pas fait seulement qu'exprimer idéologiquement ce processus de dissolution de tout moment synthétique tant subjectif qu'objectif, elles ont directement contribué au développement des technologies informatiques et cybernétiques.

La disjonction intérieure du sujet

Le sujet postmoderne n'est plus traversé, comme l'était le sujet moderne, par une *contradiction*[31], il éprouve plutôt une *disjonction* intérieure, qui provoque la dispersion indéfinie du «soi» touchant ses investissements aussi bien subjectifs (réflexifs) qu'objectifs. Cette disjonction est celle qui, en l'absence de toute articulation catégorique avec une altérité, sépare en lui, pour reprendre les termes d'Habermas, le «monde de la vie» auquel il se rattache encore existentiellement et sa propre participation fonctionnelle-opérationnelle au «monde du système» (qui, faut-il le préciser, n'est en fait plus un «monde», mais un réseau de procédés et de procédures opératoires). Mais contrairement à ce que voudrait Habermas, ce monde du système inclut désormais l'essentiel du monde de la communication tel qu'il s'est déployé dans les systèmes médiatiques et informatiques. Il ne s'agit plus d'un «espace public», mais d'un vaste champ publicitaire, où tout fonctionne en slogans et en clichés (*The Supersedure of Meaning by Fonction*, dit Anton Zijderveld dans le sous-titre de son ouvrage le plus remarqué, *On Clichés*[32]).

Bien plus, le monde de la vie, à caractère résiduel, est de plus en plus «colonisé» par le monde du système, et cela jusque dans l'intime retrait de la «vie personnelle» puisque celle-ci, à travers les problèmes d'«intégration» et de «gestion» qui s'y manifestent, est de plus en plus envahie par l'intervention de spécialistes et d'experts de toutes sortes, dont elle représente le terrain d'expertise et d'intervention — ce qui, justement, a pour effet de la rattacher directement au monde du système. Habermas parle encore à ce sujet, cette fois-ci avec raison, de la «colonisation du monde de la vie par le monde du système», mais il n'en tire aucunement les conséquences en ce qui concerne la validité du modèle communicationnel-pragmatique qu'il propose. Sa théorie, qui se veut critique, verse donc ici non pas dans l'idéalité, mais dans l'irréalisme le plus complet dans la mesure où l'espace public auquel il fait référence en tant qu'espace ouvert au débat collectif sur les finalités a lui-même fait place à un espace médiatique et publicitaire que saturent les nouvelles modalités technologiques de manipulation compor-

---

[31] Une contradiction entre l'individu et la personne, entre l'engagement extérieur et l'orientation intérieure, dont le sujet moderne tirait l'«énergie» qui soutenait son engagement transcendantal vis-à-vis de soi (éthique), de la société (politique et économie) et du monde (dédoublement de la science et de l'art).

[32] A. C. Zijdeveld, *On Clichés: The Supersedure of Meaning by Fonction*, Lond, Routledge & Kegan Paul, 1979.

tementale[33]. En réalité, c'est la théorie luhmannienne des systèmes qui exprime le mieux la mutation contemporaine; cependant, elle le fait de manière purement formaliste et donc non seulement a-critique, mais, si j'ose dire, anti-critique, puisqu'elle investit immédiatement la réalité nouvelle de nécessité. Si Habermas passe à côté de cette mutation, Luhmann[34], lui, nous y enferme.

Relativement à lui-même, à sa propre personne, le sujet postmoderne est un puits sans fond — le correspondant intime de la «boîte noire» — qu'il doit explorer indéfiniment non pas pour s'y trouver soi-même (Socrate), mais pour y découvrir le fourmillement de tout ce qui l'habite et qu'il devrait «contrôler» pour exister comme personne. Plus précisément, l'individu à la recherche de son fond intérieur se confine à la superficialité de sa sensorialité expérientielle immédiate. Mais cette sensorialité n'est plus, chez l'être humain, unifiée *a priori* comme elle l'est chez l'animal par l'instinct et elle tend, par conséquent, à se projeter indéfiniment sur ses objets, dont il lui faut sans cesse renouveler l'expérience «à fleur de peau», comme cela se manifeste par exemple avec la musique dont il faut être continuellement environné et pénétré. De même, la maîtrise subjective de soi tend à se fondre dans la maîtrise opérationnelle immédiate de l'objet par le mode d'une réactivité de type stimulus-réponse, comme dans les jeux vidéo. En tant que personne, l'individu postmoderne, qui initialement voulait être *cool* en échappant à la contrainte intériorisée caractéristique de l'individualité transcendantale moderne et en se libérant de son assujettissement à la «loi» universalisée, n'est parvenu finalement qu'à devenir un être continuellement *stressé*[35] dans son rapport avec ce qui lui est extérieur,

---

[33] Voir, sur cet aspect central de l'œuvre d'Habermas, J.-L. Cossette, «Habermas ou la raison publicitaire. La communication hors du sens», *Société*, no 2, hiver 1988, p. 107-143.

[34] N. Luhmann, *Politique et complexité: les contributions de la théorie générale des systèmes*, Paris, Cerf, 1999.

[35] Il faut remarquer que ce passage de la désinvolture au stress a une signification historique: dans la contre-culture, le *cool* se définissait encore à travers une opposition, ce qui impliquait une prise de position en surplomb; mais la contre-culture s'est depuis, à travers les médias notamment, muée en une culture entièrement immanente au système. Elle n'est plus une échappatoire, mais une immersion immédiate, comme on s'immerge aussi dans la musique, dans le multimédia, dans les modes commercialisées qui fournissent les slogans identitaires, etc. Bien sûr, dans tout cela se joue une recherche d'identité sous la forme de l'affirmation d'une différence, mais cette différence aussi devient immédiate, on y devient soi-même la différence en adoptant les signes de la différence. On peut ajouter encore qu'il se manifeste là un rejet volontaire du «système» et de ses modalités «productives» de participation, mais ce rejet sous forme d'auto-exclusion ne porte en lui aucun projet commun, il s'intègre donc aussi immédiatement dans les mécanismes d'exclusion du système lui-même, pour n'y former qu'un sous-système particulier parmi les systèmes qui tendent tous à devenir autoréférentiels. Il

dans sa participation aux organisations et aux systèmes[36]. En même temps, il est angoissé ou anxieux intérieurement, où le «soi-même» qu'il voudrait être sans la médiation d'une altérité subjective généralisée ou universalisée lui devient irrémédiablement insaisissable, sauf dans les moments toujours transitoires ou éphémères de la jouissance ou de la souffrance.

Ainsi le sujet postmoderne doit-il sans cesse s'adapter, en soi comme hors de soi, au «pluri», au «multi», à l'«incertain», au «changement», au «précaire», au «circonstanciel», au «processif», à la «migration» et à l'«errance» (d'où, pour ceux qui le peuvent, par compensation, les investissements compulsifs dans les caisses de retraite et autres *securities*); il ne se saisit plus qu'«en procès», «en devenir» ou «en changement», ou alors il se perd dans la dispersion et dans le vide. Et il lui faut de même sans cesse s'adapter à l'«autre» et être reconnu par l'«autre», mais il s'agit d'un «autre» dont l'altérité et l'identité ne sont pas plus fixées et assurées que les siennes, toujours aussi incertaines et évanescentes, pulsionnelles et imprévisibles, immédiates et circonstancielles. Finalement, un tel sujet, qui n'existe et ne se saisit que par réaction, toujours tendu vers la promptitude, la vivacité, l'opportunité et l'efficacité de ses choix et de ses réponses à l'environnement immédiat, à l'instantané et à l'imprévisible qui surgit malgré toutes les prévisions, perd pied (car sur quoi prendre pied ou simplement poser le pied?): il ne se saisit plus lui-même qu'en se surprenant toujours furtivement comme un autre dans le miroir qu'il tient dans sa main et où personne d'Autre ne le regarde plus. Il devient lui-même immédiat et instantané, un fugitif..., et la seule différence qui reste entre lui et la machine (informatique et cybernétique) qui peut le remplacer dans la maîtrise de cette réactivité à laquelle il s'accroche, c'est qu'on lui demande et qu'il exige de soi *encore le plaisir*! Il existe maintenant de nombreuses «théories» qui rendent compte euphémi-quement de cette situation et de cette condition, mais le commun présupposé de cette «euphémisation» reste la persistance, encore, d'un

---

s'agit donc bien d'identité, mais d'une identité qui, en l'absence de toute perspective critique et autocritique, perd son caractère synthétique. Mais dans cela aussi il ne s'agit que d'un type symptomatique, et pas d'une réalité moyenne ou commune, s'agissant par exemple des «jeunes».

[36] Il lui est ici demandé une parfaite adaptabilité, une complète flexibilité, ainsi que la disposition à s'engager, sur le plan comportemental, lui-même *just in time*, avec la plus efficace réactivité comportementale. Mais comme cela peut justement être fait par les machines (c'est la base du principe de Turing), alors il lui est demandé de devenir comme tel superflu et de prendre, en attendant, sur lui encore la responsabilité de le devenir le plus vite possible. Voir J. Rifkin, *La fin du travail*, Montréal, Boréal, 1997, et R. Pinard, *Transformation de la société et mutation du travail*, Québec, Nota Bene, à paraître.

autre monde, tissé de modernité et de tradition. C'est alors dans l'opposition à cet autre monde qui subsiste encore partiellement que la dissolution de tout peut apparaître, une dernière fois (peut-être), comme synonyme d'une libération. Marcuse avait parlé, en termes encore modernes, de «désublimation répressive». On pourrait aller plus loin maintenant et invoquer une «détranscendantalisation» qui ne réprime plus le sujet, mais dans laquelle il s'efface.

Sur le plan de l'identité collective, quelle capacité peut-il rester à un tel individu pour agir encore politiquement et socialement avec autrui, dans la perspective d'un engagement collectif et idéal? L'individu postmoderne, dans son mode même de participation organisationnelle et systémique, est désormais happé par une pluralité d'identifications catégorielles, sectorielles, qui s'entrecroisent en lui et hors de lui sans ordre hiérarchique ni unité de surplomb. Il en résulte des regroupements par ressemblance directe, mimétiques, une recherche d'identité par l'adoption des signes stylistiques d'une différence fonctionnelle (l'attaché-case, les badges personnels et corporatifs, le renouveau des uniformes professionnels, organisationnels et corporatifs) et, plus largement, le besoin d'une uniformisation des modes de vie et de consommation stratifiés. La culture et la moralité fusionnent avec une consommation non pas tant ostentatoire que conformiste (un conformisme promotionnel) — voir déjà Tocqueville et Veblen. L'identité collective se recompose ainsi en puzzle, mais c'est la même chose de dire qu'elle se décompose dans ce conformisme, puisque les stratégies de différenciation n'aboutissent qu'à des étalements de ghettos. Pour l'individu, l'ultime horizon n'est plus de «refaire le monde» (quelle que soit la manière dont va le monde), c'est seulement d'arriver encore à s'y faire une place (qu'il n'a plus) et de parvenir minimalement à «gérer sa vie» et les quelques morceaux d'environnement social qui restent accessibles à son «influence» ou à son «contrôle». Tout cela ressemble plus à un programme de vacances ou à un projet de retraite qu'à un plan de vie. Et c'est d'ailleurs sur les vacances et la retraite que l'individu postmoderne projette ce qui lui reste de liberté... pour tomber ainsi dans d'autres systèmes.

L'errance normative

Le procès de la mutation postmoderne de la société implique donc, structurellement, la tendance à la dissolution de toute référence transcendantale, tant externe qu'interne. Cela est accompagné d'une errance ou d'une dérive normative, aussi bien les unes par rapport aux autres que toutes ensemble, des différentes pratiques systémiques qui fonctionnent de manière de plus en plus autoréférentielle (voir l'exemple de la «globalisation», et en particulier le débat au sujet de l'AMI). Le déploiement purement opérationnel des systèmes s'est ainsi progressivement délié de toute attache identitaire synthétique, tant collective qu'individuelle. C'est à cette dérive que répondent les «comités d'éthique» technocratiques[37].

Cette rupture d'attaches identitaires, normatives et projectives, combinée à un libre développement et déploiement de dispositifs techniques (on dit maintenant, justement, technoscientifiques), a produit d'un côté la formidable mais aveugle expansion du monde des systèmes de plus en plus autorégulés et autoréférentiels et, de l'autre, ce que l'on a nommé une perte de sens de l'ensemble de ce mouvement débridé dans lequel tout se trouve emporté bon gré mal gré. La conséquence est une déchirure de tous les liens qui assuraient la participation individuelle à une vie commune significative. Il en résulte un «repli identitaire» de l'individu sur son moi narcissique, bien décrit par Christopher Lasch[38].

4   Perspectives pour une reconstruction du politique à l'échelle mondiale

Partant maintenant d'une situation historique où la dissolution de toute référence transcendantale apparaît comme inhérente aux conditions formelles de fonctionnement opérationnel des systèmes, la question se pose donc de savoir par quel chemin peut encore être réassumée la reconnaissance de cette dimension ontologique de la vie humaine, dont chaque civilisation avait été porteuse à travers les élaborations religieuses particulières qu'elle en avait faites. Où chercher un point d'appui, à valeur ontologique et épistémologique, pour juger non plus de la réalité, mais directement et incessamment de son mouvement, de sa «mobilisation totale», dans le contexte contemporain de la dissolution de l'unité transcendantale aussi bien du sujet individuel que de la société (les formes de solidarité) et du monde objectif? Et pour autant que nous voulons et pouvons encore assumer collectivement la responsabilité des systèmes techniques que nous avons laissés s'autonomiser, sur quoi fonder encore la responsabilité à l'égard de notre action dès lors que celle-ci est devenue immédiatement collective et impersonnelle?

---

[37] À ce sujet, voir en particulier J.-P. Le Goff, *Le mythe de l'entreprise*, Paris, La Découverte, 1997.
[38] C. Lasch, *Le complexe de Narcisse*, Paris, R. Laffont, 1981.

Pour un affrontement des sens donnés à la vie humaine
et à notre place collective dans le monde, et vers
un dialogue positif entre les civilisations

Par-delà toutes les reconnaissances formelles d'une commune
appartenance à l'humanité ou d'une commune dignité de la personne
humaine, et par-delà aussi tous les arrangements interculturels purement
pragmatiques — disons, pour simplifier, le principe de la tolérance —,
s'impose un essentiel travail d'affrontement des «sens» donnés, par les
diverses civilisations, à la vie humaine, à la société, au monde et à leurs
rapports, au temps, à la continuité, à l'espace comme lieu d'un habitat
commun et à l'histoire qui synthétise ces civilisations tout en les ouvrant
sur un avenir signifiant. Ce serait un affrontement orienté vers la
réalisation d'une capacité mutuelle de compréhension, dont le mode ne
serait pas celui de la réduction logique ou analytique à l'identique ou
au plus petit dénominateur commun normatif et expressif (une sorte de
nouveau décalogue pour la gestion technocratique des problèmes
communs), mais bien celui, phénoménologique, de l'interprétation
analogique des équivalences, des affinités, des ressemblances et
dissemblances. Les sciences sociales, si elles voulaient bien renouer avec
les traditions des humanités, pourraient servir bien mieux que la science
économique à guider l'humanité contemporaine sur la voie d'une telle
unification compréhensive et à inventer des formes politiques qui
devraient lui correspondre à l'échelle mondiale — et non plus globale!

Cette analyse vise non pas tellement à réhabiliter les traditions prises
en elles-mêmes, avec tous leurs contenus normatifs particuliers, ni non
plus, bien sûr, les discours théologiques qui les exprimaient
réflexivement. Il s'agit plutôt de savoir reconnaître la pluralité des
chemins concrets qui, chacun à sa manière, nous rattachent tous encore
à une essence commune en perdition. Cette essence est commune, et
surtout est commun le sort qu'elle affronte, quelle que soit la diversité
de ses expressions. Bien plus, elle englobe cette diversité en son essence
même, en raison de son caractère contingent, et donc aussi mortel. Le
maintien de cette diversité va pour longtemps rester la condition d'une
survie tant sont lourds les acquis concrets d'expérience que chaque
«tradition civilisationnelle» particulière a su synthétiser et rendre
«viables» en son sein. Ce n'est pas en les effaçant, mais en les accueillant
et en les «totalisant» qu'une humanité unifiée, ou plutôt réunie, pourra
elle-même assurer sa survie comme humanité consciente d'elle-même
en l'unité de son mode d'être et maintenant de son destin, à travers son
action.

Ce qui arrive avec la postmodernité n'est pas conforme à une loi de
l'histoire. Je ne pense pas que la modernité elle-même ait été *nécessaire*,
qu'elle ait représenté l'accomplissement d'une Raison transcendante.

La Raison, comme toute raison, est une raison que les êtres humains se sont donnée en raisonnant collectivement dans la contingence de l'histoire. La tendance postmoderne à la dissolution de la «société» (comprise à la manière moderne comme la société que les individus forment sous l'inspiration commune de la Raison) a conduit à la privatisation de toute subjectivité, une fois que s'est épuisé le moment transcendantal qui résidait dans le projet d'une «émancipation» et dans la mobilisation collective des individus. On assiste alors au simple flottement de l'identité en tant qu'elle implique et intègre nécessairement, constitutivement, le rapport à l'altérité, que ce soit celle de la communauté ou celle du monde.

Mais si cette histoire et cette mutation ne sont pas «nécessaires» et sont néanmoins advenues, que reste-t-il encore de possible? Cette dernière question a sans doute une portée plus directement pratique dans mon exposé, mais je ne pourrai qu'esquisser très grossièrement ce qui me paraît être l'horizon des réponses qu'il faudra lui chercher. L'idée qu'il me faudrait développer ici est que l'appartenance première des individus n'est pas, anthropologiquement, d'abord une appartenance à la «société», au sens moderne[39], mais une appartenance à une *civilisation*. C'est par cette identité civilisationnelle, à caractère essentiellement normatif et expressif, qu'ils peuvent participer réellement, concrètement, en tant que sujets synthétiques, à la constitution d'une communauté humaine globale, réflexive et responsable. Il faudrait donc montrer comment le concept même de société, tel qu'il a été élaboré par la modernité occidentale dans un rapport critique à la tradition, reste néanmoins enraciné dans les transformations de *cette* tradition civilisationnelle. Il faudrait également montrer que la «libération» de l'individu à l'égard de cette tradition, et son positionnement ontologique (épistémologique, éthico-politique et esthétique) comme fondement de la «production de l'ordre social», a sans doute un sens dans la perspective de l'histoire propre à cette civilisation occidentale, mais non pour l'humanité en général. L'humanité n'a pas d'avenir *commun* en occultant ses traditions derrière une modernité qui s'est déjà largement départie elle-même de ses idéaux transcendantaux et en se dissolvant ainsi dans le déploiement exponentiel des systèmes autoréférentiel qui régissent le développement globalisé de l'économique, des technologies et du nouvel univers communicationnel et médiatique où se perd toute la dimension synthétique et représentative du symbolique. Cette dissolution est d'autant plus dangereuse que ces mouvements auxquels elle est idéologiquement invitée à s'abandonner ne sont plus eux-mêmes dirigés par aucun gouvernail et qu'aucun astrolabe ne permet plus de

---

[39] Et encore moins, bien sûr, une inscription ou diffraction kaléidoscopique dans le «social» postmoderne.

les orienter globalement, toute la réalité qui s'y inscrit devenant par nature une réalité sans feu ni lieu. Cette forme de globalisation à laquelle nous assistons individuellement dans une croissante «impuissance» est aussi, par chance, une immense *provocation adressée aux civilisations* (y compris la civilisation occidentale qui lui a servi de terreau et lui a fourni son énergie). C'est donc sur elles plutôt que sur l'individu, voire sur les sociétés reconstruites à partir des individus, qu'il faut compter pour y répondre. Cela n'est pas une réponse à la question, mais c'est au moins l'indication d'une direction. La modernité avait fondé sa révolution politique en invoquant et en produisant l'individu transcendantal. La révolution qui pourrait nous permettre de sortir de la postmodernité en redonnant une chance et un nom à l'histoire devrait inventer une politique qui prendrait appui sur le dialogue des civilisations et qui, d'une manière nouvelle aussi, s'engagerait vers l'institutionnalisation de ce dialogue. Car ce sont les civilisations qui forment notre héritage commun le plus profond, le plus riche et le plus «global», et rien ne pourra faire sens dans cette «globalité», si ce n'est en s'enracinant en elles en les confrontant et en les transformant sans les dissoudre ou les effacer. L'identité que l'individu (ou la personne) pourrait y trouver ou s'y construire devrait alors être une identité à plusieurs étages: en bas, elle serait assise sur la reconnaissance de notre nature organique commune et non sur le refoulement et la négation de celle-ci; elle s'ouvrirait, en haut, vers la recherche d'un dépassement compréhensif des antagonismes civilisationnels. Mais l'identité resterait aussi toujours encore attachée, entre les deux, à la forme contingente d'une synthèse sociosymbolique particulière, qui seule peut lui conférer une attache concrète et nourrir, en la situant ontologiquement, sa propre aspiration individuelle vers le haut et vers le large.

La sociologie a formé son (premier) objet à partir de la constitution moderne de cette réalité objective qu'est la «société» et elle a abandonné l'étude des «civilisations» aux disciplines humanistes dont elle voulait absolument se détacher. Tout au plus a-t-elle reconnu l'existence d'une dimension civilisationnelle dans le champ des phénomènes culturels et symboliques qu'elle intégrait dans la société comme un des aspects particuliers et subordonnés de la «société[40]». Mais si l'on accepte de prendre ses distances par rapport à la perspective moderne à laquelle s'était rattachée la sociologie — et que la plupart de ses praticants ont depuis longtemps déjà désertée —, alors les civilisations apparaissent comme des «objets de première magnitude», et ce sont les «sociétés» que l'on voit naître, se développer et disparaître en leur sein un peu comme

---

[40] Talcott Parsons a seul peut-être aussi reconnu l'autonomie de cette dimension civilisationnelle (qu'il désignait comme étant celle de la «culture») par rapport à celle de la société, et c'est elle qu'il a placée au sommet de sa hiérarchie des «systèmes de contrôle».

des soleils dans les galaxies. Les civilisations ne sont-elles pas les réalités humaines les plus riches et ne représentent-elles pas les mises en forme les plus larges et les plus fécondes de cette dimension de l'«inactuel» dans laquelle nous avons reconnu le propre du symbolique et donc de l'humanitude? Elles ont en effet traversé les siècles et les millénaires en y conservant leur «identité» tout en la transformant et elles sont parvenues à «pénétrer» de leur «esprit» et de leur «sens» chacun de ces siècles particuliers sans s'y perdre et sans jamais s'y confondre avec une actualité sociohistorique immédiate. Et c'est pourquoi aussi chacun de ces «siècles», chacune de ces «époques» pouvait porter le sens d'une nouvelle éclosion. N'ont-elles pas, toujours et partout, et sans égard à aucune exigence d'effectivité immédiate, soutenu et surtout soulevé la réalité vers des réalisations idéales et toujours incertaines? Il apparaît alors que le concept de civilisation représente, humainement, socialement et historiquement l'opposé direct du «virtuel» contemporain, qui n'existe justement que dans son actualisation immédiate et qui se perd immédiatement avec elle[41]. Par définition, les civilisations sont «anciennes» et elles se tiennent ainsi à distance du présent tout en y étant inscrites. Elles enveloppent le présent en même temps de leur passé et de l'avenir vers lequel elles tendent dans leur permanence, un avenir qu'elles portent en elles, de manière concrète, comme une volonté de continuité dans un «advenir» toujours incertain et contingent. Cette ouverture à l'advenir est elle aussi à l'opposé d'une adaptation à un «futur» fait de programmes, de tendances et de prévisions, mais peut-être lourd aussi d'erreurs fatales.

Il n'y aurait rien de neuf dans une anthropologie réfléchie et critique des civilisations, sinon qu'elle fut jusqu'ici conduite pratiquement sous l'égide d'une seule d'entre elles, et qu'elle n'a donc admis en elle aucune véritable confrontation. C'est à cette confrontation qu'il faudrait maintenant l'ouvrir — puisque la menace est devenue commune pour toutes. Ce qui pourrait devenir neuf, c'est que cette anthropologie des civilisations, impliquant la confrontation, acquerrait à l'échelle même de l'humanité «globalisée» une valeur et une portée politiques directes et réfléchies. Elle sortirait enfin du domaine simplement empirique des «influences culturelles» dans lesquelles les sujets ne se reconnaissent pas et restent inconscients.

*
* *

---

[41] Mais la civilisation, dans sa durée et dans ce qui la distancie de l'empirie sociohistorique, est également à l'opposé des intégrismes qui prétendent s'y référer, puisque, eux aussi, tout comme le monde virtuel des systèmes, visent à l'actualisation immédiate de la tradition qu'ils invoquent.

La modernité, unilatéralement centrée, dans sa dynamique justificative mais aussi dans ses pratiques efficientes, sur l'émancipation de la dimension individuelle de la subjectivité, n'est pas parvenue à dépasser les traditions, au sens hégélien, elle s'est contentée — et souvent enorgueillie — de les effacer, de les supprimer. Mais du même coup, elle a abouti à la suppression de toute la *dimension substantielle* de la vie sociale, celle qui est ontologiquement liée à la contingence d'un mode d'être collectif dans le monde, et à la contingence d'une modalité particulière de développement de ce mode d'être concret, substantiel. Ce qui maintenant nous interpelle, avec l'effacement postmoderne de toute réalité proprement civilisationnelle, ce n'est donc pas la nécessité de parachever cette destruction ou cet effacement du réel qui n'existe que de manière toujours concrète et particulière — c'est là la tâche que s'était donnée la modernité et qui s'est soldée par un échec et nous a conduits dans une aporie —, mais la nécessité de parvenir à une *synthèse elle aussi concrète* de ces constructions particulières du rapport à la transcendance qui habite notre être de manière fondatrice et effective.

Michel FREITAG
Département de sociologie
Université du Québec à Montréal

Résumé

La modernité a eu tendance à nier toute dimension transcendante à la société. Or, comme Durkheim l'avait lui-même affirmé, nous ne sommes pas les auteurs du monde social dans lequel nous vivons. C'est dans cettte perspective que l'auteur propose une réflexion critique sur le caractère transcendantal des objectivations qui sont à la base de la vie sociale et politique. Les modalités, au long de l'histoire, de ces objectivations varient selon les types de sociétés. Autrement dit, chaque société s'est représentée elle-même dans cette transcendance sous des formes sociohistoriques différentes. L'auteur propose une typologie de ces formes, depuis les sociétés primitives jusqu'aux sociétés postmodernes, en concluant à la dissolution de la référence ontologique dans ces dernières. Il examine ensuite les effets de cette dissolution sur l'expérience subjective et collective.

Mots-clés: transcendance, normativité, sociétés primitives, sociétés traditionnelles, modernité, postmodernité, raison, civilisation.

Summary

Modernity has tended to deny the existence of any transcendent dimension to society. However, as Durkheim noted, we are not the authors of the social world in which we live. It is in this perspective that the author critically discusses the transcendental character of the objectifications underlying social and political life. Throughout history the modalities of these objectifications have varied according to societal type. In other words, each society has represented itself in this transcendence in different socio-historical forms. The author puts forward a typology of these forms, extending from primitive societies to postmodern societies, and notes the dissolution of ontological references in the latter. He then examines the effects of this dissolution on subjective and collective experience.

Key-words: transcendence, normativity, primitive societies, traditional societies, modernity, postmodernity, reason, civilization.

Resumen

La modernidad ha tenido una tendencia a negar toda dimensión trascendental de la sociedad. Ahora bien, como Durkheim lo había afirmado, no somos los autores del mundo social en el cual vivimos. Es en esa perspectiva que el autor propone una reflexión crítica sobre el carácter trascendental de las objetivaciones que basan la vida social y política. Las modalidades, a lo largo de la historia, de esas objetivaciones varían según los tipos de sociedades. Dicho de otro modo, cada sociedad se representa a ella misma en esta trascendencia bajo formas sociohistóricas diferentes. El autor propone una tipología de esas formas, desde las sociedades primitivas hasta las sociedades posmodernas, concluyendo en la disolución de la referencia ontológica en estas últimas. Luego, el autor examina los efectos de dicha disolución sobre la experiencia subjetiva y colectiva.

Palabras claves: trascendencia, normatividad, sociedades primitivas, sociedades tradicionales, modernidad, posmodernidad, razón, civilización.

Comptes rendus

Michel Freitag et Éric Pineault (dir.), *Le monde enchaîné. Perspectives sur l'AMI et le capitalisme globalisé*, Montréal, Nota bene, 1999, 334 p.

Rares sont les écrits qui ont, de manière critique, traité de la question de l'Accord multilatéral sur l'investissement (AMI) dans une perspective globale et large. *Le monde enchaîné*, rédigé par un groupe de professeurs du Québec et paru en novembre 1999, est un manifeste, un essai qui a l'avantage de nous donner une définition riche et claire du capitalisme contemporain dont le néolibéralisme est l'idéologie. Selon les collaborateurs de cet essai, le capitalisme contemporain, financiarisé et technicisé, menace existentiellement, anthropologiquement et matériellement toutes les civilisations et les cultures. C'est par et de ce constat que ce livre se veut une lanterne pour la compréhension des changements structurels et conjoncturels qui se produisent sous nos yeux. Ce constat, loin de découler d'une lecture cynique et exagérée, s'inscrit dans une optique de conscientisation et de prise de position et montre les différentes dynamiques du passage du «capitalisme classique» (moderne) vers sa phase avancée pour englober toutes les ressources collectives et les mécanismes politiques en vertu de ses propres finalités illimitées d'accaparement de la richesse planétaire.

Les auteurs de cet ouvrage proposent une lecture sociohistorique de la rencontre ou la conjonction de trois processus (se chevauchant, s'entrecroisant, s'alimentant, etc.) à l'origine du néocapitalisme, dont l'AMI est la manifestation la plus transparente. D'abord, l'affranchissement du capitalisme industriel de ses fondements constitutifs modernes: la propriété privée et la démocratie politique. Ainsi, le travail, en tant que participation individuelle à la société moderne et fondement de la citoyenneté, se transmue en une intégration «objective» incorporée directement aux structures organisationnelles des entreprises capitalistes sans aucune médiation politique.

Ensuite, et concomitant du premier processus, l'avènement d'un «nouveau procès technique» (Freitag) ou d'un «appareil scientifique technique, AST» (Mascotto) va phagocyter les décisions politiques (bureaucratiques) et se propager comme une idéalité objective et rationnelle. Cette montée paroxystique de la logique technique et organisationnelle est le fait principalement des corporations capitalistes à la recherche perpétuelle de la maximisation de leur profit et de la concentration du capital.

Enfin, sous la pression de la limitation des profits dans le capitalisme manufacturier et avec l'entrée en jeu de plusieurs nouveaux concurrents (pays d'Asie du Sud-Est), on a assisté non seulement à une transformation, à une intégration plus poussée et à une augmentation de l'importance des firmes transnationales dans l'économie mondiale (Deblock et Brunelle), mais aussi à la domination de l'économie réelle par le capital financier spéculatif (Freitag et Mascotto).

Tous les auteurs livrent le même constat: l'achèvement de la rencontre de ces trois processus prend racine et se pose comme la voie à suivre pour le reste de la planète, et ce à partir des États-Unis. «Il est clair qu'encore aujourd'hui, les firmes américaines sont au cœur du phénomène, tout comme les États-Unis demeurent encore, et de loin, le principal pays d'origine des investissements directs à l'étranger» (Deblock et Brunelle, p. 107). De conception lockéenne (selon laquelle la société civile est composée d'organisations privées), les États-Unis s'inscrivent d'entrée de jeu dans une configuration de relations sociales horizontales, où le capital libéré de la lutte des classes, est transnational (Mascotto). Après la Seconde Guerre mondiale et le triomphe du modèle libéral, à la suite des horreurs du fascisme et du nazisme, les États-Unis, propulsés par une logique d'efficacité organisationnelle, ont absorbé les États hobbésiens, ceux qui fondaient leur souveraineté sur une mobilisation politiquement centralisée des ressources économiques et sociales.

Revenons maintenant à l'AMI, fil conducteur de tous les articles du recueil. Cet accord, plutôt que traité, négocié secrètement au sein de l'Organisation de coopération et de développement économiques (OCDE) et non publiquement (et démocratiquement), vise plus à sanctionner et à reconnaître un état de fait, une évolution économique naturelle (d'après ses promoteurs) qu'à les créer. Selon Éric Pineault, cet accord devait 1) définir positivement l'investisseur en tant que citoyen universel juridiquement égal aux États; 2) limiter le pouvoir législatif, exécutif et administratif des États dans tous les domaines susceptibles d'interférer avec les droits des investisseurs; et 3) instaurer une instance juridique d'arbitrage «adémocratique» pour résoudre les conflits éventuels entre un État et un investisseur (p. 35). Mais, face à cette profession de foi de l'AMI envers la mondialisation et son pilier universel, l'investisseur, pourvoyeur de la richesse et artisan d'un meilleur avenir pour tous, les auteurs proposent une position normative et politique systématique s'inscrivant dans un retour à une démocratie réelle.

Pour ces derniers, ce qui se trame véritablement, c'est «l'abolition de tous les obstacles politiques et institutionnels qui s'opposent encore à l'autonomie souveraine d'un «nouvel ordre économique» à caractère global» par l'instauration, sans aucun débat public et à l'encontre de toutes les souverainetés, «d'un ordre mondial dominé par les entreprises transnationales, par le capital financier spéculatif et par une *overclass* d'ampleur planétaire» (Freitag, p. 9).

Pour aboutir à cette nouvelle financiarisation de l'économie ou ce «nouveau barbarisme» (dans les termes de Gilles Gagné), il a fallu plusieurs changements ou mutations prenant racine dans une longue histoire de lutte des classes, de rapports entre bourgeois et prolétaires, entre États, entre production et consommation. Le propre de cette longue histoire est la médiation entre ces différentes catégories, la reconnaissance des différents partenaires (même d'une façon inégale), préfigurées dans un contrat institutionnalisant le partage des fruits du développement et dûment garanti par l'État (Gagné, p. 153). Dans ce sens, la totalité de ces échanges restait directement tributaire des échanges sociaux concrets et assujettie aux finalités sociales régies par une normativité commune. Selon Mascotto, cette logique n'a été respectée qu'à l'intérieur des États européens. En revanche, à l'extérieur, et cela depuis la colonisation des Amériques par les Espagnols et, plus tard, par les Anglais, ce qui a primé, c'est un colonialisme établissant comme seule logique un «droit des gens», «un droit naturel de la société et de consommation» au nom de l'incommensurabilité du commerce. Ainsi, la guerre juste n'est imposée que si les colonisés font obstacle à la liberté du commerce. Et c'est la guerre et le commerce qui fonderont, en dernière analyse, la souveraineté et l'unité de chaque État, ainsi que l'ordre juridique et moral mondial.

Au sein des États européens, malgré tous les ravages que son expansion colonialiste ait pu entraîner, le capitalisme mercantile a procuré des avantages à l'ensemble des collectivités tout en restant parasitaire et prédateur à l'égard de l'activité productive. Dans sa mutation, le capitalisme industriel assujettit le travail qui devient une marchandise, donnant lieu, d'un côté, à une monopolisation des moyens sociaux de production et, d'un autre côté, au «travail libre» autonome et moderne.

Pour Freitag, bien que Marx ait saisit la contradiction économique et anthropologique au cœur du capitalisme industriel, ce dernier ne réussit pas éclairer la contradiction juridique et politique, qui, de surcroît, nous permet de comprendre le destin effectif du capitalisme contemporain (managérial organisationnel ou financier spéculatif). Précisons ceci: la modernité et le capitalisme classique ont engendré deux contradictions.

D'une part, entre l'expression principielle de la liberté et la capacité du propriétaire d'exercer un pouvoir arbitraire et virtuellement absolu d'utilisation et d'acquisition de cette liberté. D'autre part, entre le salaire (qui tend vers le minimum de subsistance et le maximum de travail) et l'exercice pratique du droit de libre disposition de l'entrepreneur capitaliste sur le travailleur. C'est par le biais de ces contradictions que le travail, dans sa forme militarisée, va se trouver au sein des entreprises commandées par le capitalisme entrepreneurial. Pour Mascotto, ce capitalisme est d'ores et déjà aux mains des pays du centre (nécessairement de type lockéen) et surtout aux mains d'une caste campant dans les hauteurs du système économique. Mais, selon Freitag, par sa dynamique même et par sa nature cumulative et irréversible, cette caste concentrera toute la propriété productive et réduira le reste de la population au rang de travailleurs. Armé d'une rationalisation managériale et organisationnelle ayant fait ses preuves — principalement aux États-Unis —, le capitalisme lockéen diffusera son champ relationnel, communicationnel, sociétal et juridique (situé en dehors de l'espace politique et directement logé au cœur de la «société civile marchande») comme un modèle objectif et universellement valable.

Avec l'entrée en scène des docteurs Jekyll (Reagan et Thatcher) au début des années quatre-vingt, le néocapitalisme a pris du poil de la bête: instauration et consolidation de tous les leviers propices à la propagation des organisations financières par une politique à l'encontre des syndicats, par une baisse des salaires, par une dévaluation du dollar, par le gonflement de la dette publique, par la réduction des impôts en faveur des détenteurs de capitaux et des haut salariés, etc., autrement dit, une politique de «flexibilité de l'emploi» parallèlement à des placements financiers très rentables à court terme.

Par ce libéralisme nouvelle mouture, il y a eu un déplacement du capital vers la finance et la spéculation boursière, qui d'ailleurs apparaissait comme la meilleure solution des problèmes de la surproduction et de la surcapacité (surtout dans le secteur manufacturier). Aussi ce néolibéralisme épaulé par les multinationales (qui représentent le principal investisseur dans le monde) et dont l'AMI n'est qu'une des figures, la plus terrifiante, confirme-t-il que, désormais, «c'est l'international qui descend l'arène nationale» (Deblock et Brunelle, p. 139). Conséquemment, le marché est libéré des droits politiques nationaux et les États ne sont plus que de simples organisations qui cherchent à déterminer les règles qui pourront assurer la circulation des capitaux et la protection de l'investisseur et de ses investissements.

Libéré de la lampe où il était toujours confiné, le djinn n'entend plus exaucer les demandes de son maître Aladin, mais assujettir ce dernier et prendre ses propres désirs pour ceux de son maître. Les collaborateurs de cet ouvrage sont unanimement d'accord: la mondialisation néocapitaliste et son dernier avatar, l'AMI, visent à assujettir «les sociétés comme les individus, les cultures comme les civilisations, à la toute-puissance d'un "système" qui menace l'ensemble des formes de vie autonomes, voire même l'intégrité du monde», éradiquant ainsi «la dimension politique de la liberté, laquelle est remplacée par l'affirmation obsédante de l'immédiate positivité et du caractère inéluctable de cette mutation systémique. La seule liberté de choix est celle de l'adaptation stratégique» (Freitag, p. 233).

Les auteurs nous présentent une analyse généalogique, typologique et structurelle du capitalisme. C'est l'un des grands mérites de ce livre qui nous éclaire, par ailleurs, sur la différence entre internationalisation et mondialisation du capital. Ainsi, si la première indique un élargissement, une extension de l'espace capitaliste, la deuxième rend compte d'une destruction de l'espace humain, social et civilisationnel des collectivités.

Certes, il faut saluer comme un acte courageux la publication de ce livre qui dévoile les relations incestueuses entre une mondialisation financière arrogante et sans vergogne et l'AMI, dernier avatar mort-né, mais qui reste pourtant, dans son esprit, une menace réelle pour la majorité des citoyens de ce monde. Disons pour finir que la publication très réduite (surtout en français), en nombre et en qualité, d'écrits sur le sujet, révélatrice d'un manque d'enthousiasme, voire d'intérêt, pour cette problématique, ne saurait être imputée seulement à des raisons purement commerciales. Ce livre témoigne de la démission de l'intelligentsia et des classes politiques qui ne cessent de prêcher les bienfaits de la mondialisation; ainsi, elles ne diront plus: «Nous n'étions pas au courant.»

Moez SELMI
Doctorant en sociologie
Université du Québec à Montréal

Marcel Gauchet, *La religion dans la démocratie: parcours de la laïcité*, Paris, Gallimard, 1998, 127 p.

Marcel Gauchet, dans son dernier livre *La religion dans la démocratie*, poursuit la démarche entreprise dans *Le désenchantement du monde. Une histoire politique de la religion*, paru en 1985. Il cherche à comprendre les transformations des sociétés contemporaines à la lumière du processus de la «sortie de la religion». Pour l'auteur, la «fin des religions» ou la «sortie de la religion» ne signifie pas l'absence de religions ni l'absence de toute expérience de type religieux, il s'agit plutôt de la fin de la structuration de l'espace social par la religion et l'au-delà.

Le développement de la modernité et l'extension de son principe d'autonomie ont été nourris par leurs affrontements avec la religion. La conquête de l'autonomie au détriment de l'hétéronomie se posait comme un projet global, comme un idéal à atteindre. Dès lors, la démocratie revêtait un caractère quasi sacral en vertu duquel la politique s'affirmait comme globalisante pour se substituer au discours religieux qui se voulait, lui aussi, globalisant. La confrontation de l'État et de l'Église a donc modelé nos formes politiques et notre rapport au monde de manière générale. Il va sans dire que la poursuite du phénomène de sortie de la religion entraîne une redéfinition du rôle et de la place de la politique et des croyances.

Maintenant que l'intégration des religions dans la démocratie est achevée, maintenant que nous assistons à la victoire du principe d'autonomie, la politique perd une partie de son objet et de l'enjeu qu'elle devait, selon Gauchet, à son affrontement avec la religion. Du même coup, elle perd de son prestige et de son dynamisme. Paradoxalement, la mort de l'«ennemi» semble entraîner la mort d'une partie de sa légitimité. D'un autre côté, en même temps qu'elle triomphe, l'idée d'autonomie par la politique et la démocratie se trivialise: elle n'est plus un idéal à atteindre, elle devient le donné, la condition première de l'existence.

Cette trivialisation de l'autonomie — la disparition de celle-ci en tant que but idéal — transforme l'image et le rôle de l'État et le «neutralise»:

> [...] la scène politique cesse d'être tenue pour un théâtre de l'ultime. [...] Tout ce qui relève de l'explication ultime, de la prise de position sur le sens de l'aventure humaine se trouve renvoyé du côté des individus — le collectif ne représentant plus, comme il le représentait de tout le temps où il était supposé ouvrir la porte de l'autonomie, un enjeu métaphysique suffisant en lui-même (p. 77).

En se neutralisant, l'État voit sa supériorité être remise en question. Il perd alors sa capacité normative, il devient de moins en moins le foyer de sens qui permet aux citoyens d'orienter et de guider leurs actions. Désormais, l'entière responsabilité du choix, des croyances, des finalités et des priorités revient aux individus.

Ces circonstances commandent une redéfinition en profondeur des notions d'identité et de citoyenneté, lesquelles n'échappent pas aux transformations engendrées par la perte de transcendance et la neutralisation de l'État. La figure du citoyen du XVIIIe siècle, où il était nécessaire d'épouser le point de vue d'ensemble et où les individus s'éloignaient de leurs particularités pour s'élever à la hauteur du Nous, n'est plus celle qui prévaut aujourd'hui. Ce sont maintenant les particularités propres à chacun qui prédominent et qui forment l'identité des individus. C'est d'ailleurs au nom de celles-ci que les citoyens formulent diverses revendications et entrent dans l'espace public — puisque l'idée d'«identité privée» ne peut avoir de sens qu'en fonction de la projection publique.

La fin de la supériorité «métaphysique» de la sphère publique — en plus de vider l'État de sa substance normative et de mettre un terme à sa représentation en tant qu'instance suprême où se détermine l'existence collective — libère donc la «[...] logique représentative et la laisse aller au bout d'elle-même; [elle] rend la relation [entre la société civile et l'État] intégralement représentative» (p. 112). L'État devient alors l'instrument et l'espace de représentation de la société civile.

Il découle de cette logique représentative une multiplication de règles de procédure. En effet, le respect des minorités, l'équité dans la prise en compte des multiples opinions, orientations, appartenances et intérêts ne peuvent passer que par l'application rigoureuse de règles strictes. Il ne faut donc pas s'étonner de l'extériorisation de l'État et du fait que son rôle est de plus en plus procédural et fonctionnel, puisque la puissance publique se doit d'assurer l'égale reconnaissance de chacun. L'État se voit dans l'obligation de répondre aux demandes tout en ayant perdu son pouvoir de guide du devenir collectif. D'où l'impression qu'il n'est plus qu'un immense appareil de gestion du social tournant à vide. Par ailleurs, l'implantation de cette logique représentative jumelée avec les choix possibles de son identité fait passer au premier plan les droits privés des individus (droits de l'homme). Il s'en suit un développement continu du domaine de la régulation juridique, et ce aux dépens du domaine de la volonté politique.

C'est dans ce contexte de désencadrement politique de la société civile et d'élargissement continu du domaine de la régulation juridique qu'il faut comprendre la reviviscence de l'idée de «marché» qui déborde largement la sphère de l'économie pour s'étendre à l'ensemble de la société.

> Comment se représenter la forme des relations susceptibles de s'établir entre des agents tous indépendants les uns des autres et tous fondés à poursuivre à leur guise la maximisation de leurs avantages, en l'absence d'une composition impérative au nom de l'intérêt de tous? [...] seule la figure d'un processus d'ajustement automatique est capable d'y répondre (p. 86).

La fin du politique et de l'État comme grand leader du devenir collectif par le biais d'un discours normatif globalisant et transcendant la société laisse donc toute la place à l'idéal d'autorégulation et d'auto-ajustement qui se cristallise dans la régulation juridique.

Dans les sociétés contemporaines, cette obsession de représenter tout et tous dans ce qu'ils ont de particulier ainsi que l'incapacité de l'État d'être le foyer de sens et le grand orienteur du devenir collectif font évidemment perdre de vue la volonté générale et l'unité collective, mais elles provoquent également la perte d'une connaissance et d'une compréhension globale de la société. Gauchet souligne qu'il ne faut pas oublier que «reconnaître n'est pas connaître, que rendre visible n'est pas rendre intelligible et que mettre en représentation n'est pas donné à maîtriser par la pensée» (p. 126). Voilà alors le grand paradoxe de la société: tout l'effort déployé pour se rendre visible dans toutes ses parties aboutit finalement à quelque chose d'indéchiffrable au point de vue collectif; plus que jamais, les citoyens sont appelés à se prononcer par le biais de sondages et de référendums, et pourtant, plutôt que de devenir de plus en plus transparent, le fonctionnement collectif semble de plus en plus opaque. Gauchet conclut donc que:

> En voulant se donner une image exacte d'elle-même, en voulant faire droit à la totalité de ses composantes, elle [la société] en vient à s'échapper elle-même. Au nom de la démocratie, elle tourne le dos à l'exigence démocratique suprême, celle de se gouverner soi-même (p. 127).

Karine LECLERC
Doctorante en sociologie
Université du Québec à Montréal

Françoise Champion et Martine Cohen (dir.), *Sectes et démocratie*, Paris, Seuil, 1999, 391 p.

Depuis plusieurs années, la question des sectes fait l'objet d'une véritable polémique. Fléau social pour certains, expression du droit à la liberté religieuse pour d'autres, le débat sur leur nocivité réelle ou supposée a nourri une abondante littérature. Françoise Champion et Martine Cohen ont réuni dans ce livre les contributions de spécialistes européens pour apporter un éclairage sociologique à ces phénomènes. Si plusieurs analyses ont été produites par des chercheurs anglophones, cet ouvrage est le premier qui présente l'essentiel des recherches scientifiques menées en français sur le thème des sectes.

Les deux directrices de ce collectif nous proposent, en introduction, une réflexion fort pertinente sur la polémique concernant les sectes et sur la manière dont elle est construite par les différents acteurs, soit les mouvements antisectes, les médias, les ex-membres de sectes, les politiciens. Elles constatent que les chercheurs français sont demeurés relativement en retrait du débat. Par cet ouvrage, qui est issu en grande partie d'un colloque, elles ont voulu engager un débat parmi les chercheurs et provoquer une intervention pertinente et responsable du milieu de la recherche.

Le terme de secte a une forte connotation péjorative. Il importe donc de préciser ce qu'il faut entendre par mouvement sectaire et ce que cette expression désigne parmi la vaste panoplie des groupes religieux actuels. Françoise Champion et Louis Hourmant abordent cette question théorique à partir des travaux de Weber et de Troeltsch sur les types «Église», «Secte» et «Réseau mystique». À la lumière des caractéristiques propres à chacun de ces trois types, les auteurs passent en revue les différents mouvements de *revivals* américains des siècles précédents, l'émergence des nouveaux mouvements religieux des années soixante-dix, puis les phénomènes religieux plus récents. Ils constatent que ces analyses classiques ne peuvent rendre compte de la plupart des mouvements religieux apparus au cours des dernières décennies. Ceux-ci, en effet, expriment une nouveauté radicale par rapport aux religions et aux mouvements qui s'étaient développés auparavant: «le salut qu'ils cherchent ne rentre plus dans les cadres communs aux religions dites abrahamiques, ils marquent une rupture par rapport aux enjeux — en matière de salut, mais aussi de leadership et d'organisation — qui structurent la typologie de Weber et Troeltsch» (p. 74). Par exemple, pour plusieurs des nouveaux mouvements, la question de l'éthique n'occupe plus la place centrale qu'elle avait dans les trois types classiques. L'épanouissement personnel et la libération intérieure passent avant toute chose. Les auteurs soutiennent, avec raison, que le terme de «nouveaux mouvements religieux» ne saurait être d'aucune utilité opératoire, puisqu'il s'agit d'une notion purement descriptive et non pas compréhensive. Bien que les auteurs ne s'avancent pas jusqu'à proposer une nouvelle typologie, ils ouvrent néanmoins avec beaucoup d'à-propos la réflexion théorique à ce sujet.

Plusieurs études sur des groupes controversés illustrent bien les évolutions que connaît le paysage religieux actuel. Le survol rapide que je ferai ici ne rend pas justice à la richesse des analyses, mais donnera un aperçu des contributions qui font de cet ouvrage une publication marquante dans le domaine.

Régis Dericquebourg présente une étude sur les Témoins de Jéhovah. Sa thèse: ce groupe de type sectaire sortirait graduellement de cette logique. Les caractéristiques wébériennes de la secte, soit la forte emprise sur les fidèles, l'élitisme, la protestation contre la société, etc., demeurent des aspects permettant de définir ce groupe. Toutefois, à certains indices, l'auteur pense que les Témoins de Jéhovah évoluent vers une sortie de cette logique radicale: l'engagement dans l'action humanitaire, la fin de l'insoumission à l'armée, l'ouverture à un dialogue à propos du refus des transfusions sanguines montrent qu'ils font certaines concessions avec l'État et l'organisation sociale. Louis Hourmant présente la Soka Gakkai, considérée en France comme un bouddhisme «paria» qui ne jouit pas des retombées de l'image positive que le bouddhisme suscite en général. Ce groupe, d'origine japonaise mais largement répandu dans le monde, fait l'objet d'un traitement médiatique qui met l'accent sur la puissance et la richesse de l'organisation, mais fort peu sur le sens que les pratiques revêtent pour les croyants. Son engagement politique au Japon soulève la controverse dans la France laïque. Toutefois, le mouvement n'en demeure pas moins fortement mobilisateur pour les individus qui y adhèrent, y trouvant un lieu propice où s'affirme le désir de perfectionnement de soi et de réalisation des potentialités de chacun associé à une préoccupation pour les causes humanitaires et la paix mondiale.

Trois chercheurs s'intéressent, sous des angles différents, à l'Ordre du Temple solaire (OTS). Les événements tragiques survenus dans ce groupe ont donné lieu à de vifs débats et alimenté la «peur des sectes». Jean-Francois Mayer présente une description détaillée du mouvement et de ses adeptes, en mettant en évidence la dangereuse fascination que peut exercer l'autorité de type charismatique. Roland J. Campiche montre, par l'exemple du traitement médiatique ménagé aux tragédies de l'OTS, comment se construisent des représentations sociales du «religieusement correct» et du dangereusement sectaire. Il souligne, à juste titre, que les médias escamotent le fait que «les phénomènes religieux sont aussi des ressorts et des reflets de la violence sociale» (p. 298). Massimo Introvigne fait en quelque sorte l'exégèse des courants d'interprétation concernant ce type de dérive vers l'homicide et le suicide dans une secte: interprétations réductionnistes, psychosociologiques et historiques tentent toutes de cerner le sens d'une telle tragédie.

On lira avec intérêt les articles de Danièle Hervieu-Léger («Prolifération américaine, sécheresse française»), de Laurence Podselver («Les hassidim de Loubavitch: une marginalité traditionnelle»), de Martine Cohen («Dérives sectaires au sein du Renouveau charismatique catholique?»). En outre, Bernard Chouvier propose une lecture psychanalytique du phénomène sectaire; Enzo Pace et Ariel Colonomos étudient les accointances entre les sectes religieuses et la politique en contexte de mondialisation du phénomène sectaire.

Un autre point d'intérêt de l'ouvrage dirigé par Françoise Champion et Martine Cohen est celui d'avoir mis ce débat en perspective, notamment en abordant la question de la relation entre religion, société et droit dans le contexte français où le récent Rapport parlementaire sur les sectes a fait couler beaucoup d'encre, en identifiant des sectes potentiellement dangereuses. Jean Baubérot livre une réflexion éclairante sur les rapports entre la liberté de conscience, la liberté de penser et le problème social des sectes. Il soutient que cette volonté d'encadrement de la part de l'État est un dérapage et représente une contradiction avec la loi de la séparation, constituant ainsi une sorte de retour en arrière. Francis Messner examine la législation cultuelle des pays de l'Union européenne face aux groupes sectaires. Sylvio Ferrari rappelle que la laïcité signifie l'impartialité et l'incompétence de l'État laïque en matière religieuse.

Tant par la richesse des analyses que par la qualité des commentaires, cet ouvrage me semble incontournable pour tous ceux qui s'intéressent au phénomène sectaire. Si les chercheurs en sciences sociales en tireront certainement grand profit, il faut souligner que la clarté de la présentation rend ces études accessibles à un plus large public.

Micheline MILOT
Département de sociologie
Université du Québec à Montréal

LA REVUE

NOUVELLES PRATIQUES SOCIALES

Volume 12, numéro 2

Dans le dernier numéro
de *Nouvelles pratiques sociales*

Sous la direction de Yves VAILLANCOURT

Éditorial
Trois positions dans le débat sur le modèle québécois

Entrevue avec GÉRALD LAROSE

L'effet structurant des politiques dans la définition et la construction
du phénomène de l'itinérance, et les impacts sur les services et l'intervention

Facteurs liés à l'échec d'un partenariat entre un organisme
communautaire et un CLSC : une étude exploratoire

La maladie de l'alcoolisme en Amérique du Nord : une analyse critique
des fondements scientifiques et des enjeux sociaux

Les organismes communautaires :
une composante essentielle de ce tiers secteur

Le point de vue du Sud face aux mouvements sociaux
et à l'intégration des Amériques

1,2,3 GO ! : Modèle théorique et activités d'une initiative communautaire
pour les enfants et parents de six voisinages de la grande région de Montréal

Les Groupes d'action en santé du cœur : évaluation d'un projet
communautaire de promotion de la santé cardiovasculaire
en milieu d'extrême pauvreté

Échos et débats

AN-991110

RECHERCHES SOCIOGRAPHIQUES
UNE SOURCE DE RÉFÉRENCES ESSENTIELLES POUR LE QUÉBEC ET LE CANADA FRANÇAIS DEPUIS 1960

- ❐ 1998 **Le Québec et le Canada** (numéro double), et un numéro sans thème
- ❐ 1999 **Mouvements sociaux et enjeux institutionnels**, et deux numéros sans thème
- ❐ 2000 Trois numéros sans thème
- ❐ **Index 1960-1999**, 14,95 $ (**gratuit** avec tout abonnement pour l'an 2000)
- ❐ À venir **Au Québec et ailleurs : comparaisons de sociétés**
- ❐ À venir **Fernand Dumont, sociologue**

❐ Le numéro (1998)	16 $ CAN	❐ Le numéro (1999)	18 $ CAN
❐ Numéro double	24 $ CAN	❐ Le numéro (2000)	19 $ CAN

ABONNEMENT 2000

❐ Régulier	40 $ CAN	❐ Étudiant	28 $ CAN (avec preuve)
❐ Organisme	62 $ CAN	❐ Le numéro	19 $ CAN

PAYS ÉTRANGERS, AJOUTER 5 $ CAN

Nous absorbons les taxes lorsque requises – TPS : R119 278 950 – TVQ : 1008 154 143 TV 0003

NOM_____

ADRESSE _____

_____CODE POSTAL_____

MODE DE PAIEMENT   TOTAL_____

❐ Chèque ou mandat ci-joint à l'ordre de *Recherches sociographiques*
       ❐ Mastercard   ❐ Visa

NUMÉRO_____

DATE D'EXPIRATION_____

SIGNATURE_____

DATE_____

RETOURNER À : *Recherches sociographiques*, Département de sociologie, Faculté des sciences sociales, Université Laval, Québec, Canada G1K 7P4
http://www.fss.ulaval.ca/soc/rechsoc/index.htm
Téléphone (418) 656-3544 — Télécopieur : (418) 656-7390 — jacqueline.arguin@soc.ulaval.ca

Sciences de la Société

N° 48 - Octobre 1999

ENTREPRISES ET TERRITOIRES

Conditions de vente

Prix au numéro : 110 F + port (22 F et 24 F à partir de deux exemplaires)
    étudiants :   250 F (port inclus)
    particuliers :   300 F   "
    institutions :   340 F   "
Commandes et règlement à adresser à :
PRESSES UNIVERSITAIRES DU MIRAIL
Université Toulouse Le Mirail
5 Allées A. Machado 310558 Toulouse cedex
Tel : (33) 05 61 50 38 10 - Fax : (33) 05 61 50 38 00

---

*Revue éditée avec le concours du CNRS et du Centre National du Livre (Ministère
de la Culture)*

Cahiers de recherche sociologique

Prix
(taxes et frais de poste inclus)

Déjà parus et disponibles

#1	Connaissance et société	9,35 $
#2	Le discours social et ses usages	9,35 $
#6	Des femmes dans les sciences	11,60 $
#8	Le complexe agro-alimentaire et l'État	11,60 $
#9	L'autre sociologie: approches qualitatives de la réalité sociale	11,60 $
#10	L'économie mondiale en mutation	11,60 $
#11	La reconquête de la ville	13,90 $
#12	L'énigme du texte littéraire	13,90 $
#13	Droits et libertés	13,90 $
#14	Savoir sociologique et transformation sociale	16,15 $
#15	Les États-Unis en question	16,15 $
#17	Régulation et problèmes contemporains	16,15 $
#18-19	Entreprises: approches théoriques et études de cas (no double)	29,85 $
#20	Ethnicité et nationalismes. Nouveaux regards	19,50 $
#21	L'innovation technologique	19,50 $
#22	Marginalité et exclusion sociales	19,50 $
#23	Critiques féministes et savoirs	19,50 $
#24	L'État dans la tourmente	19,50 $
#25	Être ou ne pas être québécois	19,50 $
#26	La sociologie saisie par la littérature	19,50 $
#27	Jeunes en difficulté: de l'exclusion vers l'itinérance	19,50 $
#28	Feu la société globale	19,50 $
#29	La pauvreté en mutation	19,50 $
#30	La sociologie face au troisième millénaire	19,50 $
#31	Hors thème	19,50 $
#32	Le politique en otage	19,50 $
#33	Religions et sociétés... après le désenchantement du monde	19,50 $

Les numéros 3, 4, 5, 7, 16 sont épuisés.

À paraître

#34 L'intellectuel dans la Cité (printemps 2000)

Bulletin d'abonnement

Prix de l'abonnement en dollars canadiens (taxes et frais de poste inclus)

	1 an (2 numéros)	2 ans (4 numéros)	3 ans (6 numéros)
au Canada	32,00 $	58,00 $	84,00 $
à l'étranger	35,00 $	64,00 $	92,00 $
institution au Canada	45,00 $	82,00 $	117,00 $
institution étrangère	50,00 $	91,00 $	130,00 $
étudiant*	22,00 $	40,00 $	59,00 $

✄ ....

Retourner ce coupon avec un chèque ou mandat de poste international à l'ordre de:

CRS / Service des publications
Université du Québec à Montréal
Case postale 8888, Succursale Centre-ville
Montréal (Québec), Canada, H3C 3P8

❑ Je désire m'abonner à partir du numéro _____ $

❑ Je désire recevoir les numéros _____ _____$

Total _____$

Compte ❑ Visa ❑ Master Card

No: _____Expiration _____

*Prière de préciser votre code permanent d'étudiant _____

Signature: _____

Nom: _____

Adresse: _____

Code postal: _____